10|18

12, avenue d'Italie — Paris XIIIe

Du même auteur
dans la collection 10/18

LE DERNIER BUS POUR WOODSTOCK

PAR

COLIN DEXTER

Traduit de l'anglais
par Claude BONNAFONT

10 18

INÉDIT

« Grands Détectives »
dirigé par Jean-Claude Zylberstein

Si vous désirez être régulièrement tenu au courant
de nos publications, écrivez-nous :

Éditions 10/18
c/o 01 Consultants
35, rue du Sergent Bauchat
75012 Paris

Titre original :
Last Bus to Woodstock

ISBN 2-264-02354-6

PRÉLUDE

— Je t'en prie, attendons encore un instant, dit la fille vêtue d'un pantalon bleu marine et d'un manteau léger. Je suis sûre qu'il y en a encore un d'ici peu.

Elle n'en était pas tellement sûre pourtant, et repartit pour la troisième fois étudier l'horaire affiché dans un cadre rectangulaire à l'arrêt de la section 5. Son esprit n'avait jamais navigué avec confiance dans le monde des colonnes et des chiffres, et le doigt qui s'efforçait de tracer un parcours horizontal en partant de la gauche du tableau avait peu de chances de rencontrer à la coordonnée exacte celui qui descendait du haut selon une verticale approximative. Impatiente, la fille qui se tenait près d'elle transféra d'un pied sur l'autre le poids de son corps et dit :

— Je m'demand' c'que t'en sais.

— Une minute. Rien qu'une minute.

Elle se concentra de nouveau sur les colonnes : « 4, 4A (jusqu'à 18 heures), 4E, 4X (uniquement le samedi). On est mercredi. Donc... Si 2 heures, c'est 14 heures, ça veut dire que... »

— Écout', mon p'tit cœur, fais comm' ça t'chant' mais moi j'y vais en stop.

L'habitude qu'avait Sylvia d'omettre la majorité des *e* muets était irritante. Leur disparition quasi totale, qui donnait à sa diction un caractère heurté, faisait aussi très négligé. Si jamais elles devaient devenir des amies plus intimes, il faudrait le lui signaler.

Quelle heure était-il maintenant ? 6 h 45 de l'après-midi. Ce qui devait faire 18 h 45. Oui. Elle allait bien finir par y arriver.

— Allez, viens. Tu vas voir, dans deux minut', quelqu'un nous ramass'. C'est tout c'que cherch' la moitié des mecs : des gonzess'.

A dire vrai, il n'y avait nulle raison de mettre en question le vigoureux optimisme de Sylvia. Pas un automobiliste complaisant ne pouvait manquer d'être impressionné par sa mini-jupe et la gracieuse invite des jambes qu'elle découvrait.

Pendant un court instant, les deux filles observèrent une trêve silencieuse, statique et gênée.

Une femme d'âge mûr s'avançait vers elles, s'arrêtant de temps à autre pour tourner la tête et sonder la longue rue qui menait au centre d'Oxford et sombrait dans l'obscurité. A quelques mètres des filles, elle s'arrêta et posa par terre son sac à provisions.

— Excusez-moi, dit la première fille. Savez-vous à quelle heure passe le prochain bus ?

— Il devrait y en avoir un dans quelques minutes, mon chou, dit-elle, avant de se retourner pour interroger la grisaille.

— Est-ce qu'il va à Woodstock ?

— Non, je ne crois pas. Il va seulement jusqu'à

Yarnton. Il va jusqu'au village, il fait demi-tour et il revient.

— Oh !

Elle s'élança jusqu'au milieu de la chaussée, tendit le cou et revint sur ses pas car une file de voitures approchait. La nuit tombait très vite et quelques conducteurs avaient allumé leurs feux de position. Pas l'ombre d'un bus en vue ; elle s'inquiétait.

— Tout ira bien, dit Sylvia, une note d'impatience dans la voix. Tu verras, d'main matin, on en rigol'ra un bon coup.

Une autre voiture. Une encore. Puis, de nouveau, la tranquillité d'une chaude soirée d'automne.

— Bon. Rest' là si tu veux. Moi, j'me barr'.

Sa camarade suivit des yeux Sylvia qui se dirigeait vers le rond-point de Woodstock, à quelque deux cents mètres en remontant la rue. Ce n'était pas un mauvais endroit pour faire du stop : les voitures ralentissaient avant de négocier la jonction avec la rocade très fréquentée.

Elle se décida :

— Sylvia, attends-moi !

Saisissant de sa main gantée le col de son manteau poids plume, elle courut à sa poursuite ; elle avait l'allure maladroite des gens aux pieds plats.

La dame d'âge mûr montait toujours la garde à l'arrêt de la section 5. Elle se disait que les choses avaient beaucoup changé depuis son jeune temps.

Mais Mrs Mabel Jarman n'attendit pas longtemps. Son esprit jouait paresseusement autour de pensées fugaces ; rien de bien important. Elle serait bientôt chez elle. Comme elle devait se le rappeler plus tard, elle était tout à fait à même de décrire

Sylvia, ses longs cheveux blonds, sa sensualité désinvolte et provocante. De l'autre fille, elle ne se rappelait presque rien : petit manteau léger, pantalon sombre. Quant aux couleurs ? Les cheveux châtain clair ? « Je vous en prie, Mrs Jarman, essayez de vous rappeler. Faites de votre mieux. Il est absolument essentiel pour nous que vous vous rappeliez du mieux que vous pouvez... » Elle avait remarqué quelques voitures et une lourde semi-remorque qui tressautait, chargée d'un nombre invraisemblable de carosseries de voitures sans leurs roues. « Des hommes ? Des hommes sans passagers ? » Elle s'était donné un mal fou pour se souvenir. Oui, il y avait eu des hommes, elle en était sûre. Plusieurs étaient passés près d'elle.

A 18 h 50, les contours d'une masse rosâtre et oblongue se précisèrent progressivement. Elle ramassa son sac tandis que le bus rouge de la Compagnie se faufilait lentement d'un arrêt à l'autre, dans la pénombre. Bientôt, elle parvint à lire les lettres blanches éclatantes au-dessus de la cabine du chauffeur. Qu'était-il écrit ? Elle plissa les yeux pour mieux distinguer : WOODSTOCK ! Oh, Seigneur ! Elle s'était donc trompée lorsque la jeune fille qui s'exprimait si bien l'avait questionnée à propos du prochain bus. Allons ! Inutile de s'en faire ! Elles n'étaient sûrement pas bien loin. Ou bien quelqu'un les avait prises en stop ou bien elles avaient vu le bus et elles s'arrangeraient pour l'attraper au prochain arrêt, ou même au suivant. « Depuis combien de temps étaient-elles parties, Mrs Jarman ? »

Elle s'éloigna un peu du bord du trottoir, ce dont le chauffeur de Woodstock qui passa devant elle lui fut reconnaissant. A peine le bus avait-il disparu qu'elle vit arriver l'autre, à une centaine de mètres derrière. Ce devait être le sien. Le bus à impériale s'approcha de l'arrêt lorsque Mrs Jarman leva la main. A 19 h 2, elle était chez elle.

Elle était veuve à présent, ses grands enfants étaient mariés ; néanmoins, sa maison jumelée, symbole d'orgueil et de pauvreté, était toujours son vrai home et sa solitude comportait des compensations. Elle se cuisina un dîner plantureux, fit sa vaisselle et alluma la télévision. Elle ne pouvait comprendre pourquoi les programmes étaient si critiqués. Elle-même les appréciait pratiquement tous ; souvent elle aurait aimé pouvoir suivre deux chaînes simultanément. A 22 heures, elle regardait *Actualité en bref* avant d'éteindre son poste et d'aller se coucher. A 22 h 30, elle dormait à poings fermés.

A 22 h 30 également, une jeune fille fut trouvée étendue par terre dans une cour, à Woodstock. Elle avait été sauvagement assassinée.

I. A LA RECHERCHE D'UNE JEUNE FILLE

1. Mercredi, 29 septembre

De St Giles Street au centre d'Oxford, deux voies parallèles courent droit vers le nord, comme les branches d'un diapason. Sur le périmètre nord d'Oxford, chacune doit d'abord croiser la rocade nord très fréquentée par où s'écoule le flot des automobilistes pressés, heureux d'éviter les merveilles de la vieille ville universitaire. L'embranchement mène jusqu'à la ville de Banbury et, de là, poursuit son parcours banal jusqu'au cœur des centres industriels ; la route qui part vers l'ouest conduit l'automobiliste à la petite ville de Woodstock, à environ treize kilomètres au nord d'Oxford, puis à Stratford-sur-Avon.

Le trajet d'Oxford à Woodstock est tranquillement séduisant. De larges accotements herbus procurent une agréable sensation d'espace et, trois kilomètres plus loin, au village de Yarnton, une route à quatre voies, dotée d'une bande médiane agrémentée d'une rangée d'arbres, libère définitivement le trafic — il s'accélère après l'aéroport — de sa paralysie initiale. Juste avant Woodstock, sur la gauche, un mur de pierre grise, long de huit cents mètres, marque les limites orientales du vaste et beau domaine de Blenheim Palace, puissante demeure construite par la bonne reine Anne pour son brillant général, John Churchill, premier duc de Marlborough. Hautes et imposantes, des grilles de fer forgé signalent l'entrée principale et l'avenue du château. L'été, les touristes affluent ; ils déambulent parmi les grandes salles à la splendeur austère, s'immobilisent devant les immenses tapisseries flamandes illustrant Malplaquet et Audenarde, ou dans la pièce où naquit le dernier descendant de la lignée des Churchill, le grand Sir Winston en personne, qui repose à présent dans le cimetière jadis paisible du village voisin de Bladon.

Aujourd'hui, Blenheim domine la vieille ville, mais il n'en fut pas toujours ainsi. Les robustes maisons grises qui bordent la rue principale témoignent de temps plus reculés et pourraient raconter leur histoire plus ancienne, encore que la majorité d'entre elles soient de nos jours reconverties en pimpantes boutiques de cadeaux et souvenirs, en magasins d'antiquités, ou encore en auberges. Il semble qu'il y ait toujours eu là une hôtellerie accueillante et variée, et plusieurs des hôtels et auberges, aujourd'hui étroitement regroupés au long des rues, se glorifient, en plus d'une longue ascendance, d'un assortiment d'étoiles noires de l'*Automobile Association* qui se détachent sur leurs brillants panneaux jaunes.

Le *Black Prince* se trouve à mi-chemin d'une large rue transversale, sur la gauche pour qui arrive par le nord. Il ne peut se targuer d'origines anciennes dans la noblesse de Woodstock et il paraît, hélas, hautement improbable que le guerrier, fils du roi Édouard III, ait jamais ri ou pleuré dans ses murs, bu un bon coup ou culbuté une fille. Pour parler franchement, un directeur de la société londonienne qui avait acheté quelque dix ans plus tôt la vieille maison, les cours d'écuries et tout l'ensemble, avait noté dans un guide à l'authenticité douteuse que le prince était né dans les environs. Chaudement félicité par son conseil d'administration pour cette heureuse trouvaille, ce même directeur ne le fut pas moins lorsqu'il découvrit par la suite que le noble prince ne figurait pas encore dans l'annuaire téléphonique de Woodstock. L'établissement devint donc *The Black Prince*. La fille très douée du premier gérant avait recopié dans une écriture à l'ancienne une brève mais romanesque biographie du prince guerrier, piquée dans une encyclopédie pour enfants ; puis elle avait introduit son œuvre dans le four de sa mère, chauffé à 450 °F, et l'y avait laissée une demi-heure. Le manuscrit en ressortit vénérablement bruni par l'âge ; encadré avec soin mais à peu de frais, il occupait à présent la place d'honneur sur le mur du salon des cocktails. Sous les écus des collèges d'Oxford, impeccablement alignés le long des poutres peintes inférieures, il apportait à la fois le chic et la classe.

Depuis deux ans et demi, Gaye était l'« hôtesse » attitrée du *Black Prince* ; au goût du gérant, l'appellation « barmaid » était un tantinet *infra dignitatem*. Il n'avait pas tort. Il arrivait rarement que Gaye dût affronter des requêtes du style : « Une pinte de ta meilleure pression, chéérie », qu'elle associait à présent au prolétariat. Au *Black Prince*, il était plus souvent question de vodka-citron pour les fringantes minettes, de manhattan pour les touristes américains, de gin and it [1], pour les *dons*[2] d'Oxford. Gaye préparait ces mixtures en choisissant avec une assurance d'expert parmi les bouteilles avenantes dont la rangée étincelante miroitait derrière le bar.

Moquette épaisse, fauteuils et banquettes recouverts dans une plaisante nuance orangée, le salon baignait dans un éclairage diffus, qui n'était pas sans rappeler — du moins était-ce le but souhaité — le clair-obscur d'une nativité de Rembrandt. Quant à Gaye, c'était une fille séduisante, aux cheveux auburn, vêtue ce mercredi-là d'un impeccable tailleur-pantalon noir et d'une blouse blanche à volants. Une volée de bagues sur les deuxième et troisième doigts de sa main gauche était un aimable avertissement à l'adresse des insipides play-boys amateurs et, peut-être, au dire de certains, une invite destinée aux riches don Juans professionnels. En fait, elle était mariée, divorcée, et vivait à présent avec son jeune fils et une mère que ne chagrinaient pas outre mesure les mœurs aimablement relâchées d'une précieuse fille qui avait eu la malchance d'épouser un « salaud doublé d'un pouilleux ». Gaye appréciait son statut de divorcée tout comme elle appréciait son job, et elle avait bien l'intention de préserver l'un et l'autre.

1. Cocktail à base de gin, d'une liqueur française et d'un soupçon de martini rouge italien.

2. *Don* : professeur d'université, en particulier à Cambridge et à Oxford. Selon leur ancienneté, les *dons* sont *senior fellow* ou *junior fellow*. (*N.d.T.*)

Comme tous les mercredis, la soirée avait été chargée et ce fut avec un certain soulagement qu'à 22 h 25 elle demanda poliment mais fermement, qui voulait un dernier verre. Un jeune homme perché sur un tabouret dans un coin du bar poussa devant lui son verre à whisky.

— Même chose.

Gaye jeta un coup d'œil narquois dans le regard qui chavirait mais ne dit rien. De sa main droite, elle plaça le verre de son client sous une bouteille de whisky de qualité supérieure tandis que sa main gauche enregistrait machinalement le tarif. Le jeune homme était manifestement ivre. Il fourragea vainement pendant un bon moment dans le fond de ses poches avant de trouver la somme voulue puis, après avoir avalé une rasade de whisky, il se laissa glisser prudemment de son siège, visa la porte d'un regard incertain et parcourut une ligne aussi décemment rectiligne que les circonstances permettaient de l'espérer.

La cour ancienne, où jadis les sabots des chevaux résonnaient sur les pavés, donnait sur la rue par un porche étroit ; elle s'était avérée pour le *Black Prince* un atout inestimable. Une épidémie de contraventions pour chevauchement des lignes jaunes, simples et doubles, qui bordaient jusqu'aux fractions les plus inhospitalières et inaccessibles de la rue, avait engendré pour la loi un respect consenti à contrecœur ; et tout établissement arborant l'écriteau « Réservé à la clientèle : les voitures stationnent ici aux risques et périls de leurs propriétaires » était voué à la prospérité. Ce soir-là, comme d'habitude, la cour était bourrée des inévitables Volvo et Rover. Une lampe accrochée au porche jetait une maigre flaque de lumière sur l'entrée de la cour dont le reste était plongé dans l'obscurité. Le jeune homme titubant s'avança jusqu'au coin le plus reculé de la cour ; au même endroit pratiquement, il distingua une vague forme derrière la voiture garée tout au fond. En silence, il sonda l'obscurité. Puis l'horreur monta lentement le long de sa nuque ; adossé à une porte d'écurie cadenassée, subitement et violemment, il vomit.

2. Mercredi, 29 septembre

Le gérant du *Black Prince*, Mr Stephen Westbrook, appela la police immédiatement après la découverte du corps et son appel fut suivi d'effet dans un délai remarquablement court. Le sergent [1] Lewis, de la police de Thames Valley, lui donna des instructions rapides et claires. Une voiture de police arriverait au *Black Prince* d'ici dix minutes ; Westbrook devait faire en sorte que personne ne quitte les locaux et que personne ne pénètre dans la cour ; si quelqu'un insistait pour partir, il devait prendre les nom, prénoms et adresse de ladite personne ; si quelqu'un lui demandait à quoi rimaient tous ces ennuis, il devait dire la vérité.

L'ambiance joyeuse de la soirée retomba comme un ballon qui se dégonfle et le diapason des voix se réduisit tandis que se propageait la rumeur : un meurtre avait été commis. Pas un client ne parut réellement pressé de partir ; deux ou trois personnes

1. Grade équivalent à celui de brigadier dans la police française. (*N.d.T.*)

demandèrent si elles pouvaient téléphoner. Subitement, tout le monde se sentait sobre, y compris le jeune homme très pâle qui se tenait dans le bureau du gérant et dont le whisky, à peine entamé, était toujours sur le comptoir dans le salon des cocktails.

Dès l'arrivée du sergent Lewis et de deux agents en uniforme, un petit groupe de curieux s'était formé sur le trottoir d'en face. Il n'échappa pas à leur attention que la voiture de police stationnait presque en travers de l'entrée de la cour dont elle condamnait la sortie. Cinq minutes plus tard, une seconde voiture de police arriva et les yeux se tournèrent vers l'homme svelte et brun qui en descendit. Il s'entretint un court instant avec l'agent de garde à l'extérieur, approuvant à plusieurs reprises d'un hochement de tête, puis il entra au *Black Prince*.

Il connaissait peu le sergent Lewis mais fut très vite heureusement impressionné par sa compétence et sa pondération. Les deux hommes échangèrent quelques brefs propos et tombèrent rapidement d'accord sur une procédure préliminaire. Aidé du second agent, Lewis allait dresser la liste des noms, adresses et numéros d'immatriculation des voitures de toutes les personnes présentes sur les lieux, et prendre des déclarations rapides sur l'endroit où elles avaient passé la soirée et sur leur destination immédiate. Il y avait plus de cinquante personnes à voir. Morse se rendit compte que cela prendrait pas mal de temps.

— Voulez-vous que j'essaie de vous obtenir de l'aide supplémentaire, sergent ?

— Je pense que nous pouvons nous en tirer à deux, monsieur.

— Bien. Allons-y.

La porte d'entrée latérale du *Black Prince* donnait également sur la cour ; Morse la franchit avec circonspection et examina les lieux. Il dénombra treize voitures agglutinées dans l'espace limité ; à vrai dire, il y en avait peut-être une ou deux de plus qu'il ne pouvait discerner car les véhicules tassés au fond contre le mur élevé qui fermait la cour n'étaient que des formes indistinctes. Il se demanda par quels miracles d'adresse et de précision leurs propriétaires en état d'ébriété parvenaient à négocier la sortie d'une voiture saine et sauve par l'issue étroite de la cour. Il promena soigneusement sa torche autour de lui et entama lentement l'inspection des lieux. Prévoyant, le conducteur de la dernière voiture stationnée sur le côté gauche de la cour s'était garé à reculons dans l'étroit espace et il avait laissé près d'un mètre entre son aile gauche et le mur ; sur cet espace s'étendait la silhouette affalée d'une jeune fille. Elle gisait sur le côté droit, la tête légèrement relevée dans l'angle des murs, ses longs cheveux blonds cruellement souillés de traînées de sang. De toute évidence, elle avait été tuée par un coup violent assené sur la partie postérieure du crâne ; derrière le corps se trouvait un lourd démonte-pneu plat, large de quatre centimètres et long de vingt environ, un modèle aux extrémités recourbées, très répandu avant l'avènement des réparations rapides de pneu. Morse resta quelques minutes immobile, le regard baissé vers l'affreux spectacle qui s'étalait à ses pieds. La jeune fille assassinée portait un minimum de vêtements : une paire de chaussures à semelle compensée, une mini-jupe bleu foncé réellement très courte et un chemisier blanc. Rien d'autre. Morse promena sa torche sur la partie supérieure du corps. Le côté gauche de son chemisier avait été déchiré ; les deux boutons du haut étaient ouverts et le troisième violemment arraché, si bien que les seins étaient presque totalement exposés. Morse dirigea sa torche autour du corps et découvrit immédiatement le bouton qui manquait, un petit disque de nacre, très blanc sur le sol pavé où il sembla miroiter à son intention. Dieu, qu'il haïssait les crimes sexuels ! Il appela l'agent posté à l'entrée de la cour.

— Oui, monsieur.

— Il nous faut quelques lampes à arc.

— Je crois en effet que cela aiderait, monsieur.

— Trouvez-en.

— Moi, monsieur ?

— Oui, vous !

— Où vais-je en trouver... ?

— Comment diable le saurais-je ? beugla Morse.

A 23 h 45, Lewis avait terminé sa mission et vint faire son rapport à Morse, assis dans le bureau du gérant en compagnie du *Times* et d'un liquide qui ressemblait beaucoup à du whisky.

— Ah ! c'est vous, Lewis ! fit-il en poussant le journal vers lui. Regardez donc le 14 vertical. Tout à fait de circonstance, non ?

Lewis regarda le 14 vertical : « Plus net, cher à Juliette. » Il lut ce que Morse avait écrit dans la grille terminée : BALCONNET. Qu'était-il censé dire ? C'était la première fois qu'il travaillait avec Morse.

— Bonne définition, vous ne trouvez pas ?

Lewis se tirait parfois du mots croisés de la pause-café du *Daily Mirror* mais, là, il perdait pied.

— Je crains de ne pas être doué pour les mots croisés, monsieur.

— Juliette fait ses adieux à Roméo du haut de son « BALCON » ; plus « NET », cela fait : BALCONNET.

Le visage de Lewis exprimait la perplexité à l'état pur.

— Vous n'avez pas étudié Shakespeare, Lewis ?

— Non, monsieur.

— Vous pensez que je vous fais perdre votre temps, Lewis ?

Lewis n'était pas un imbécile mais un homme honnête et intègre.

— Oui, monsieur.

Un sourire engageant étira les lèvres de Morse. Il pensait qu'ils s'entendraient bien tous les deux.

— Lewis, je veux que vous travailliez avec moi sur cette affaire.

Le sergent regarda Morse droit dans les yeux, des yeux gris et durs. Il s'entendit répondre qu'il en serait enchanté.

— Il faut fêter cela, dit Morse. Patron !

Westbrook qui rôdait aux alentours apparut prestement.

— Un double whisky, dit Morse en poussant son verre.

— Voudriez-vous un verre, monsieur ? demanda le gérant d'une voix hésitante en s'adressant à Lewis.

— Le sergent Lewis est en service, Mr Westbrook.

Puis Morse demanda au gérant de rassembler toutes les personnes présentes sur les lieux, y compris le personnel, dans la plus grande salle disponible. Tout en buvant son whisky dans le plus parfait silence, il feuilleta les dernières pages du journal.

— Lisez-vous le *Times*, Lewis ?

— Non, monsieur ; nous lisons le *Mirror*, répondit Lewis d'un ton un peu piteux.

— Moi aussi, parfois, dit Morse.

A minuit un quart, Morse entra dans la salle de restaurant où tout le monde était rassemblé. Le regard de Gaye croisa et soutint quelques secondes le sien lorsqu'il passa près d'elle. Elle le trouva irrésistible. Non parce qu'il parut la déshabiller du regard, comme la plupart des hommes de sa connaissance, mais parce qu'il semblait l'avoir déjà fait. Elle l'écouta avec intérêt quand il prit la parole.

Il les remercia tous de leur patience et de leur coopération. Il commençait à se faire tard et il n'avait pas l'intention de les retenir plus longtemps. Il allait leur dire à présent pourquoi la police était là. Un meurtre avait été perpétré dans la cour, celui d'une jeune fille aux cheveux blonds. Ils comprendraient certainement que toutes les voitures actuellement garées dans la cour devaient rester où elles étaient jusqu'au matin. Il savait que certains d'entre eux auraient de ce fait des difficultés pour regagner leur domicile mais des taxis avaient été appelés. Si quelqu'un souhaitait communiquer à lui-même ou au sergent Lewis une chose, si insignifiante puisse-t-elle paraître, qui pourrait présenter de l'intérêt ou de l'importance pour l'enquête, ce quelqu'un était prié d'attendre un moment. Les autres pouvaient partir.

Gaye trouvait que la performance avait été très plate. Le fait d'être présente sur la scène d'un meurtre aurait sûrement dû être plus excitant ! Elle allait rentrer chez elle maintenant. Sa mère et son fils devaient dormir à poings fermés. Mais supposons qu'ils ne dorment pas, que pourrait-elle bien leur raconter ? La police était là depuis plus d'une heure et demie. Franchement, elle s'attendait à mieux. D'après ses lectures, Holmes ou Poirot, à l'heure qu'il était, auraient déjà interrogé les principaux suspects et concocté, à partir d'un détail tout à fait prosaïque, quelques déductions saisissantes.

Les murmures qui suivirent la fin de la courte allocution de Morse s'éteignirent tandis que la plupart des clients reprenaient leur manteau et s'en allaient. Gaye se leva, elle aussi. Avait-elle vu quelque chose d'intéressant ou d'important ? Elle se remémora la soirée. Il y avait, bien sûr, le jeune homme qui avait trouvé la fille... Elle l'avait déjà vu auparavant mais n'arrivait pas à se rappeler avec qui il était, ni quand elle l'avait vu. Soudain, cela lui revint : une blonde ! Pas plus tard que la semaine dernière, elle était au salon avec lui. Mais, de nos jours, des tas de filles se décolorent les cheveux. Est-ce que ça valait la peine de le lui dire ? Elle décida que oui et se dirigea vers Morse.

— Vous avez dit que la fille assassinée a les cheveux blonds ?

Morse la regarda et hocha lentement la tête.

— Je pense qu'elle était ici la semaine dernière... Elle était avec l'homme qui a trouvé son corps ce soir. Je les ai vus ici. Je travaille au bar.

— C'est très intéressant, Miss... euh...

— *Mrs*. Mrs McFee.

— Veuillez m'excuser, Mrs McFee. Je me disais que vous portiez peut-être toutes ces bagues pour effrayer les gars qui viennent au comptoir baver d'envie devant vous, et pour les tenir à distance.

Gaye était furieuse. L'odieux individu !

— Écoutez, inspecteur — peu importe votre nom —, je suis venue vous dire une chose dont je pensais qu'elle pourrait être utile. Si vous avez l'intention de...

— Mrs McFee, l'interrompit doucement Morse, en la regardant dans les yeux avec un parfait sans-gêne, si je vivais quelque part dans le coin, je viendrais baver devant vous tous les soirs de la semaine.

Peu après 1 heure du matin, un relais élémentaire mais à peu près efficace de lampes à arc était installé autour de la cour. Morse avait donné l'ordre à Lewis de retenir le jeune homme qui avait trouvé la jeune fille assassinée jusqu'à ce qu'il leur soit possible d'inspecter la cour de près. Les deux hommes examinaient à présent le lieu du crime. Il y avait beaucoup de sang et le sergent Lewis, lorsqu'il baissa les yeux vers la victime, se sentit profondément révulsé par la violence et l'inanité du meurtre. Morse semblait plus intéressé par le ciel étoilé qui les dominait.

— Est-ce que vous étudiez les étoiles, Lewis ?

— Je lis quelquefois les horoscopes, monsieur.

Morse parut ne pas entendre.

— J'ai entendu parler d'un groupe de collégiens qui ont essayé de collecter un million d'allumettes. Après en avoir rempli tous les locaux de leur collège, ils ont décidé qu'il fallait laisser tomber.

Lewis estimait de son devoir de dire quelque chose mais cherchait vainement un commentaire approprié.

Au bout d'un instant, l'attention de Morse se reporta vers les contingences de ce monde et tous deux examinèrent de nouveau la victime. Le démonte-pneu et le bouton blanc solitaire étaient toujours aux endroits où Morse les avait vus précédemment. Il n'y avait pas grand-chose d'autre à voir, si ce n'était la traînée de sang séché qui s'étendait pratiquement d'une extrémité à l'autre du mur du fond.

Le jeune homme était assis dans le bureau du gérant. Sa mère s'attendait à ce qu'il fût en retard ; tout de même, elle devait commencer à s'inquiéter ; c'était aussi son cas. Morse reparut enfin à 1 h 30 du matin, laissant le médecin légiste, les photographes et les spécialistes des empreintes digitales s'affairer dans la cour.

— Nom ? demanda-t-il.

— Sanders, John Sanders.

— Vous avez trouvé le corps.

— Oui, monsieur.

— Dites-moi ce qui s'est passé.

— Il n'y a pas grand-chose à dire, vraiment.

— Alors nous n'aurons pas besoin de vous retenir longtemps, n'est-ce pas, Mr Sanders ? dit Morse en souriant.

Le jeune homme s'agita. Assis en face de lui, Morse le regardait fixement dans les yeux et attendait.

— Eh bien, je suis juste sorti dans la cour et elle était là. Je ne l'ai pas touchée mais je savais qu'elle était morte. Je suis rentré immédiatement pour avertir le gérant.

Morse hocha la tête :

— Rien d'autre ?

— Je n'crois pas.

— A quel moment avez-vous vomi, Mr Sanders ?
— Ah ! oui ! J'ai vomi !
— Était-ce avant ou après que vous avez vu la victime ?
— Après. J'ai dû être bouleversé en la voyant là. Une espèce de choc, je pense.
— Pourquoi ne me dites-vous pas la vérité ?
— Que voulez-vous dire ?
Morse soupira :
— Votre voiture n'est pas ici, n'est-ce pas ?
— Je n'ai pas de voiture.
— Vous arrive-t-il souvent de faire un tour dans la cour avant de rentrer chez vous ?
Sanders se tut.
— Combien de verres avez-vous bus cette nuit ?
— Quelques whiskies. Je n'étais pas ivre.
— Mr Sanders, voulez-vous que j'éclaircisse ce point en questionnant quelqu'un d'autre ?
L'attitude de Sanders exprima clairement qu'il ne souhaitait pas que l'on procédât de cette manière.
— A quelle heure êtes-vous arrivé ici ? poursuivit Morse.
— Vers 19 h 30.
— Et vous vous êtes soûlé et vous êtes sorti pour vomir ?
Sanders reconnut la chose à contrecœur.
— Avez-vous l'habitude de boire seul ?
— Non.
— Qui attendiez-vous ?
Sanders ne répondit pas.
— Elle ne s'est pas montrée ?
— Non, dit-il, catégorique.
— Mais elle est venue, n'est-ce pas ?

— Non, je vous l'ai dit. Je suis resté seul tout le temps.

— Mais elle est venue, n'est-ce pas ? répéta Morse calmement.

Sanders semblait vaincu.

— Elle est venue, continua Morse du même ton tranquille. Elle est venue et vous l'avez vue. Vous l'avez vue dans la cour et elle était morte.

Le jeune homme fit signe que oui.

— On ferait mieux d'avoir une petite conversation, vous et moi, dit Morse, au mépris de la grammaire.

3. Jeudi, 30 septembre

Lorsqu'il se retrouva seul dans la chambre à coucher de Sylvia Kaye, Morse éprouva un net soulagement. Les sinistres tâches de la nuit étaient terminées et il brancha le mécanisme de défense naturel de son esprit fatigué. Il souhaitait oublier le réveil de Mrs Dorothy Kaye, l'appel lancé à son mari qui faisait partie de l'équipe de nuit dans la section soudure de l'usine d'automobiles de Cowley ; les accusations sottes et brutales et le choc accablant de leur douleur amère et vaine. A présent, la mère de Sylvia était sous calmants, repoussant le jour et l'heure de vérité, et le sergent Lewis, revenu au QG, recueillait ce qu'il pouvait du père de Sylvia. Il couvrait de notes précises feuillet sur feuillet, tout en doutant que l'on pût en tirer grand-chose. Il devait retrouver Morse une demi-heure plus tard.

La chambre à coucher était petite ; il y en avait trois dans cette modeste maison jumelée de Jackdaw

Court, une rue tranquille aux clôtures de bois pourrissant, située à quelques minutes de la route de Woodstock. Morse s'assit sur le lit étroit et regarda autour de lui. Était-ce la mère de Sylvia qui avait fait ce lit impeccablement tiré ? Probable. Le reste de la pièce trahissait le laisser-aller et le mode de vie négligé de la jeune fille assassinée. Une grande photographie en couleurs d'un chanteur pop avait été punaisée à la diable au-dessus du radiateur à gaz, sur le manteau de cheminée, et Morse se dit qu'il comprendrait peut-être mieux la jeune génération s'il était lui-même nanti d'une nichée de teenagers. Les choses étant ce qu'elles étaient, l'identité du séduisant chanteur était noyée sous l'anonymat et, quelles qu'aient pu être ses prétentions, elle lui resterait à jamais inconnue. Des sous-vêtements traînaient sur la table et sur le fauteuil qui, en compagnie d'une penderie en bois blanc, composaient l'essentiel du mobilier. Avec circonspection, Morse ramassa un léger soutien-gorge noir. La première image qu'il avait perçue de Sylvia Kaye s'imposa à son esprit, y demeura quelques secondes et se retira lentement, rejoignant par des voies tortueuses le souvenir des heures pénibles qu'il venait de vivre. Des magazines féminins s'entassaient sur le rebord de la fenêtre dans un équilibre précaire. Morse prospecta rapidement : trucs de maquillage, problèmes intimes, horoscopes... Même pas un entrefilet porno. Il ouvrit la penderie et examina avec plus d'intérêt l'impressionnante collection de jupes, chemisiers, pantalons et robes — propres et en désordre —, les monceaux de chaussures à semelle compensée, dernière mode, hideuses ; elle ne manquait pas d'argent. Sur la table, Morse vit un catalogue de voyages organisés : Grèce, Yougoslavie, Chypre, hôtels blancs, mers bleu azur et petits caractères pour l'assurance de responsabilité et les dispositions à prendre contre la variole. Plus une lettre de l'employeur de Sylvia, expliquant les complexités de la TVA, et un agenda dont l'unique entrée datait du 2 janvier : « Froid. Suis allée voir *La Fille de Ryan.* »

Lewis frappa à la porte de la chambre avant d'entrer.

— Vous avez trouvé quelque chose, monsieur ?

Morse regarda d'un air écœuré son sergent optimiste et ne dit mot.

— Je peux ? demanda Lewis, une main hésitante tendue vers l'agenda.

— Faites, dit Morse.

Lewis examina l'agenda, dont il tourna soigneusement les jours de septembre. Sans rien trouver. Il poursuivit néanmoins méthodiquement, page après page.

— Un seul jour porte une mention, monsieur.

— Je ne suis même pas allé si loin, dit Morse.

— Pensez-vous que « froid » signifie qu'il faisait froid ou qu'elle avait pris froid ?

— Comment le saurais-je ? fit sèchement Morse. D'ailleurs, qu'est-ce que ça peut bien fiche ?

— Nous pourrions trouver où passait *La Fille de Ryan* la première semaine de janvier.

— Oui, nous pourrions. Nous pourrions aussi trouver combien coûte cet agenda, qui le lui a donné et où elle achète ses pointes Bic. Nous dirigeons une enquête criminelle, sergent ! Pas une papeterie !

— Désolé.

— Après tout, vous avez peut-être raison, ajouta Morse.

— Je crains que Mr Kaye n'ait pas non plus trouvé grand-chose à me dire, monsieur. Souhaitez-vous le voir ?

— Non, laissez ce pauvre type tranquille.

— Nous n'allons pas faire de progrès bien rapides.

— Je n'en sais rien, dit Morse. Miss Kaye portait un chemisier blanc, n'est-ce pas ?

— Oui.

— Votre femme mettrait un soutien-gorge de quelle couleur sous un chemisier blanc ?

— Une teinte douce, je pense.

— Elle n'en mettrait pas un noir ?

— Non, ça se verrait trop.

— Hum. A propos, Lewis, savez-vous à quelle heure les automobilistes devaient obligatoirement allumer leurs phares hier soir ?

— Comme ça, au pied levé, j'ai peur que non. Mais je peux vous trouver rapidement l'information.

— Inutile, dit Morse. D'après l'agenda que vous venez d'examiner, hier, 29 septembre, fête de Saint-Michel-et-Tous-les-Anges, l'heure réglementaire était 18 h 40.

Lewis descendit l'escalier derrière son supérieur en se demandant ce qui suivrait. Avant qu'ils n'arrivent à la porte de la maison, Morse tourna à demi la tête :

— Lewis, que pensez-vous du MLF ?

A 11 heures, le sergent Lewis interrogeait le directeur de la compagnie d'assurances Town and Gown, qui occupait les deuxième et troisième étages d'un immeuble de High Street, au-dessus d'un débit de tabac florissant. Sylvia avait travaillé là, son premier job, pendant à peine plus d'un an. Elle était simple dactylo ; à l'école de secrétariat où elle avait passé deux ans après sa sortie de classe, elle n'avait jamais réussi à restituer aux gribouillis disgracieux et souvent indéchiffrables de son bloc de sténo une relation suffisante avec les textes dictés. Mais sa frappe était correcte, précise et propre, et le directeur informa Lewis que la compagnie n'avait pas à se plaindre de son ancienne employée. Elle avait été ponctuelle et discrète.

— Séduisante ?

— Eh bien... oui. Je pense que oui, répondit le directeur.

Lewis prit note, tout en souhaitant que Morse fût là ; mais l'inspecteur avait déclaré qu'il avait soif et, en cours de route, il était entré au *Minster*.

— Vous avez dit qu'elle travaillait avec deux autres jeunes filles, fit Lewis. Je pense qu'il serait bon que je puisse leur dire deux mots.

— Certainement, monsieur, acquiesça le directeur, Mr Palmer, qui semblait un peu soulagé.

Lewis questionna les deux jeunes femmes pendant un bon moment. Ni l'une ni l'autre n'était « vraiment copine » avec Sylvia qui, à leur connaissance, n'avait pas de soupirant officiel. Oui, elle se vantait de temps à autre de ses exploits sexuels mais ni plus ni moins que la plupart des filles. Elle était amicale, oui, mais ne faisait pas vraiment partie « de la bande des filles ».

Lewis examina son bureau. Le bric-à-brac habituel. Un miroir ébréché, un peigne auquel étaient accrochés quelques cheveux blonds, le *Sun* de la veille, quantité de crayons, de gommes, de rubans pour machine à écrire et de carbones. Sur le mur, derrière le bureau de Sylvia, une photo d'Omar Sharif côtoyait un tableau des vacances, tapé à la machine. Lewis vit que Sylvia avait pris une quinzaine de jours de congé pendant la seconde moitié de juillet et demanda à ses collègues où elle était allée.

— Je crois qu'elle est restée chez elle, répondit la plus âgée, une fille tranquille, à l'air sérieux, qui ne devait pas avoir plus de vingt ans.

Lewis soupira :

— Vous n'avez pas l'air d'en savoir long sur son compte. Je me trompe ?

Les filles se turent. Lewis fit de son mieux pour obtenir d'elles un minimum de coopération ; sans grand succès. Il quitta le bureau peu avant midi et se rendit en flânant au *Minster.*

— Pauvre Sylvia, dit la cadette après son départ.

— Oui, pauvre Sylvia, répondit Jennifer Coleby.

Par hasard et non sans surprise, Lewis découvrit Morse dans le bar « réservé aux gentlemen », au fond de l'établissement.

— Tiens ! Lewis !

Morse se leva et posa son verre vide sur le comptoir.

— Que prenez-vous ?

Lewis demanda une pinte de bière à la pression.

— Deux pintes de votre meilleure pression, dit gaiement Morse au barman. Et servez-vous-en une.

Il apparut rapidement à Lewis que la conversation, avant son arrivée, tournait autour des courses de chevaux. Morse s'empara d'un exemplaire de

Sporting Life et se dirigea vers un coin, accompagné de son assistant.

— Vous aimez parier, Lewis ?

— Il m'arrive de mettre quelques shillings lors du Derby et du National, monsieur, mais je n'ai rien d'un vrai joueur.

— Tenez-vous-en là, dit Morse, subitement sérieux. Mais regardez donc ça. Qu'en pensez-vous ? dit-il en dépliant le journal des courses et désignant du doigt l'un des partants de la 3.15 à Chepstow : *The Black Prince*. Cela vaut bien une livre ! Qu'en dites-vous, sergent ?

— Drôle de coïncidence, à coup sûr !

— 10 contre 1, dit Morse, avant d'avaler une bonne lampée de bière.

— Allez-vous parier sur lui, monsieur ?

— C'est déjà fait, dit Morse en jetant un coup d'œil au vieux barman.

— N'est-ce pas illégal, monsieur ?

— Je n'ai jamais étudié cet aspect de la loi.

Il a vraiment l'air de se fiche complètement de l'enquête, s'inquiéta Lewis et, comme s'il avait lu dans les pensées de son assistant, Morse lui demanda son rapport sur la situation de la victime chez Town and Gown. Lewis rapporta de son mieux et Morse ne l'interrompit pas. Il semblait s'intéresser davantage à sa pinte de bière. Quand le sergent eut terminé, Morse lui dit de retourner au QG, de taper ses rapports, puis de rentrer chez lui et de dormir. Lewis ne discuta pas. Il était épuisé : dormir était devenu un luxe pratiquement oublié.

— Rien d'autre, monsieur ?

— Rien avant demain matin 7 h 30 précises au

bureau, pour le rapport. A moins que vous ne vouliez parier quelques shillings sur *The Black Prince* ?

Lewis tâta sa poche et en tira 50 pence.

— Couplé, à votre avis ?

— S'il gagne, vous vous en mordrez les doigts, dit Morse.

— D'accord. 50 pence gagnant.

Morse prit les 50 pence. Avant de sortir, Lewis eut le temps de voir le barman empocher la pièce et pousser une nouvelle pinte vers l'énigmatique inspecteur principal.

4. Vendredi, 1er octobre

Le lendemain, à 7 h 30 pile, Lewis frappait à la porte de l'inspecteur. Faute de réponse, il tourna le bouton avec précaution. Son regard fit le tour de la pièce : aucun signe de vie. Il retourna dans le couloir et demanda au sergent chargé de la réception si l'inspecteur Morse était arrivé.

— L'ai pas vu.

— Il a dit qu'il serait là à 7 h 30.

— Et alors ? Vous connaissez l'inspecteur.

« Si seulement... » songea Lewis. Il alla chercher les rapports sur lesquels il avait peiné la veille et les relut soigneusement. Il avait fait de son mieux mais il n'y avait pas grand-chose à exploiter. Il se rendit à la cantine et commanda un café. L'agent Dickson, qu'il connaissait bien, attaquait avec entrain une assiette de tomates et de bacon.

— Comment marche l'enquête sur le meurtre, sergent ?

— Un peu tôt pour le dire.

— Le vieux Morse est responsable, hein ?
— Ouais.
— Drôle de salopard, hein ?
Lewis ne protesta pas.
— Je peux te dire une chose, reprit Dickson. A minuit passé, il était encore ici. Il a monopolisé tous les collègues qui traînaient encore dans la boutique et qui se sont décarcassés pour lui. Tous les téléphones pris d'assaut. L'animal ! Quand il a décidé d'y aller, il y va !
Lewis se sentait un peu honteux. Lui-même avait paisiblement dormi douze heures d'affilée. A poings fermés. Morse aussi méritait son sommeil. Lewis s'assit pour boire son café.
Dix minutes plus tard, rasé de frais, Morse fit une entrée fringante à la cantine.
— Ah ! vous êtes là, Lewis ! Désolé d'être en retard.
Il commanda un café et s'assit en face du sergent.
— Mauvaises nouvelles pour vous, j'ai bien peur.
Lewis leva vivement les yeux.
— Vous avez perdu votre argent. Ce chameau constipé est arrivé deuxième.
— Aucune importance, monsieur, dit Lewis en souriant. J'espère seulement que vous-même n'avez pas trop perdu.
Morse secoua la tête :
— Oh ! non, je n'ai rien perdu ! J'ai même gagné quelques livres. Je l'ai parié couplé.
— Mais... commença Lewis.
— Allons-y, dit Morse. Avalez ça. Nous avons du pain sur la planche.
Pendant les quatre heures qui suivirent, les deux

hommes classèrent les rapports qui affluaient à la suite des enquêtes en tout genre que Morse avait lancées la veille. A midi, Lewis avait l'impression d'en savoir plus sur Sylvia Kaye que sur sa propre femme. Il avait lu tous les rapports avec soin — ordre de Morse — et sentait que bon nombre de faits commençaient à s'ancrer fermement dans son esprit. Morse, il le remarqua, dévorait les rapports à une vitesse stupéfiante, à la manière d'un lecteur survolant un roman fastidieux ; pourtant, de temps à autre, il relisait certains passages avec une concentration fascinée.

— Eh bien ? demanda finalement l'inspecteur.

— Je crois que je vois la plupart des choses beaucoup plus clairement, monsieur.

— Parfait.

— Vous semblez avoir trouvé beaucoup d'intérêt à certains rapports, monsieur.

— Vraiment ? fit Morse étonné.

— Vous avez passé environ dix minutes sur celui de l'école de secrétariat qui tient sur une demi-page.

— Vous êtes très observateur, Lewis, mais je suis désolé de vous décevoir. C'est le rapport le plus mal écrit que j'aie vu depuis des années ; douze, je dis bien, douze monstruosités grammaticales en dix lignes ! Qu'arrive-t-il donc à la police ?

Lewis l'ignorait et n'avait pas le courage de s'enquérir des trouvailles statistiques de l'inspecteur sur les dérapages de son propre style. Il préféra interroger :

— Croyez-vous que cela nous mène quelque part, monsieur ?

— J'en doute, répondit Morse.

Lewis n'en était pas si sûr. Les déplacements de

Sylvia au cours du mercredi précédent semblaient solidement établis. A 17 heures, elle avait quitté son bureau de High Street et presque certainement fait à pied les quelque cent mètres jusqu'à l'arrêt numéro 2 du bus devant University College. Arrivée chez elle à 17 h 35, elle avait pris un solide repas. Elle avait dit à sa mère qu'elle rentrerait probablement tard et avait quitté son domicile vers 18 h 30, vêtue — autant que la chose pouvait être établie — des habits dans lesquels on l'avait trouvée. Quel qu'ait été le moyen emprunté, elle s'était rendue à Woodstock. Selon Lewis, les résultats de quelques enquêtes préliminaires constituaient déjà un point de départ prometteur.

— Voulez-vous que j'aille à la compagnie des bus, monsieur, et que je voie les chauffeurs qui assurent la ligne de Woodstock ?

— Déjà fait, dit Morse.

— Rien à en tirer ? insista le sergent dont la voix trahissait la déception.

— Je ne pense pas qu'elle ait pris le bus.

— Un taxi, monsieur ?

— Pas très vraisemblable, vous ne pensez pas ?

— Je ne sais pas, monsieur. Ce n'est peut-être pas tellement cher.

— Peut-être, mais cela me paraît néanmoins peu probable. Si elle voulait prendre un taxi, elle l'aurait commandé de chez elle. Ils ont le téléphone.

— C'est peut-être ce qu'elle a fait, monsieur.

— Elle ne l'a pas fait. Aucun membre de la famille Kaye n'a téléphoné hier.

Lewis sentait faiblir sa belle assurance.

— Il semble que je ne sois pas d'un grand secours, dit-il.

Ignorant le commentaire, Lewis demanda :

— Lewis, comment iriez-vous d'Oxford à Woodstock ?

— En voiture, monsieur.

— Elle n'a pas de voiture.

— Je demanderais à un ami de me conduire.

— Vous avez rédigé le rapport. Il semble qu'elle n'ait pas beaucoup d'amies filles.

— Vous pensez à un petit ami, monsieur ?

— Et vous ?

Lewis réfléchit une minute.

— Un peu bizarre, évidemment. Si elle devait retrouver un petit ami, pourquoi n'est-il pas allé la prendre chez elle ?

— Eh oui ! Pourquoi ?

— On n'est pas venu la prendre chez elle ?

— Non, sa mère l'a vue partir à pied.

— Vous avez interrogé sa mère, monsieur ?

— Oui, je lui ai parlé la nuit dernière.

— Est-elle très bouleversée ?

— Elle a les épaules solides, Lewis. Je l'ai trouvée sympathique. Bien sûr, elle est terriblement choquée et bouleversée. Mais, contrairement à ce que je craignais, elle n'a pas vraiment le cœur brisé. J'ai idée que sa ravissante fille a dû être pour elle une épreuve.

Morse se dirigea vers une grande glace, sortit un peigne de sa poche et se mit en devoir de toiletter ses cheveux qui se raréfiaient. Il disposa soigneusement quelques mèches sur la vaste zone dénudée à l'arrière de son crâne, remit le peigne dans sa poche et questionna son sergent perplexe sur ce qu'il pensait du résultat.

— Voyez-vous, Lewis, si Sylvia n'a pris ni le

bus, ni un taxi, ni la voiture d'un petit ami, comment diable a-t-elle pu se rendre à Woodstock ? Car, ne l'oubliez pas, le trajet Oxford-Woodstock, elle l'a très certainement parcouru !

— Elle a dû faire du stop, monsieur.

Morse s'inspectait toujours dans la glace.

— Oui, Lewis, c'est ce que je pense. C'est pourquoi — il ressortit son peigne et rectifia l'ordonnance de sa chevelure clairsemée —, c'est pourquoi je pense que je dois faire une petite apparition ce soir à la télévision.

Il prit le téléphone et composa le numéro du commissaire principal.

— Allez manger quelque chose, Lewis. Je vous retrouve plus tard.

— Voulez-vous que je commande quelque chose pour vous, monsieur ?

— Non. Il faut que je surveille ma ligne, dit Morse.

La mort de Sylvia Kaye avait fait la une de l'édition du jeudi après-midi de l'*Oxford Mail* et figuré en bonne place dans les grands quotidiens du vendredi matin. Le vendredi soir, la BBC et les chaînes de télévision privées présentèrent une interview de l'inspecteur principal Morse qui demanda la coopération de quiconque s'était trouvé sur la route de Woodstock entre 18 h 40 et 19 h 15 le vendredi 29 septembre. Morse informa le pays que la police recherchait un homme très dangereux, susceptible à tout moment de récidive ; car le meurtrier de Sylvia Kaye, lorsqu'il comparaîtrait devant la justice, devrait répondre non seulement de l'accusation d'homicide volontaire mais aussi de celles de violences sexuelles et de viol.

Lewis se tenait un peu à l'écart pendant que Morse affrontait les caméras ; une fois sa prestation terminée, il le rejoignit.

— Foutu vent ! dit Morse dont les mèches se dressaient en bataille.

— Pensez-vous réellement qu'il puisse tuer quelqu'un d'autre, monsieur ?

— J'en doute fort, répondit Morse.

5. Vendredi, 1er octobre

Tous les soirs de la semaine, à de rares exceptions près, Mr Bernard Crowther quittait vers 21 h 40 son petit pavillon de Southdown Road, dans North Oxford. Tous les soirs, son trajet était le même. Après avoir méthodiquement fermé derrière lui le portail de la grille blanche qui entourait une pelouse étroite, il tournait à droite, parcourait la rue jusqu'à son extrémité, tournait de nouveau à droite et poursuivait sa route, d'une allure nettement décidée, vers le *Fletcher's Arms*. Bien qu'il s'exprimât avec aisance — en fait, il enseignait l'anglais à Lonsdale College —, il trouvait difficile d'expliquer exactement, aussi bien à sa femme, réprobatrice, qu'à lui-même, ce qui l'attirait vers ce pub banal et sa clientèle hétérogène mais aimable et fidèle.

Le soir du vendredi 1er octobre, pourtant, après avoir fermé derrière lui la grille du jardin, Crowther s'attarda, pratiquement immobile pendant plusieurs secondes, le regard baissé et l'air troublé, comme s'il soupesait de profondes et sombres pensées, avant de tourner, contre son habitude et son inclination, vers la gauche. Il marcha lentement jusqu'au bout de la rue où la cabine d'un téléphone public se dressait près d'une rangée de garages délabrés. Impatient par nature, y compris lorsque tout lui souriait, ce qui n'était manifestement pas le cas présent, il attendit, nerveux et embarrassé, faisant les cent pas, consultant sa montre et jetant des regards hargneux sur la femme corpulente enfermée dans la cabine, qui semblait mal équipée pour faire front à la triple menace de l'appareil sophistiqué placé devant elle, d'un central téléphonique peu coopératif et des pièces qu'elle poursuivait d'une seule main au fond de son porte-monnaie. Néanmoins, elle se battait de son mieux et, dans un élan généreux, Crowther lui prêta un enfant tombé subitement et gravement malade, un mari qui travaillait de nuit et nul autre recours possible. Mais il doutait que son coup de fil fût aussi important que celui qu'il s'apprêtait à donner. Si insignifiantes que fussent les nouvelles, les informations l'avaient toujours passionné ; et celle qu'il avait vue au journal télévisé de la BBC à 21 heures était loin d'être insignifiante. Il connaissait par cœur, mot pour mot, les propos tenus par l'inspecteur de police : « Nous apprécierions infiniment que tout automobiliste... » Oui, il pourrait leur dire quelque chose car il avait joué son rôle dans la terrifiante et tragique succession d'événements. Mais qu'allait-il leur dire ? Il ne pouvait leur dire la vérité. Pas même la moitié de la vérité. Sa fragile résolution commençait à se lézarder. Il allait accorder à cette malheureuse femme encore une minute ; pas une de plus.

A 21 h 50 ce même soir, le sergent Lewis très excité appela l'inspecteur principal Morse.

— Un coup de chance, monsieur. Un vrai coup de chance, je crois.

— Vraiment ?

— Oui. Un témoin, monsieur. Une certaine Mrs Mabel Jarman. Elle a vu la jeune fille assassinée...

— Vous voulez dire, l'interrompit Morse, qu'elle a vu la jeune fille qui, par la suite, a été assassinée, j'imagine.

— C'est ça. Nous pouvons avoir une déclaration complète immédiatement.

— Vous voulez dire que vous ne l'avez pas encore ?

— Elle a téléphoné il y a cinq minutes, monsieur. J'y vais directement. Elle habite le quartier. Je me demandais si vous vouliez venir.

— Non, répondit Morse.

— Très bien, monsieur. Tout sera prêt et tapé pour vous dès demain matin.

— Parfait.

— Un vrai coup de bol, n'est-ce pas ? Nous allons enfin en savoir plus sur l'autre fille.

— Quelle autre fille ? demanda Morse paisiblement.

— Eh bien, monsieur, vous verrez.

— Quelle est l'adresse de Mrs Jarman ? demanda Morse en quittant à regret ses pantoufles pour enfiler ses chaussures.

— En retard pour la revue ce soir, Bernard. Que se passe-t-il ?

On aimait bien Bernard au *Fletcher's Arms.* Il était toujours prêt à casquer quand c'était sa tournée et même quand ça ne l'était pas. Les habitués n'ignoraient pas qu'il était un universitaire réputé mais il savait aussi écouter les autres, rire de bon cœur des plaisanteries, et lui-même y allait parfois de son morceau de bravoure sur la stupidité du gouvernement et l'incompétence de l'Oxford United. Ce soir-là, pourtant, il ne parla ni de l'un ni de l'autre. A 22 h 25, il avait ingéré avec son aisance coutumière trois pintes de la meilleure pression et se leva pour partir.

— Une dernière avant le départ, Bernard ?

— Non, merci. J'ai eu ma dose de pisse de cheval pour ce soir.

— Êtes-vous de nouveau en disgrâce ?

— Je suis toujours sacrément en disgrâce.

Il revint à pas lents. Il savait que si la lumière était allumée dans la chambre à coucher, sa femme Margaret lisait dans son lit, attendant le retour de son époux dévoyé. Si la chambre était dans l'obscurité, elle regardait probablement la télévision. Il prit une décision aussi absurde que celles qu'il prenait, enfant, lorsqu'il faisait la course avec une voiture jusqu'au réverbère le plus proche. Si elle était couchée, lui-même irait tout droit au lit ; si elle était encore debout, il appellerait la police. Il tourna l'angle de sa rue et vit aussitôt que la chambre à coucher était éclairée.

Mrs Jarman donna son témoignage avec une alacrité proche de l'excitation. Sa mémoire s'avérait étonnamment claire et les notes prises par le sergent Lewis fourmillaient d'informations factuelles. Morse le laissa faire. Il se demandait si Lewis avait raison de croire au grand coup de chance et, après réflexion, conclut par l'affirmative. Mais il s'impatientait et s'agaçait du pédantisme professionnel minutieux avec lequel son sergent questionnait et pinaillait pour établir la chronologie de la rencontre près de l'arrêt du bus. Pourtant il savait que cela devait être fait et que Lewis s'y prenait bien. Pendant trois quarts d'heure, il lui laissa ce soin.

— Eh bien, il ne me reste plus qu'à vous remercier beaucoup, Mrs Jarman, dit Lewis qui ferma son bloc et se tourna vers son chef, l'air assez satisfait.

— Peut-être vous demanderai-je de bien vouloir venir nous voir demain matin, dit Morse. Le sergent Lewis aura tapé votre déclaration et nous aimerions que vous y jetiez un coup d'œil pour être sûrs que tout est au point. Simple formalité, voyez-vous.

Lewis se leva mais un coup d'œil discret de Morse le fit se rasseoir.

— Je me demande, Mrs Jarman, dit Morse, si vous pourriez nous faire une dernière faveur. J'ai bien envie d'une tasse de thé. Je sais qu'il est tard mais...

— Bien sûr, inspecteur ! Que ne l'avez-vous dit plus tôt !

Elle sortit précipitamment et les deux policiers entendirent des bruits d'eau qui coulait et de tasses qui s'entrechoquaient.

— Bien, sergent, vous avez fait du bon travail.

— Merci, monsieur.

— Maintenant, écoutez. Ce bus. Allez-y dès que vous le pourrez.

— Mais vous m'avez dit que vous aviez contrôlé les bus, monsieur.

— Eh bien, contrôlez-les une seconde fois.
— Très bien.
— Il y a aussi cette semi-remorque, dit Morse. Avec un peu de chance, nous pouvons mettre la main dessus.
— Vous croyez vraiment que c'est possible ?
— Vous avez une heure précise. Que vous faut-il de plus, mon garçon ?
— Autre chose, monsieur ? demanda Lewis d'une voix sourde.
— Oui. Restez avec moi et continuez à prendre des notes. Je n'en ai pas pour longtemps.
La porte de la cuisine s'ouvrit et Mrs Jarman reparut :
— Je me demandais, gentlemen, si vous ne préféreriez pas une goutte de whisky à une tasse de thé. J'ai une bouteille depuis Noël et comme je ne bois guère...
— Dites-moi, Mrs Jarman, vous êtes vraiment une femme de ressource, dit Morse.
Lewis eut un pâle sourire. Il savait ce qui allait suivre. *Déjà vu*[1].
— Je pense qu'un petit fond de scotch me ferait un bien fou. Peut-être en prendrez-vous une goutte, vous aussi ?
— Oh ! non, monsieur ! Je prendrai du thé, si vous permettez.
Elle ouvrit un tiroir du buffet et en sortit deux verres à whisky.
— Alors, un verre suffira, Mrs Jarman, dit Morse. C'est désolant, je sais, mais le sergent Lewis est en service et vous êtes sûrement sensible au fait

1. En français dans le texte.

qu'un policier ne soit pas autorisé à consommer des boissons alcoolisées pendant son service. Vous ne souhaitez pas qu'il transgresse la loi, n'est-ce pas ?

Lewis marmonna tout seul.

Morse sourit à la dose généreuse de whisky que Mrs Jarman lui versa, tandis que son assistant tournait dans une tasse minuscule un mauvais thé marron foncé.

— Mrs Jarman, je souhaite vous poser une ou deux questions supplémentaires à propos de ce que vous avez dit au sergent Lewis. Vous n'êtes pas trop fatiguée, j'espère.

— Oh ! non !

— Vous rappelez-vous l'impression que vous a faite l'« autre fille » ? Avait-elle l'air de mauvaise humeur ? Un peu nerveuse ?

— Je ne crois pas qu'elle était... En fait, je n'en sais trop rien. Peut-être un peu nerveuse.

— Avait-elle un peu peur aussi ?

— Oh ! non ! Elle n'avait pas peur. Elle était plutôt un peu excitée. C'est ça, un peu excitée.

— Excitée et impatiente.

— Je crois que oui.

— A présent, je voudrais que vous essayiez de vous souvenir. Fermez les yeux si cela vous aide et imaginez-vous telle que vous étiez près de l'arrêt du bus. Pouvez-vous vous rappeler une chose, n'importe quelle chose qu'elle aurait dite ? Elle vous a demandé si le prochain bus allait à Woodstock. C'est ce que vous nous avez dit. Autre chose encore ?

— Je ne me rappelle pas. Je n'arrive réellement pas à me rappeler.

— Allons, Mrs Jarman, ne vous pressez pas.

Détendez-vous et représentez-vous toute la scène. Prenez votre temps.

Mrs Jarman ferma les yeux ; Morse l'observait intensément. Elle ne dit rien. Morse finalement brisa le silence embarrassant.

— Et la jeune fille qui a été assassinée ? A-t-elle dit autre chose ? Elle voulait faire du stop, avez-vous dit.

— Oui, elle répétait sans arrêt quelque chose comme « Allez ».

— « Tout ira bien » ? ajouta Morse.

— Oui. « Tout ira bien. D'main matin, on en rigol'ra un bon coup. »

Le sang de Morse se figea. Il demeura parfaitement impassible. Mais la mémoire de Mrs Jarman avait dragué ses derniers sédiments.

Morse se détendit.

— Nous vous avons retenue bien tard mais vous avez été merveilleuse. Et votre scotch est excellent !

— En désirez-vous encore une larme, monsieur ?

— Eh bien, je pense que je ne dirai pas non, Mrs Jarman. Oui, une larme du meilleur scotch que j'aie dégusté depuis des années.

Pendant que Mrs Jarman lui tournait le dos pour remplir son verre, Morse signifia fermement à Lewis de rester où il était et, pendant la demi-heure qui suivit, il essaya toutes les subtilités qu'il connaissait pour rafraîchir les souvenirs de l'aimable femme sur la rencontre accidentelle avec la victime et sa compagne. Mais ce fut en vain.

— Une dernière chose, Mrs Jarman. Lorsque vous viendrez nous voir demain matin, nous procéderons à une séance d'identification. Cela ne prendra que quelques minutes...

— Vous voulez dire que je vais... Oh ! là ! là !

A 23 h 45, Morse et Lewis prirent congé de Mrs Jarman. Ils étaient arrivés à leurs voitures respectives quand la porte de la maison s'ouvrit soudain et Mrs Jarman s'élança vers Morse.

— Juste un détail, monsieur. Je viens de m'en souvenir. Quand vous avez dit : fermez les yeux et représentez-vous la scène... J'ai pensé à quelque chose. L'autre jeune fille, monsieur. Quand elle s'est mise à courir, elle courait comme quelqu'un qui aurait les pieds plats. Vous voyez ce que je veux dire, monsieur ?

— Je vois très bien, dit Morse.

Les deux hommes retournèrent au QG.

Après s'être enquis d'autres appels éventuels — aucun n'avait été enregistré —, Morse fit venir Lewis dans son bureau.

— Eh bien, l'ami ? fit Morse qui semblait content de lui.

— Vous lui avez dit que nous allions avoir une séance d'identification, s'étonna Lewis.

— Nous l'aurons. Maintenant, dites-moi : quel est, selon vous, le fait essentiel que nous avons appris de Mrs Jarman ?

— Nous avons recueilli quelques informations importantes.

— C'est exact. Je parle de la seule qui soit susceptible de vous faire dresser les cheveux sur la tête.

Lewis s'efforçait d'avoir l'air intelligent.

— Nous avons appris, poursuivit Morse, que les deux filles rigoleraient bien de tout ça le lendemain matin.

— Je vois ! dit Lewis, qui ne voyait rien.

— Vous voyez ce que cela veut dire ? Elles

devaient se revoir le lendemain matin, le jeudi matin, et nous savons que Sylvia Kaye travaillait et nous savons où, n'est-ce pas ?

— Donc l'autre fille y travaille également.

— Il semble bien que, sur ce point, nous nous rapprochions d'une évidence.

— Mais j'y suis allé, monsieur, et pas une n'a lâché un mot.

— Vous ne pensez pas que c'est très intéressant ?

— Je pense surtout que je n'ai pas fait du très bon travail, dit Lewis qui contemplait tristement la moquette de l'inspecteur principal.

— Vous ne voyez donc pas, poursuivit Morse, que nous savons à présent que l'une des filles... à propos, combien sont-elles ?

— Quatorze.

— Que l'une de ces filles a dissimulé — pour ne pas dire plus — des informations capitales ? Qu'elle nous a servi une dégelée de mensonges ?

— Je ne les ai pas toutes interrogées, monsieur.

— Grand Dieu, Lewis ! Elles savaient bien ce pour quoi vous étiez venu, non ? Une de leurs collègues est assassinée. Un officier de la brigade criminelle se présente dans leur bureau. A leur avis, que diable peut bien être sa mission ? Remettre en état leurs foutues machines à écrire ? Non, Lewis, vous avez bien agi. Vous n'avez pas obligé notre petite fille à tisser pour nous un embrouillamini de mensonges. Elle pense qu'elle est O.K. et c'est ce qu'il me faut, dit Morse en se levant. Je veux que vous alliez dormir un peu, Lewis. Du travail vous attend pour demain matin. Mais avant de partir, trouvez-moi l'adresse personnelle de Mr Palmer. Je pense qu'une petite visite est indispensable.

— Vous ne songez pas à le tirer du lit à cette heure, n'est-ce pas, monsieur ?

— Non seulement je vais le tirer du lit, comme vous dites, Lewis, mais je vais également lui demander, très poliment bien sûr, de m'ouvrir ses bureaux et je vais jeter un coup d'œil dans les tiroirs personnels de quatorze jeunes femmes. Ce devrait être follement excitant.

— Ne vous faut-il pas un mandat de perquisition, monsieur ?

— Je n'ai jamais compris les règles légales concernant les mandats de perquisition, plaida Morse.

— Je pense qu'il vous en faut un, monsieur.

— Et voulez-vous me dire, bon sang de bois, où je peux trouver à cette heure de la nuit — du matin, devrais-je dire — quelqu'un qui me signera un mandat ?

— Mais si Mr Palmer fait valoir ses droits légaux... commença Lewis.

— Je lui dirai que nous nous efforçons de découvrir qui a violé et assassiné une de ses employées, répliqua sèchement Morse, et non de dénicher des cartes postales cochonnes de Pwllheli [1] !

— Vous ne voulez pas que je vienne avec vous, monsieur ?

— Non, faites ce que je vous dis. Allez vous coucher.

— Alors, bonne chance, monsieur.

---

1. Pwllheli : petit bourg du comté de Gwneld, dans le pays de Galles. Un immense camp de vacances s'y est installé où prospère un commerce de « souvenirs » d'un goût douteux. (*N.d.T.*)

— Je n'en ai pas besoin, dit Morse. Je sais que vous ne le croirez jamais mais je peux être un sacré emmerdeur quand je m'y mets. Mr Palmer va bondir de son lit aussi vite que s'il avait une puce dans son pantalon de pyjama.

Mais le directeur de la compagnie d'assurances Town and Gown, s'il condescendit à quitter son lit, refusa catégoriquement de quitter son pyjama, qu'il s'agît du haut ou du bas. Il demanda à Morse s'il était habilité à perquisitionner dans ses bureaux et, ayant établi que Morse n'avait pas de mandat, il demeura inflexible face aux cajoleries et aux menaces dont Morse usa tour à tour. L'inspecteur se dit qu'il avait sottement sous-estimé le petit directeur. Après de longues négociations, pourtant, ils parvinrent à un accord. Tout le personnel de Town and Gown serait rassemblé dans le bureau du directeur le lendemain à 8 h 45 et il serait demandé à tous s'ils avaient une objection à ce que la police ouvrît la correspondance personnelle qui serait distribuée. S'il n'y avait pas d'objection — ce dont Palmer assura Morse —, l'inspecteur pourrait ouvrir cette correspondance et, au besoin, faire une copie confidentielle des lettres qui pourraient présenter de l'intérêt. De plus, tout le personnel féminin serait prié de participer, un peu plus tard dans la matinée, à une séance d'identification organisée par le QG de la police de Thames Valley. Palmer aurait besoin d'un peu de temps pour mettre en place un service minimum afin d'assurer le standard téléphonique et autres postes essentiels. Par chance, cela tombait un samedi ; le bureau fermait à midi.

Peut-être, songea rétrospectivement Morse, les

choses ne s'étaient-elles pas si mal passées. Fatigué, il reprit le volant pour rejoindre le QG, tout en se demandant pourquoi, malgré son expérience, il avait foncé tête baissée dans un projet qu'il considérait à présent comme irréfléchi et probablement inutile. Malgré tout, il demeurait curieusement persuadé qu'il avait eu raison. Il pressentait dans ses fibres qu'à ce stade de l'enquête il y avait urgence. Il se sentait prêt pour une percée décisive, bien qu'il lui fût impossible d'estimer le nombre de percées qui restaient à faire avant de résoudre l'énigme. Il ne se rendait pas compte non plus que, d'une façon bizarrement perverse, le refus de Palmer de lui accorder, faute de mandat, l'accès à ses locaux représentait pour lui un fabuleux coup de chance. Car une lettre, adressée à l'une des jeunes dames du personnel de Palmer, était déjà en route et aucun pouvoir sur terre, excepté la négligence d'un employé routinier, ignorant tout de l'affaire, ne pourrait — ou n'aurait pu — empêcher sa distribution prochaine.

Revenu au QG, Morse passa l'heure suivante à son bureau. A 4 h 15, il avait terminé ; il se cala dans son fauteuil de cuir noir : cela ne valait guère la peine qu'il rentre chez lui à cette heure. Il réfléchit à l'affaire, d'abord selon une démarche analytique, lente et méthodique portant sur les faits connus, recensés jusqu'à présent ; puis par une série de bonds rapides, intuitifs, dont l'ensemble le projeta dans des zones obscures et crépusculaires. Mais il savait que l'événement survenu ce mercredi soir, quelle que fût sa nature, avait pour origine les activités d'un petit nombre d'humains et que les mobiles de ces humains relevaient des passions ordinaires que sont l'amour et la haine, l'avidité et la jalousie. Là n'était pas le mystère. Il résidait dans l'imbrication des pièces du puzzle, ces pièces qui commençaient maintenant d'arriver dans ses mains. Il s'assoupit. Il rêva par à-coups d'une séduisante barmaid rousse et d'une beauté blonde aux cheveux souillés de sang. Il semblait qu'il rêvât toujours de femmes. Parfois, il se demandait de quoi il rêverait s'il se mariait. De femmes, probablement, songea-t-il.

6. Samedi, 2 octobre, matin

— Et puis quoi encore ? dit Judith, la secrétaire personnelle de Mr Palmer. Il a parlé d'ouvrir nos lettres !

— Tu aurais pu dire que tu n'étais pas d'accord, répliqua Sandra, une gentille fille inefficace, dont les mérites ne lui avaient valu ni avancement, ni augmentation de salaire depuis les trois ans qu'elle travaillait pour la compagnie.

— J'ai failli le faire, intervint Ruth, qui était dotée d'une cervelle de papillon et de cils frémissants. Si Bob m'a envoyé une de ses épîtres franchement passionnées, attention les yeux ! fit-elle avec un petit rire nerveux.

La plupart des employées étaient jeunes, célibataires et vivaient chez leurs parents. La distribution du courrier se faisait très tard et, de peur que les parents ne mettent leur nez dans des affaires qui ne les regardaient pas, plusieurs d'entre elles avaient invité leurs correspondants à leur écrire au bureau. De fait, le nombre de lettres portant la mention

« Personnelle », « Confidentielle » ou autre était tel qu'un observateur non averti aurait pu présumer que Town and Gown était le quartier général d'un service secret de renseignement. Mais Palmer envisageait avec une sérénité philosophique l'aimable abus que l'on faisait de son établissement dont, simultanément, il surveillait d'un œil de lynx les relevés de téléphone. Cet arrangement lui semblait tout à fait équitable.

Toutes les employées, chacune à sa manière, avaient été un peu impressionnées par Morse dont les requêtes, émises d'une voix calme, furent acceptées sans provoquer de murmures hostiles. Bien sûr, elles étaient toutes désireuses de coopérer. De toute façon, il allait simplement prendre une copie du courrier et l'opération serait menée avec une discrétion absolue. Néanmoins, Ruth avait poussé un soupir de soulagement sonore en découvrant ce matin-là que Bob avait temporairement épuisé sa réserve de suggestions lubriques. La police avait l'esprit large mais quand même...

— Je crois que c'est notre devoir de les aider à découvrir ce qui est arrivé à la pauvre Sylvia, dit Sandra.

Malgré des capacités intellectuelles bas de gamme, c'était une fille pétrie de sensibilité, et elle avait été profondément attristée, un peu effrayée aussi, par la mort de Sylvia. A sa façon naïve, elle souhaitait pouvoir collaborer à l'enquête et fut assez déçue, mais pas vraiment surprise, que personne ne lui eût écrit.

Morse récolta sept lettres personnelles et deux cartes postales. Il les parcourut rapidement avant de les placer sur la photocopieuse, avec l'impression que tout cela était parfaitement absurde. Mais il y avait encore la séance d'identification, dont il attendait beaucoup. Pourtant, là encore, dans la sobre lumière matinale, l'index des espoirs raisonnables avait déjà chuté de plusieurs points.

— As-tu déjà participé à une séance d'identification ? demanda Sandra.

— Bien sûr que non ! répondit Judith. Ce n'est pas tous les jours qu'on est impliqué dans une affaire de meurtre !

— Je demandais, c'est tout.

— Que faisons-nous ? questionna Ruth.

— Nous allons faire ce qu'on nous a dit, fit Judith, qui croyait passionnément aux vertus de l'autorité et qui aurait bien voulu parfois que Mr Palmer — d'accord, il était très chouette — fût un peu plus ferme et un peu moins copain avec une ou deux de ses employées.

— J'en ai déjà vu au cinéma, dit Sandra.

— Et moi, à la télé, dit Ruth. Ce sera comme ça ?

Après coup, elles conclurent que ç'avait été comme ça. Une femme tout à fait anodine les avait regardées pendant qu'elles prononçaient à tour de rôle les mots : « Savez-vous à quelle heure passe le prochain bus ? » Sincèrement, elle n'avait pas de quoi effrayer une mouche ! Pourtant, ç'aurait été assez terrible si elle avait posé la main sur votre épaule, non ? Mais elle ne l'avait pas fait. Elle était passée devant toutes les filles, puis passée de nouveau ; et encore une troisième fois. L'inspecteur aurait bien voulu, pourtant. Il espérait, hein ? Et à la fin, ç'avait été plutôt comique, non ? Courir jusqu'à la porte, à l'autre bout de la cour ! A quoi ça rimait, je vous le demande ?

— Dans le film, ils avaient mis la main sur l'escroc, dit Sandra.

— A la télé aussi, dit Ruth.

— Vous ne devriez pas croire tout ce que vous voyez, dit Judith.

A midi, Morse était assis à son bureau lorsque Lewis y entra.

— Eh bien, monsieur ? Du nouveau ?

Morse secoua la tête.

— Rien du tout ?

— Elle pense que deux ou trois des employées pourraient bien être notre inconnue.

— Eh bien, cela réduit d'autant le nombre, monsieur.

— Pas vraiment. J'ai entendu des avocats de la défense mettre en charpie des témoins qui juraient sur la tombe de leurs aïeux qu'ils étaient absolument formels au sujet d'une identification. Non, Lewis, je crains que cela ne nous avance pas beaucoup.

— Et votre autre idée, monsieur ? Vous savez, la fille courait un peu comme un canard.

— Oh ! Nous les avons toutes fait courir. Rien à redire à leur allure.

Lewis perçut qu'il avait touché un point sensible.

— Rien de nouveau, monsieur, dit-il sur le ton du constat.

— C'est exact. Rien de nouveau. Et dites-vous bien, Lewis, qu'il aurait pu nous venir à l'idée — à tous les membres de la brigade criminelle, à moi, à vous — que toutes les filles sans exception courent de la foutue façon dont courent les gens aux pieds plats.

Les derniers mots sifflèrent aux oreilles du sergent qui attendit que l'ouragan s'apaise.

— Une pinte de bière serait peut-être la bienvenue, monsieur.

— Vous avez raison, Lewis, admit Morse dont la mine s'éclaira.

— J'ai ramassé du nouveau, monsieur.

— Allez-y.

— D'abord, le bus. Rien de plus à en tirer. J'ai vu le chauffeur et le contrôleur du bus 4E de 18 h 30 en provenance de Carfax. Il n'y avait qu'une douzaine de voyageurs dans le bus, des habitués pour la plupart. Nos deux filles n'ont sûrement pas pris le bus pour aller à Woodstock.

— De toute façon, nous ne sommes pas certains qu'elles soient allées toutes les deux à Woodstock.

— Mais Sylvia y est bien allée, n'est-ce pas, monsieur ? Et l'autre fille s'est enquise du bus qui y conduit.

— Je commence à me demander si, finalement, Mrs Jarman est réellement un témoin providentiel.

— Je crois que oui. Je ne vous ai dit que les mauvaises nouvelles...

— Parce que vous en avez aussi de bonnes ? l'interrompit Morse en s'efforçant de paraître un tantinet plus joyeux.

— Oui, il s'agit du camion dont la vieille dame nous a parlé. On ne peut plus facile à retrouver. Vous savez, à Cowley, il y a ce système avec les carrosseries. Quand ils...

— Oui, je connais. Vous avez fait un bon boulot, Lewis. Mais allez droit au fait.

— Il se souvient d'elles. Un certain Mr George Baker qui habite Oxford. Et tenez-vous bien, monsieur. Il a vu les deux filles monter dans une voiture, une voiture rouge. Il en est sûr. Un homme au volant, pas une femme. Il s'en souvient parce qu'il prend souvent des auto-stoppeurs, surtout des filles ; et il a vu ces deux-là juste de l'autre côté du rond-point, une cinquantaine de mètres plus loin. Il dit qu'il les aurait bien prises mais cette autre voiture s'est arrêtée et il a dû déboîter pour passer. Il a très bien vu la blonde.

— Les hommes sont ignobles, hein ? dit Morse. Vous, Lewis, vous les auriez prises ?

— Ce n'est pas dans mes habitudes, monsieur. Seulement les gens en uniforme. Moi-même, j'ai été bien content parfois qu'on me fasse faire un bout de route quand j'étais à l'armée.

Morse réfléchissait intensément à ce nouveau témoignage. Manifestement, les choses bougeaient.

— Que diriez-vous d'une pinte ?

Ils s'étaient installés au *White Horse*, à Kidlington, et Morse avait décidé que la bière était buvable.

— Une voiture rouge, hein ?

— Oui, monsieur.

— Beau travail en perspective pour vous, sergent. Combien d'hommes à Oxford possèdent-ils une voiture rouge ?

— Pas des masses, monsieur.

— Vous voulez dire quelques milliers ?

— Je pense.

— Mais nous pourrions le savoir ?

— Je pense que oui.

— Croyez-vous que cette recherche dépasse les moyens d'action de nos effectifs ?

— Je ne crois pas, monsieur.
— Mais supposons qu'il n'habite pas Oxford.
— Bien sûr. C'est possible.
— Lewis, je crois que la bière ralentit votre cerveau.

L'alcool émoussait peut-être l'acuité intellectuelle de Lewis mais exerçait sur celle de Morse l'effet inverse. Son esprit se mit à fonctionner avec une lucide aisance. Il dit à Lewis de prendre son week-end, de dormir, d'oublier Sylvia Kaye, d'emmener sa femme faire du shopping et Lewis fut heureux d'exécuter ces ordres.

Morse, qui n'était pas un grand fumeur, acheta un paquet de vingt cigarettes king size et fuma et but sans discontinuer jusqu'à 14 heures. Que s'était-il véritablement passé ce mercredi soir ? Il était tourmenté à l'idée qu'une série d'événements qui n'avaient en eux-mêmes rien d'extraordinaire s'était déroulée ; que chacun de ces événements était la suite logique du précédent ; qu'il savait ce qu'avaient été un ou deux de ces événements ; et que, si seulement son esprit pouvait se projeter dans une série de relations causales naturelles, il saisirait l'ensemble. Il n'était pas besoin pour cela de bonds saisissants et visionnaires de l'ignorance à la compréhension. Une simple série de progressions logiques y suffirait. Mais chaque progrès le menait dans une impasse, comme les dessins dans les albums pour enfants où une ligne conduit au trésor et toutes les autres s'arrêtent au bord de la page. Et retour à la case départ.

— Je crains de devoir vous demander de finir votre verre, dit le patron.

7. Samedi, 2 octobre, après-midi

Morse passa l'après-midi du samedi 2 octobre assis à son bureau, légèrement gris. A 16 h 30, il avait fumé son paquet de cigarettes et demandé qu'on lui en apportât un autre. Son cerveau se dégageait nettement. Il crut voir le schéma élémentaire des événements survenus le soir du mercredi 29 septembre. Aucun nom, aucune idée de noms, mais pourtant, un schéma.

Il jeta un coup d'œil sur les lettres photocopiées chez Town and Gown : un misérable petit tas. D'emblée, il en élimina certaines : même un psychiatre détraqué n'aurait pu bâtir la plus fragile hypothèse à partir de cinq de ces pièces à conviction. Une des cartes postales disait : « Chère Ruth, beau temps ; suis allée deux fois nager hier. Vu une méduse morte sur la plage. Bisous. T. » « Qu'il doit être triste d'être une méduse », songea Morse. Trois des missives seulement retinrent son attention ; puis deux ; puis une. C'était une lettre tapée à la machine, adressée à Miss Jennifer Coleby. Elle disait :

> « Chère Madame,
>
> « Après avoir examié avec attention les nombruses demandes d'emploi que nous avons reçues, nous avons le regret de vous informer que la vôtre n'a pas été retenue. Toutefois, au début de novembre, d'autres postes seront à pourvoir et, en toute sincérité, je serais bien désolé de ne pas profiter de l'occasion pour reconsiérer votre situaton.

« Nous avons à présent distribué le quota de poste pour novembre dans le Dépatement de Psychologue ; il n'est pas improbable cependant que l'on aura besoin d'une assistante sérieusement qualifié pour exécuter les travaux courants du secrétariat du doyen.

« Veuillez agréer, chère Madame, mes meilleures salutations. »

La lettre était signée par quelqu'un qui ne souhaitait manifestement pas que son nom fût crié sur les toits. L'initiale « N » était à peu près lisible mais le grand Champollion lui-même n'aurait pu résoudre l'énigme posée par le patronyme qui lui était accolé, à grand renfort de fioritures.

Ainsi, Miss Jennifer Coleby cherche un autre job, se dit Morse. Et alors ? Tous les jours, des centaines de gens expédient des demandes d'emploi. Lui-même songeait parfois à en faire autant. Il se demanda pourquoi il avait estimé que cette lettre méritait un autre examen. Elle était classiquement mal écrite : fautes de frappe impardonnables. Et fautes d'orthographe. De nos jours, dans les établissements scolaires, plus personne ne se souciait des mécanismes élémentaires de l'usage de l'anglais. Morse, lui, avait été élevé dans un collège sévère où les fautes d'orthographe, de ponctuation et de construction étaient sauvagement sanctionnées par des pédagogues indignés, ce qui l'avait marqué. Il était devenu pédant et tatillon : deux jours plus tôt, en lisant le rapport — ou fallait-il dire le torchon ? — rédigé par un de ses hommes, il en avait mentalement compté les fautes, comme un examinateur qui épluche la copie d'un candidat. « Examié ». Première ligne : première coquille d'une lettre qui en comptait beaucoup. En dépit des conceptions chimériques des pédagogues progressistes, le pays devenait complètement analphabète. Si sa propre secrétaire avait pondu de telles horreurs, elle aurait été fichue à la porte avec perte et fracas. Le jour même ! Mais elle était exceptionnelle. Les initiales de Julie en haut de n'importe quelle lettre étaient l'*imprimatur* garant d'un feuillet dactylographié impeccable. Eh là ! Une minute. Morse se pencha de nouveau sur la lettre posée devant lui. Aucune référence. Mr N. Truc Machin Chose l'avait-il tapée lui-même ? Si oui, qui était-il ? Administrateur principal d'un département de l'université ? S'il avait... Morse était de plus en plus intrigué. Pourquoi cette lettre n'avait-elle pas d'en-tête ? Était-il en train de se creuser la tête pour rien ?

Bon, il y avait un moyen de résoudre la question. Il regarda sa montre. Déjà 17 h 30. Miss Coleby devait probablement être chez elle, à présent. Où habitait-elle ? Il chercha l'adresse, soigneusement notée par Lewis. Dans North Oxford. Était-ce une bonne idée ? Morse commençait à prendre conscience des nombreuses voies qu'il n'avait même pas commencé d'explorer. Il enfila son pardessus, sortit et s'installa dans sa voiture. Tout en roulant, il résolut de se débarrasser autant qu'il lui était possible de tout préjugé à l'encontre de Miss Jennifer Coleby. Ce n'était pas facile ; car, si l'on pouvait se fier à la mémoire de Mrs Jarman, l'ambitieuse Miss Coleby était une des trois filles susceptibles d'avoir fait cette nuit le trajet jusqu'à Woodstock en compagnie de feu Miss Sylvia Kaye.

Jennifer Coleby et deux autres jeunes filles, qui travaillaient elles aussi, louaient une maison jumelée située dans Charlton Road ; chacune d'elles payait un loyer hebdomadaire de 8,25 livres, qui comprenait le gaz et l'électricité. Soit un revenu hebdomadaire substantiel de presque 25 livres pour la propriétaire avisée, laquelle, six ans plus tôt, avait mis la main sur deux autres maisons semblables pour la somme de 6 500 livres, ce qui semblait aujourd'hui une bouchée de pain. C'était néanmoins une bénédiction pour trois filles entreprenantes, tout compte fait satisfaites de partager la salle de bains étroite et les cabinets exigus pour un débours supportable. Les trois filles disposaient d'une chambre individuelle, dont l'une était au rez-de-chaussée ; elles dînaient à la cuisine et se partageaient la jouissance du salon où elles se retrouvaient pour bavarder ou regarder la télévision. Mis à part le problème de la salle de bains, leur organisation fonctionnait étonnamment bien. Les trois filles étaient rarement ensemble chez elles dans la journée et, jusqu'à présent, elles avaient évité tout conflit sérieux. La propriétaire avait interdit les visites masculines dans les chambres et les locataires avaient accepté sans discuter ce diktat. Bien sûr, il y avait eu quelques infractions mais la maisonnée n'avait jamais basculé dans la promiscuité sexuelle déclarée. Les filles s'étaient spontanément imposé une autre règle : pas de tourne-disque, ce dont les voisins âgés leur étaient profondément reconnaissants. La maison était bien entretenue, Morse s'en rendit compte sitôt que la porte lui fut ouverte par une jeune personne mélancolique qui mangeait un sandwich à la tomate.

— Je désire voir Miss Coleby, s'il vous plaît. Est-elle là ?

De langoureux yeux noirs l'examinèrent soigneusement et Morse fut tenté de cligner de l'œil à la jeune fille.

— Un instant, dit-elle en s'éloignant nonchalamment.

Brusquement, elle tourna la tête et demanda :

— De la part de qui ?

— Euh... Morse. Inspecteur principal Morse.

— Oh !

Froide et nette dans des jeans et un chemisier impeccables, Jennifer s'avança au-devant de Morse. Sans enthousiasme apparent.

— Que puis-je pour vous, inspecteur ?

— J'aimerais que nous échangions quelques mots, tous les deux. Est-ce possible ?

— J'imagine qu'il le faut. Vous feriez mieux d'entrer.

Morse fut introduit dans un salon où la Fille aux yeux noirs feignait d'être captivée par la retransmission d'un match Arsenal contre Tottenham.

— Sue, voici l'inspecteur Morse. Ça t'ennuierait que je le reçoive ici ?

Sue se leva ; d'un geste un peu théâtral, de l'avis de Morse, elle éteignit le poste. Il observa ses mouvements lents et gracieux et sourit, approbateur.

— Je serai en haut, Jen.

Avant de sortir, elle jeta un coup d'œil sur Morse et nota l'amorce de sourire aux coins de sa bouche ; plus tard, elle jurerait à Jennifer qu'il lui avait cligné de l'œil.

Jennifer dirigea Morse vers le canapé et s'installa face à lui, dans un fauteuil.

— Que puis-je pour vous, inspecteur ?

Morse remarqua un exemplaire de *Villette*, de Charlotte Brontë, posé en accent circonflexe sur le bras de son fauteuil.

— Je dois contrôler — pure routine, bien sûr — les faits et gestes de toutes les personnes...

— Suspectes ?

— Non, non, les personnes qui travaillaient avec Sylvia. Vous comprenez que ce genre de choses doit être fait.

— Bien sûr. Je suis surprise que vous ne l'ayez pas fait plus tôt.

Légèrement interloqué, Morse se demanda pourquoi, effectivement, il ne l'avait pas fait plus tôt.

— Mercredi dernier, poursuivit Jennifer, je suis rentrée chez moi un peu plus tard que d'habitude parce que je suis passée chez Blackwells pour profiter d'un bon d'achat de livre. C'était mon anniversaire, la semaine dernière. Je suis rentrée chez moi vers 18 heures. Vous savez ce qu'est la circulation aux heures de pointe.

Morse hocha la tête.

— J'ai mangé un morceau — les autres filles étaient ici — et suis ressortie vers 18 h 30, je dirais. Je suis revenue vers 20 heures, peut-être un peu plus tard.

— Pouvez-vous me dire où vous êtes allée ?

— A la bibliothèque de Summertown.

— A quelle heure ferme cette bibliothèque ?

— A 19 h 30.

— Vous y avez passé une heure ?

— Cela semble une conclusion tout à fait rationnelle, inspecteur.

— Cela semble bien long. Personnellement, j'y passe deux minutes.

— Peut-être n'êtes-vous pas très regardant s'agissant de vos lectures.

« Très juste », songea Morse. Jennifer s'exprimait bien et sa diction était claire. « Bonne éducation », se dit-il. Mais il y avait plus. Cette fille donnait l'impression d'être à la fois indépendante et disciplinée. Il se demanda si elle avait du succès auprès des hommes. Il se dit aussi qu'il ne devait pas être facile de lui faire des avances, à moins bien sûr qu'elle ne le désirât. A son avis, elle pouvait être très gentille.

— Est-ce vous qui lisez ça ?

Elle posa légèrement sur *Villette* une main soignée.

— Oui. L'avez-vous lu ?

— Bien peur que non, avoua Morse.

— Vous devriez.

— J'essaierai de m'en souvenir, marmonna Morse.

Qui était censé conduire cet interrogatoire ?

— Donc, vous y avez passé une heure, reprit-il.

— Comme je vous l'ai dit.

— Quelqu'un vous a-t-il vue là-bas ?

— Ils ont autre chose à faire, non ?

— Effectivement, admit Morse, qui avait un peu l'impression de s'égarer. Avez-vous pris autre chose ?

— Cela vous intéressera peut-être de savoir que j'ai pris également ceci, dit-elle en désignant un gros volume, ouvert lui aussi, posé sur le tapis devant le poste de télévision. Mary l'a commencé.

Morse le ramassa et regarda le titre : *Qui était Jack l'Eventreur ?*

— Hum !

— Je suis sûre que vous avez lu ça.

Le moral de Morse dégringola de nouveau.

— Je ne crois pas avoir lu ce compte rendu-là.

Subitement, Jennifer sourit :

— Je suis désolée, inspecteur. Moi-même suis un vrai rat de bibliothèque et j'ai certainement beaucoup plus de loisirs que vous.

— Revenons à ce mercredi soir, Miss Coleby. Vous dites que vous êtes rentrée vers 20 heures.

— Oui, à peu près. Peut-être un quart d'heure ou une demi-heure plus tard, j'imagine.

— Y avait-il quelqu'un chez vous lorsque vous êtes rentrée ?

— Oui, Sue était là. Mais Mary était au cinéma. Je crois qu'on passait *Le Jour du Chacal* ; elle n'a pas dû rentrer avant 23 heures.

— Je vois.

— Voulez-vous que je demande à Sue de descendre ?

— Non. Inutile de la déranger, dit Morse qui se rendait compte qu'il perdait probablement son temps ; mais il persévéra : Combien de temps faut-il pour aller à la bibliothèque ?

— Environ dix minutes.

— Mais, comme vous n'étiez pas rentrée avant 20 h 30, cela vous a pris presque une heure.

De nouveau le charmant sourire, les dents blanches et régulières, un soupçon d'ironie gentille sur les lèvres.

— Inspecteur, je crois que nous ferions mieux de demander à Sue si elle se souvient de l'heure, non ?

— Peut-être, en effet, dit Morse.

Après que Jennifer fut sortie, Morse inspecta la pièce d'un air sombre et las. Une idée lui traversa l'esprit. Prompt comme l'éclair, il s'empara de *Villette*, tourna la couverture et replaça vivement le livre sur le bras du fauteuil. Sue entrait et confirma bientôt que, pour autant qu'elle s'en souvenait, Jennifer était rentrée à la maison peu après 20 heures. Elle ne pouvait être plus précise. Morse se leva pour prendre congé. Il n'avait pas fait état du point précis dont il voulait parler et ne le ferait pas. Cela pouvait attendre.

Il demeura quelques minutes assis, immobile, au volant de sa voiture, partagé entre excitation et incrédulité. Il n'en croyait pas ses yeux. Et pourtant, il l'avait vu noir sur blanc, ou plus exactement, bleu foncé sur blanc.

Morse connaissait très bien, trop bien les usages de la bibliothèque d'Oxford car il y rendait rarement ses emprunts sans avoir à payer une amende : il était toujours en retard. La bibliothèque ne fonctionnait pas sur la base d'une journée mais sur celle d'une semaine et « sa » semaine commençait toujours le mercredi. Si un livre était emprunté un mercredi, la date de restitution était exactement quatorze jours plus tard, c'est-à-dire le mercredi en quinze. S'il était emprunté le jeudi, la date du retour était une semaine après le jeudi suivant, vingt jours plus tard. Le tampon dateur était modifié tous les jeudis matin. Ce fonctionnement du mercredi au mercredi simplifiait considérablement le travail des aides-bibliothécaires et faisait le bonheur des lecteurs pour lesquels avaler sept ou huit cents pages en quinze jours était une tâche excessive. Morse allait évidemment devoir contrôler la chose, mais il était quasiment sûr que seuls les abonnés qui empruntaient des livres le mercredi devaient les rendre dans la stricte limite de quatorze jours. Quiconque prenait un livre n'importe quel autre jour bénéficiait de quelques jours de grâce. Si Jennifer Coleby avait emprunté *Villette* à la bibliothèque mercredi dernier, le tampon dateur aurait dû indiquer pour date limite de retour le mercredi 13 octobre. Mais ce n'était pas le cas. Il était marqué « mercredi 20 octobre ». Morse était absolument persuadé que Jennifer lui avait menti à propos de ses déplacements le soir du meurtre. Pourquoi ? Il semblait que cette question essentielle appelait une réponse très simple.

Morse était toujours assis dans sa voiture, non loin de la maison. Du coin de l'œil, il vit le rideau du salon bouger légèrement mais ne put distinguer personne. Qui que ce fût, il décida de laisser les choses mijoter un peu plus longtemps. Toutefois, un peu d'air frais ne lui ferait pas de mal. Il ferma sa voiture, descendit la rue d'un pas nonchalant, tourna à gauche dans Banbury Road où, à plus vive allure, il se dirigea vers la bibliothèque. Il chronométra soigneusement la durée de son trajet : neuf minutes et demie. Intéressant. Il monta jusqu'à la porte de la bibliothèque. « Poussez », disait une pancarte. Mais il ne poussa pas. La bibliothèque avait fermé ses portes deux heures plus tôt.

8. Samedi, 2 octobre

La femme de Bernard Crowther, Margaret, détestait les week-ends et faisait ses travaux ménagers de telle sorte que ni son mari, ni sa fille de douze ans, ni son fils de dix ans n'en profitaient beaucoup, eux non plus. Margaret travaillait à temps partiel à l'École des études orientales et nourrissait le soupçon que, d'un bout à l'autre de la semaine, elle fournissait plus d'heures de travail effectif que son doux intellectuel de mari et sa progéniture égoïste et paresseuse réunis. Ils estimaient tous les trois que le week-end était le temps du repos bien mérité mais aucun d'eux ne s'inquiétait d'elle. « Qu'est-ce qu'on a pour le petit déjeuner, mum ? », « Quand est-ce qu'on dîne ? » En plus, elle faisait le samedi après-midi toute la lessive de la semaine et s'échinait le dimanche à briquer la maison. Elle se disait parfois qu'elle était en train de devenir folle.

A 17 h 30 ce samedi 2 octobre, elle ruminait devant son évier d'amères pensées. Elle avait fait des œufs pochés pour le thé — « Encore des œufs pochés ? » — et lavait à présent les assiettes gluantes de jaune. Collés devant la télévision, les enfants ne s'en lasseraient pas avant une heure ou davantage. Bernard — elle devait lui savoir gré des moindres faveurs — était en train de couper la haie de troènes derrière la maison. Elle savait à quel point il haïssait jardiner mais elle ne ferait pas, en plus, le jardin. Elle souhaitait qu'il en finît rapidement. Le soin méticuleux qu'il consacrait à chaque mètre carré de cette fichue haie l'exaspérait. D'ici peu, il se plaindrait d'avoir mal aux bras. Elle le regarda. Il perdait ses cheveux à présent et devenait corpulent, sans cesser, se dit-elle, de plaire à certaines femmes. Elle l'avait épousé quinze ans plus tôt et ne l'avait jamais regretté ; jusqu'à ces derniers temps. Regrettait-elle d'avoir fait des enfants ? Difficile à dire. Dès l'époque où elle les portait dans ses bras, elle s'était inquiétée de son incapacité à parler gaiement et librement de ses précieuses petites têtes blondes avec les autres mères. Après avoir lu un ouvrage de puériculture, elle était parvenue à la conclusion inquiétante que l'essentiel de la maternité lui était franchement odieux et lui donnait la nausée. Son instinct maternel, décida-t-elle, était lamentablement sous-développé. Quand les bébés commencèrent à trottiner, elle les avait davantage appréciés et, de temps à autre, elle n'éprouvait qu'une légère difficulté à se convaincre qu'elle les aimait tendrement tous les deux. Mais, désormais, ils semblaient empirer en grandissant. Dénués de la moindre délicatesse, égoïstes et insolents. Peut-être était-ce entièrement sa faute ; ou celle de Bernard. Elle posa la dernière assiette sur l'égouttoir et jeta un coup d'œil dans le jardin.

Le soir commençait à tomber après un autre jour splendide. Comme les abeilles, elle se demandait si ce beau temps cesserait jamais... Pendant les cinq dernières minutes, Bernard avait réussi à faire progresser de quinze centimètres la taille de la haie, nette et arrondie. A quoi pouvait-il bien penser, se demanda-t-elle, tout en sachant qu'elle ne le lui demanderait pas.

La vérité était qu'ils se perdaient de vue progressivement, ce que Margaret avait obscurément perçu depuis quelques années. Était-ce aussi sa faute ? Bernard s'en rendait-il compte ? Elle pensait que oui. Elle aurait voulu pouvoir le quitter, tout quitter, partir ailleurs, n'importe où, et commencer une nouvelle vie. Mais, bien sûr, elle ne le pouvait pas. Il lui faudrait tenir le coup jusqu'au bout. A moins que ne survienne quelque chose de tragique... Ou était-ce : jusqu'à ce que quelque chose de tragique arrive ? En ce cas, elle savait qu'elle serait à son côté, en dépit de tout. Margaret essuya les rebords en Formica de l'évier, alluma une cigarette et alla s'asseoir dans la salle à manger. Elle ne pouvait littéralement pas affronter les discussions oiseuses et le bruit dans le salon. Elle s'empara du livre que Bernard lisait cet après-midi, *The Collected Works* d'Ernest Dowson. Le vague souvenir de ce nom datait de l'époque où elle préparait son diplôme de fin d'études et elle feuilleta lentement les pages de poèmes pour retrouver celui qu'elle avait appris. Elle fut surprise de se le rappeler si bien.

J'ai aspiré à une musique plus folle et à un vin plus [fort,
Mais lorsque la fête s'achève, que les lumières [expirent,
Alors, ton ombre s'étend, Cynara ! la nuit est [tienne ;
Et je suis inconsolable et malade d'une vieille [passion,
Oui, affamé des lèvres de mon désir :
Je t'ai été fidèle, Cynara ! à ma façon.

Elle le relut et, pour la première fois, il lui sembla saisir le rythme magique des sons. Mais de quoi parlait-il ? Du fruit défendu, d'une délectation langoureuse, illicite et douloureuse. Bien sûr, Bernard pourrait lui dire tout ce qu'on peut en dire. Il passait sa vie à explorer et à expliquer le monde splendide de la poésie. Mais il ne le lui dirait pas car elle ne le lui demanderait pas.

Ç'avait dû représenter une tension terrible pour Bernard de rencontrer une autre femme une fois par semaine. Depuis quand savait-elle ? Elle en était certaine depuis un mois, à peu près. Mais l'étrange intuition qu'elle en avait remontait à bien plus longtemps. Six mois ? Un an ? Peut-être plus. Pas avec cette fille-là mais il avait dû y en avoir d'autres. Elle avait mal à la tête. Mais elle avait pris tellement de codéine ces derniers temps. Eh bien ! Qu'elle ait mal ! Mon Dieu ! Quel gâchis ! Ses idées tournaient en rond : la haie de troènes, les œufs pochés, Ernest Dowson, Bernard, la tension et les supercheries des derniers jours. Mon Dieu ! Qu'allait-elle faire ? Cela ne pouvait durer ainsi.

Bernard rentra :

— Mes pauvres bras n'en peuvent plus !

— Tu as fini la haie ?

— Je finirai demain matin. Ce sont ces horribles cisailles. Elles n'ont pas dû être aiguisées depuis notre installation ici.

— Tu aurais pu le faire faire.

— Pour les récupérer six mois plus tard.

— Tu exagères.

— Je finirai demain matin.

— Il va probablement pleuvoir.

— Une bonne averse ne ferait pas de mal. Tu as vu la pelouse ? On se croirait dans les plaines d'Abyssinie.

— Tu n'es jamais allé en Abyssinie.

La conversation tomba. Bernard s'assit à son bureau et sortit quelques papiers.

— Je croyais que tu regardais la télévision.

— Je ne supporte pas d'être avec les enfants.

Bernard lui lança un rapide coup d'œil. Elle était au bord des larmes.

— Non, dit-il. Je sais ce que tu veux dire.

Il regarda discrètement et presque tendrement Margaret. Margaret. Sa femme ! Parfois, il la traitait sans égard, sans le moindre égard. Il traversa la pièce et posa une main sur son épaule.

— Ils sont proprement insupportables, n'est-ce pas ? Mais ne t'en fais pas. Tous les gosses sont les mêmes. Je peux te dire que...

— Oh non ! Ne te fatigue pas ! Tu m'as déjà dit cent fois toutes ces belles paroles. Je m'en fiche ! Je m'en fiche ! Tu entends ? En ce qui me concerne, ils peuvent aller au diable ! Et toi avec !

Elle éclata en sanglots convulsifs et quitta la pièce en courant. Il l'entendit entrer dans leur chambre au premier, il écouta ses sanglots et se prit la tête à deux mains. Il devait faire quelque chose et il devait le faire sans attendre. Il était en grand danger de tout perdre. Peut-être même était-ce déjà chose faite... Pouvait-il tout dire à Margaret ? Jamais, jamais elle ne lui pardonnerait. Et la police ? Il leur avait presque dit ou, du moins, il leur en avait presque dit une partie. Il baissa les yeux sur les œuvres de Dowson, vit à quelle page le livre était ouvert. Il savait que Margaret l'avait lu et ses yeux tombèrent sur le même poème :

Certes, ils étaient doux les baisers de sa bouche [rouge et vénale,
Mais j'étais inconsolable et malade d'une vieille [passion
Quand je m'éveillai et découvris que l'aube [était grise
Je t'ai été fidèle, Cynara ! à ma façon.

Oui, ç'avait été très doux, il serait malhonnête de

prétendre le contraire ; mais comme le goût en était amer aujourd'hui. Quel soulagement ce serait s'il y avait mis fin depuis longtemps. S'il s'était libéré du réseau de mensonges et de tromperies où il s'était lui-même piégé. Et pourtant, cette prospection des délices extra-maritales, comme elle avait été envoûtante. Conscience. Maudite conscience. Nourrie à l'école de la sensibilité. Fatal.

Bien qu'il ne fût pas croyant, Bernard admettait la vérité empirique de l'assertion paulinienne selon laquelle la mort est le salaire du péché. Il souhaitait désespérément se libérer de la culpabilité et du remords et se rappelait vaguement — souvenir du catéchisme — avec quelle ardeur les enfants entonnaient les chorals qu'avait inspirés le péché :

Bien que nos péchés soient écarlates, écarlates,
[écarlates,
Ils seront blanchis. Oui !
Ils deviendront plus blancs que neige.

Mais, ces temps-ci, il ne pouvait prier ; son esprit était desséché, désolé. Sa religiosité rudimentaire et fervente s'était étiolée, étouffée sous un placage épais et dur, fait de savoir, de culture et de cynisme. Il connaissait sur le bout des doigts tous les paradoxes théologiques, et les fulgurances de la controverse académique n'étaient plus un délice. Plus blancs que neige ; vraiment ? Plutôt comme la gadoue foulée au pied.

Il se dirigea vers la baie qui donnait sur une rue tranquille. La plupart des fenêtres étaient éclairées. Il y avait quelques piétons et un voisin qui traînait son chien afin qu'il aille souiller un autre trottoir.

Une conductrice débutante s'efforçait à grand-peine de faire demi-tour : l'axe de sa voiture bougeait de sept ou huit degrés lors de chaque manœuvre. Fallait-il que le moniteur fût patient. Autrefois, Bernard avait essayé d'apprendre à conduire à Margaret... Il s'était fait pardonner. Elle avait sa Mini personnelle, maintenant. Il resta plusieurs minutes en contemplation. Un piéton passa devant chez lui ; sa silhouette lui semblait familière mais Bernard ne le reconnut pas. Qui donc était-ce ? Où allait-il ? Bernard le suivit des yeux jusqu'à ce qu'il tournât l'angle de Charlton Road.

Morse, le passant, se demandait lui aussi ce qu'il allait faire. Commencer peut-être par s'expliquer avec Jennifer ? Il n'en était pas très sûr mais c'était en gros le fond de sa pensée. Conscient de ne pas s'être couvert de gloire lors de leur précédent entretien, il décida de préparer avec soin sa nouvelle approche.

« Vous voulez me poser d'autres questions ? »

« Oui. » (Autoritaire et bouche pincée.)

« Voulez-vous entrer ? »

« Oui. »

« Eh bien ? »

« Jusqu'à présent, vous ne m'avez dit que mensonges sur mensonges. Je suggère que nous prenions un nouveau départ. »

« J'ignore ce dont vous parlez... »

Avec un regard qui en dirait long, il se lèverait lentement de son fauteuil et se dirigerait vers la porte. Sans un mot de plus. Mais, lorsqu'il ouvrirait la porte, Jennifer dirait : « D'accord, inspecteur. »

Et il écouterait. Il avait, croyait-il, une idée très juste de ce qu'elle dirait.

Mais il n'apprendrait pas ce jour-là qu'il était dans l'erreur car Jennifer était sortie. La languide Sue aux longues jambes nues et bronzées le lui apprit ; elle ignorait en revanche où Jennifer était allée.

— Voulez-vous entrer, inspecteur, et l'attendre ici ?

Entrouvertes, les lèvres pulpeuses tremblaient légèrement. Morse paraissait et se sentait dangereusement vulnérable. En guise de soutien moral, il consulta sa montre-bracelet.

— Vous êtes très aimable mais... je n'ai guère le temps.

9. Dimanche, 3 octobre

Morse dormit profondément douze heures d'affilée et s'éveilla à 8 h 30. Il était rentré chez lui aussitôt après sa seconde visite à Charlton Road avec un atroce mal de tête et mentalement harassé. A présent qu'il s'éveillait, l'œil clignotant, il avait peine à croire qu'il se sentait si dispos.

Le dernier livre que Morse avait emprunté à la bibliothèque — il traînait sur son bureau avec trois semaines de retard — était *La Pensée latérale*, d'Edward de Bono. Il avait consciencieusement suivi le cours, en s'interdisant de regarder à l'avance les réponses, et conclu à contrecœur que l'évaluation la plus indulgente de son potentiel latéral était *gamma minus minus*[1]. Mais il avait beau-

1. Dans les universités anglaises, notation qui équivaut à « inférieur à la moyenne ». (*N.d.T.*)

coup apprécié le livre. Il avait appris de surcroît que l'attaque logique, progressive et verticale d'un problème ardu n'est pas toujours la plus favorable. Sans vraiment comprendre le jargon de l'auteur, il avait saisi les points essentiels. Exemple : « Comment conduire une voiture dans une ruelle obscure lorsque les phares ne fonctionnent pas ? » Peu importe la réponse. La seule chose à faire consiste à proposer toutes les actions concevables auxquelles peut se livrer le conducteur : klaxonner, retirer la galerie, soulever le capot... Toutes les propositions se valent ; la simple contemplation de solutions vaines est en soi une force puissante dans la recherche de la bonne solution ; car, tôt ou tard, les œillères s'écartent et, *ben presto*, la lumière surgit. Morse avait essayé cette technique, en amateur, et s'était surpris lui-même. S'il avait un nom au bout de la langue, il cessait d'y penser directement et répétait simplement une chose qu'il connaissait — toutes les capitales des États américains, par exemple —, n'importe quoi. Et cela semblait marcher.

Bien éveillé au fond de son lit, il décida d'abandonner temporairement le meurtre de Sylvia Kaye. Il progressait, cela, il le savait. Mais son esprit n'avait plus le mordant voulu ; il séchait sur pied. Avec un jour de repos — par ailleurs, bien mérité —, il y reviendrait le lendemain, mentalement sur la pointe des pieds.

Il se leva, s'habilla, se rasa, se mijota une mixture apparemment délicieuse de bacon, de tomates et de champignons et se sentit mieux. Il parcourut d'un œil paresseux les journaux du dimanche, contrôla ses paris, se demanda s'il était le seul Anglais qui n'avait pas obtenu un seul remboursement pour ses savantes permutations, puis alluma une cigarette. Il allait paresser chez lui jusqu'à midi, boire quelques pintes et déjeuner dehors. Beau programme pour individu civilisé. Mais jamais il n'avait aimé rester sans rien faire et il compara mentalement l'agrément qu'il aurait à poser un opéra de Wagner sur le tourne-disque à celui d'entamer un mots croisés. Morse avait une passion pour les mots croisés mais, depuis la mort du grand Ximenes, il avait trouvé peu d'auteurs qui satisfassent ses goûts. Dans l'ensemble, il appréciait les grilles du *Listener* et c'est pour elles qu'il achetait régulièrement l'hebdomadaire. D'un autre côté, il adorait Wagner et avait le cycle complet du *Ring*. Il décida de combiner les deux et quand s'élevèrent les mesures initiales, magnifiquement orchestrées, du Prélude de *l'Or du Rhin*, il s'assit et ouvrit le *Listener* à l'avant-dernière page. Ça, c'était vivre. Les filles du Rhin flottaient gracieusement entre deux eaux et quelques minutes s'écoulèrent avant que Morse éprouvât l'envie de laisser la musique s'écouler à la périphérie de son attention. Il lut le préambule du mots croisés :

« Chacune des définitions horizontales contient une faute d'impression délibérée. Toutes les définitions verticales sont correctes, bien que les mots qui doivent entrer dans la grille contiennent une faute d'impression portant sur une seule lettre. En travaillant du 1 horizontal au 28 vertical, les lettres fautives forment une citation très connue qui donne la solution... »

Morse n'en lut pas plus. Il bondit sur ses pieds. Un solo de cor mourut dans un gémissement d'agonie lorsqu'il éteignit le tourne-disque et rafla sur la cheminée les clés de sa voiture.

Sa corbeille « arrivée » débordait de rapports mais il les ignora. Il ouvrit son classeur et prit le dossier du meurtre de Sylvia Kaye dont il sortit la lettre adressée à Jennifer Coleby. Il savait bien que quelque chose clochait de ce côté. Il avait la bouche sèche et les mains fébriles, comme un écolier qui ouvre les résultats de son BEPC :

> « Chère Madame,
>
> « Après avoir examié avec attention les nombruses demandes d'emploi que nous avons reçues, nous avons le regret de vous informer que la vôtre n'a pas été retenue. Toutefois, au début de novembre, d'autres postes seront à pourvoir et, en toute sincérité, je serais bien désolé de ne pas profiter de l'occasion pour reconsiérer votre situaton.
>
> « Nous avons à présent distribué le quota de poste pour novembre dans le Dépatement de Psychologue ; il n'est pas improbable, cependant, que l'on aura besoin d'une assistante sérieusement qualifié pour exécuter les travaux courants du secrétariat du doyen.
>
> « Veuillez agréer, chère Madame, mes meilleures salutations. »

Quel imbécile il était ! Au lieu de s'agacer comme il l'avait fait, avec une arrogance hautaine, de l'analphabétisme et de l'incompétence de quelque malheureuse dactylo, c'était exactement au contraire qu'il aurait dû penser. Il avait été stupide. Les indications étaient là. La lettre était entièrement truquée ; pourquoi n'avait-il pas décelé la chose plus tôt ? Quand on la réduisait à l'essentiel, cette lettre était une absurdité. Il avait commis une première erreur en se concentrant sur les fautes elles-mêmes, sans prendre la peine de considérer la lettre comme un ensemble synoptique. Puis il avait aggravé son erreur. Car s'il avait lu la lettre comme une lettre, il aurait considéré les fautes comme des fautes : des fautes délibérées. Il saisit une feuille de papier et recommença : « examié » — « n » omis ; « nombruses » — « e » omis ; « reconsiérer » — « d » omis ; « situaton » — « i » omis ; « poste » — « s » omis ; « dépatement » — « r » omis ; « qualifié » — « e » omis. NEDISRE. Qu'est-ce que cela pouvait bien dire ? Il recommença et aboutit au même résultat, toujours aussi décevant. Allons-y encore une fois. Qu'est-ce cela signifie, un « Département de Psychologue » ? Psychologue a été mis pour psychologie. Et la dernière bizarrerie, qui sautait aux yeux : le N de la signature, la seule lettre reconnaissable : NE DIS RIEN. Quelqu'un avait désespérément voulu que Jennifer ne dise pas un mot ; et Jennifer, semblait-il, avait reçu le message.

Cela avait pris deux minutes à Morse et il se réjouissait de n'avoir pu rencontrer Jennifer la veille. Confrontée à ses mensonges au sujet de sa visite à la bibliothèque, elle lui aurait dit qu'elle était vraiment désolée, qu'elle avait dû mal comprendre, qu'elle y était sans doute allée jeudi. C'est si difficile de retrouver ce qui s'était passé la veille, n'est-ce pas ? Honnêtement, elle ne s'en souvenait pas ; mais elle allait faire de son mieux. Peut-être était-elle allée se balader ; seule, bien sûr.

Mais, désormais, les choses se présenteraient de façon plus embarrassante pour elle. Curieusement, Morse ne s'en réjouissait pas vraiment. Il avait éprouvé pour Jennifer une étrange sympathie lorsqu'ils s'étaient rencontrés et se rendait compte rétrospectivement de la situation difficile où elle s'était trouvée. Mais il devait regarder les choses en face. Elle mentait. Elle protégeait quelqu'un : celui ou celle qui, selon toute vraisemblance, avait violé et tué Sylvia. L'idée n'était guère plaisante. A présent, tous les indices convergeaient sur le fait que c'était Jennifer Coleby qui se trouvait à la section 5 avec Sylvia le soir du 29 ; que c'était elle qui avait été prise en stop par une ou plusieurs personnes inconnues — presque certainement une — et transportée jusqu'à Woodstock ; qu'elle y avait été témoin d'une chose dont on lui avait dit de la garder secrète. Bref, que Jennifer Coleby *connaissait l'identité de l'homme qui avait assassiné Sylvia Kaye*. Morse se demanda subitement si Jennifer était en danger et cette crainte hâta sa décision de l'arrêter pour complicité de meurtre. Il avait besoin de Lewis.

Il tendit la main vers son téléphone et composa le numéro du domicile de son sergent.

— Lewis ?

— Moi-même.

— Morse à l'appareil. Je suis navré de gâcher votre week-end mais j'ai besoin de vous ici.

— Immédiatement, monsieur ?

— Si vous pouvez.

— Je suis déjà parti, monsieur.

Morse effleura du regard sa corbeille. Rapports, rapports, rapports. Après un coup d'œil distrait sur des titres rebutants, tels que *Le Problème de la drogue en Grande-Bretagne*, *La Police et le public* et *Statistiques concernant les crimes de sang dans l'Oxfordshire* (deuxième trimestre), il y traça immédiatement ses initiales. Pour l'instant, un seul crime de sang l'intéressait : celui qui entrerait un jour dans le rapport *Statistiques concernant les crimes de sang dans l'Oxfordshire* (troisième trimestre). Il n'avait pas de temps pour les rapports. A son avis, d'ailleurs, environ 95 % de la chose écrite n'était jamais lue par qui que ce soit. En revanche, deux documents retinrent son attention. Un rapport du laboratoire médico-légal sur l'arme du crime et un rapport supplémentaire émanant du département de pathologie sur Sylvia Kaye. Ni l'un ni l'autre ne lui apprirent rien qu'il ne savait déjà ; ou du moins qu'il n'avait suspecté. Le démonte-pneu était un spécimen singulièrement prosaïque. Morse lut tout ce qui concernait sa forme, sa taille et son poids... Mais pourquoi s'embêter ? Il n'y avait aucun mystère à propos du levier. Le patron du *Black Prince* avait passé l'après-midi du mardi 28 et celui du mercredi 29 à bricoler une vieille Sunbeam et avait oublié sa trousse à outils devant le garage, sur la droite, au fond de la cour, là où il garait la voiture. L'engin ne portait pas d'empreintes identifiables, simplement, à l'une des extrémités recourbées du levier, la preuve affreuse qu'il avait pénétré avec une force considérable dans la boîte crânienne d'un être humain. Suivait une analyse sanglante dont Morse s'épargna la lecture.

Quelques minutes plus tard, Lewis frappait et entra.

— Ah ! Lewis ! Il semble que les dieux nous ont

accordé une mince faveur, annonça Morse, avant d'exposer les développements de l'affaire. Je veux que Miss Jennifer Coleby soit amenée ici pour un interrogatoire. Soyez prudent. Prenez avec vous le sergent-femme Fuller, si vous le désirez. Simplement convoquée pour un interrogatoire, vous comprenez ? Il n'est pas question d'une arrestation officielle. Si elle souhaite appeler ses conseillers juridiques, dites-lui que nous sommes dimanche et qu'ils sont tous en train de jouer au golf. Mais je ne crois pas que vous aurez beaucoup d'ennuis.

Sur ce dernier point, au moins, Morse avait raison.

A 15 h 45, Jennifer Coleby était assise dans la salle d'interrogatoire numéro 3. Selon les instructions de Morse, Lewis passa une heure avec elle, sans faire la moindre allusion à l'information qu'il avait reçue plus tôt dans l'après-midi. Lewis dit calmement que, malgré les recherches, ils n'avaient pas été en mesure de retrouver la jeune femme que deux témoins spontanés avaient vue et qui était avec Sylvia Kaye une heure environ avant que celle-ci fût assassinée.

— Il faut que vous soyez patient, sergent.

Comme les dieux, Lewis esquissa un pâle sourire.

— Oh, nous sommes patients, miss, et je pense qu'avec un peu de coopération, nous y parviendrons.

— N'en avez-vous pas trouvé ?

— Voulez-vous une tasse de thé, miss ?

— Je préfère le café.

Le sergent Fuller s'activa ; Jennifer humecta ses lèvres et déglutit ; Lewis ruminait calmement. Il sortit victorieux du bras de fer silencieux qui s'ensuivit.

— Vous estimez que je ne coopère pas assez, sergent ?

— Qu'en pensez-vous ?

— Écoutez, j'ai dit à l'inspecteur ce que je sais. Ne me croit-il pas ?

— Qu'avez-vous dit au juste à l'inspecteur, miss ?

— Vous voulez que je revienne sur tout ce que j'ai déjà dit ?

Le visage de Jennifer manifestait autant d'impatience que celui d'une collégienne priée de récrire un exercice fastidieux.

— De toute façon, il nous faut une déposition signée.

— D'accord, fit Jennifer en soupirant. Vous voulez que je rende compte de mon emploi du temps — c'est la formule, non ? — pendant la soirée de mercredi ?

— C'est exact, miss.

— Mercredi soir...

Lewis notait laborieusement.

— Voulez-vous que j'écrive pour vous ? demanda Jennifer.

— Je pense que je dois le faire moi-même, miss, si vous n'y voyez pas d'inconvénient. Je ne suis pas diplômé d'anglais mais je ferai de mon mieux.

Un éclair de prudence illumina le regard de Jennifer. Il s'éteignit instantanément ; mais il avait flambé et Lewis l'avait vu.

Une demi-heure plus tard, la déclaration de Jennifer était prête. Elle la lut, demanda si elle pouvait y apporter une ou deux corrections — « simple question d'orthographe, sergent » — et donna son accord pour la signer.

— Il faut seulement que je la fasse taper, miss.

— Combien de temps cela va-t-il prendre ?

— Oh, dix minutes seulement.

— Voulez-vous que je le fasse ? Il m'en faudra deux.

— Je pense que nous devons le faire nous-mêmes, miss, si vous n'y voyez pas d'inconvénient. Nous avons nos règlements, vous savez.

— C'était simplement pour vous aider, expliqua Jennifer qui se sentait plus détendue.

— Voulez-vous une autre tasse de café, miss ?

— Ce serait très gentil.

Lewis se leva et sortit. Le sergent Fuller semblait singulièrement peu communicative et Jennifer attendit dix minutes en silence. Lorsque, finalement, la porte se rouvrit, ce fut Morse qui apparut ; il avait à la main un feuillet de papier ministre impeccablement tapé.

— Bonjour, Miss Coleby.

— Bonjour.

— Nous nous sommes déjà rencontrés.

Après la détente liée au départ de Lewis, la tension remonta brusquement. Jennifer avait les nerfs à vif.

— Hier, après vous avoir quittée, je suis allé à pied jusqu'à la bibliothèque, dit Morse.

— Sans doute aimez-vous la marche.

— On dit qu'elle prévient le vieillissement.

— C'est une promenade agréable, n'est-ce pas ? dit Jennifer en se forçant à sourire.

— Cela dépend de la route que l'on prend, dit Morse.

Jennifer lui jeta un bref coup d'œil et Morse,

comme Lewis un peu auparavant, nota cette réaction inattendue.

— Eh bien, je serais ravie de bavarder avec vous mais j'espère que vous me laisserez signer cette déposition et rentrer chez moi. J'ai encore beaucoup à faire avant demain.

— Le sergent Lewis vous a dit, j'espère, que nous n'avons pas autorité pour vous retenir contre votre gré.

— Oh oui, le sergent me l'a dit.

— Mais je vous serais très reconnaissant de rester encore un moment.

— Pourquoi ? demanda Jennifer d'un ton subitement un peu plus dur ; elle avait la gorge sèche.

— Parce que, commença tranquillement Morse, je souhaite que vous ne commettiez pas l'imprudence de signer une déclaration dont vous savez qu'elle est fausse. Et que je sais être fausse, ajouta Morse en élevant la voix.

Sans lui laisser le temps de répondre, il enchaîna :

— Cet après-midi, j'ai donné des instructions pour que vous soyez amenée en vue d'un interrogatoire car je soupçonnais, et je soupçonne toujours, que vous dissimulez des informations qui pourraient être de la plus haute importance pour découvrir l'identité de l'assassin de Miss Kaye. Comme vous le savez, il s'agit là d'un délit très grave. Il semble à présent que vous ayez l'imprudence de combiner pareille stupidité avec le délit également grave et criminel de fournir à la police des informations non seulement inexactes mais aussi manifestement fausses.

Le crescendo de la voix de Morse s'acheva sur

un vigoureux coup de poing assené sur la table entre eux deux.

Jennifer, pourtant, n'avait pas l'air penaud auquel il s'était attendu.

— Vous ne croyez pas ce que je vous ai dit ?

— Non.

— Puis-je demander pourquoi ?

Morse était abasourdi. Si la fille avait un moment perdu son sang-froid, elle avait bien récupéré à présent le contrôle de ses nerfs. Clairement, patiemment, il lui démontra qu'elle n'avait pu prendre des livres à la bibliothèque le mercredi soir, une impossibilité de fait qui ne pouvait laisser place au doute.

— Je vois.

Morse attendit qu'elle parlât. Sa question précédente l'avait passablement surpris ; il fut sidéré par la suivante.

— Que faisiez-vous mercredi dernier à l'heure du crime, inspecteur ?

Que faisait-il ? Il n'en savait trop rien, mais l'admettre ne ferait sûrement pas progresser l'affaire en cours. Il mentit :

— J'écoutais du Wagner.

— Quel Wagner ?

— *L'Or du Rhin.*

— Y a-t-il quelqu'un qui pourrait confirmer vos dires ? Quelqu'un vous a-t-il vu ?

— Non, capitula Morse qui, malgré tout, éprouvait une certaine admiration pour la jeune fille. Non, répéta-t-il. Je vis seul et je reçois rarement des visiteurs, de l'un ou l'autre sexe.

— Comme c'est triste.

— Oui, fit Morse, en hochant la tête. Mais, voyez-vous, Miss Coleby, jamais encore je n'ai été accusé de me vêtir de vêtements de femme et de stationner en haut de la route de Woodstock pour me faire prendre en stop en compagnie de Sylvia Kaye.

— Tandis que moi, je le suis ?

— Vous l'êtes.

— Je présume quand même que je ne suis pas soupçonnée d'avoir violé et assassiné Sylvia.

— J'espère que vous m'accordez un minimum d'intelligence.

— Vous ne comprenez pas.

— Qu'entendez-vous par là ?

— Ne vous est-il pas venu à l'esprit que Sylvia a probablement joui d'être violée ? demanda-t-elle d'un ton amer et les joues écarlates.

— Ceci semble impliquer qu'elle a été violée avant de mourir, n'est-ce pas ? dit calmement Morse.

— Je regrette... d'avoir dit cette chose horrible.

Morse exploita son avantage.

— Mon travail consiste à découvrir ce qui est arrivé à partir du moment où Sylvia et son amie — et je crois que c'était vous — sont montées dans une voiture rouge de l'autre côté du rond-point de Woodstock. Pour une raison ou une autre, cette autre jeune fille ne s'est pas présentée, et je ne pense pas que la raison soit très difficile à deviner. Elle connaissait le conducteur de la voiture et elle le protège. Elle est probablement morte de peur. Mais Sylvia Kaye était également morte de peur, Miss Coleby. Pis encore. Elle a été si sauvagement frappée derrière la tête que son crâne s'est brisé en plusieurs morceaux et que l'on a retrouvé des esquilles d'os dans son cerveau. Quel effet cela vous fait-il ?

Un meurtre est chose hideuse, abominable à voir, et l'ennui avec un meurtre est qu'il anéantit généralement le seul témoin fiable du crime, la victime. Cela signifie que nous sommes contraints de recourir à d'autres témoins, des gens généralement très banals pour la plupart, qui, par hasard, ont été impliqués à un moment donné dans la misérable affaire. Ils ont peur ; O.K. Ils préféreraient ne pas y être mêlés ; O.K. Ils pensent que ce n'est pas leur affaire, O.K... mais nous dépendons de ceux d'entre eux qui ont des tripes et assez de décence pour se présenter devant nous et nous dire ce qu'ils savent. C'est pour cela que vous êtes ici, Miss Coleby. Je dois savoir la vérité.

Il prit la déclaration que Jennifer venait de faire et la déchira. Mais il ne pouvait lire dans son esprit. Tout le temps qu'il avait parlé, elle avait fixé la fenêtre du bureau qui donnait sur la cour extérieure où, la veille, elle s'était tenue parmi ses collègues de bureau.

— Eh bien ?

— Je suis désolée, inspecteur. J'ai dû vous causer beaucoup d'ennuis. C'est jeudi que je suis allée à la bibliothèque.

— Et mercredi ?

— Je suis sortie. J'ai pris la route de Woodstock mais ne suis pas allée jusqu'à Woodstock. Je me suis arrêtée au *Golden Rose* à Begbroke, c'est-à-dire à peu près trois kilomètres avant Woodstock. Je suis entrée dans le pub et j'ai commandé une boisson, une bière blonde au sirop de citron vert. Je l'ai bue dans le jardin et suis rentrée chez moi.

Morse la regardait avec impatience.

— Dans l'obscurité, j'imagine.

— Oui. Vers 19 h 30.
— Allez, continuez.
— Que voulez-vous dire par « continuez » ? C'est tout.
— Vous voulez que je... commença Morse, la voix rageuse. Allez chercher Lewis ! aboya-t-il.
Le sergent Fuller perçut l'annonce du coup de vent et se précipita vers la porte.
Jennifer ne paraissait pas troublée et la colère de Morse s'apaisa. Ce fut elle qui brisa le silence.
— Il ne faut pas être trop en colère contre moi, inspecteur, fit-elle d'une voix réduite à un souffle.
Elle porta la main à son front et ferma les yeux un court instant. Pour la première fois, Morse la regarda de près. Il n'avait pas remarqué jusqu'alors à quel point elle était séduisante. Elle portait une légère veste bleu clair sur un pull-over noir, et des gants assortis. Elle avait des pommettes hautes et un visage très animé ; sa bouche entrouverte révélait deux rangées régulières de dents blanches. Morse se demanda s'il aurait jamais pu tomber amoureux d'elle et décida, comme d'habitude, qu'il aurait pu.
— J'ai été si troublée, si effrayée.
Il dut se pencher légèrement pour saisir ces mots. Lewis venait d'entrer ; il le téléguida silencieusement vers une chaise.
— Tout ira bien, vous verrez.
Morse regarda Lewis et approuva d'un signe de tête le sergent qui s'apprêtait à recueillir la seconde version du témoignage de Miss Jennifer Coleby.
— Pourquoi étiez-vous effrayée ? demanda doucement Morse.
— Eh bien, tout était si étrange. Depuis, j'ai l'impression de ne pas pouvoir me réveiller vrai-

ment... Je n'arrive pas à savoir ce qui est réel et ce qui ne l'est pas. Il se passe tant de choses bizarres.

Elle était toujours assise, la main posée sur le front, son regard vide rivé sur la table. Morse regarda Lewis : « Voilà, nous y sommes », disait ce regard.

— Que voulez-vous dire par des « choses bizarres » ?

— Eh bien, tout, pratiquement. Je commence à me demander si je sais ce que je fais. Qu'est-ce que je fais ici ? Je pensais vous avoir dit la vérité pour mercredi, et je me rends compte maintenant que je ne l'ai pas dite. Autre chose bizarre : samedi matin, j'ai reçu une lettre qui me disait que je n'avais pas été retenue pour un job, un job pour lequel je n'avais pas postulé. Croyez-vous que je deviens folle ?

Ainsi, telle était sa nouvelle version ! Morse vivait l'agonie du bridgeur dont l'as vient d'être coupé par le deux d'atout. Les deux policiers se regardèrent, conscients l'un et l'autre du regard que Jennifer posait sur eux.

— Bien, fit Morse, dissimulant de son mieux sa déception et son incrédulité. Revenons à présent à la nuit de mercredi, voulez-vous ? Pouvez-vous répéter ce que vous venez de me dire ? Il faut que le sergent Lewis en prenne note, dit-il, exaspéré.

Jennifer répéta sa courte déclaration et Lewis, comme l'inspecteur avant lui, parut passagèrement perplexe.

— Vous voulez dire, insista Morse, que Miss Kaye est allée à Woodstock mais que vous-même n'êtes pas allée plus loin que Begbroke ?

— Oui, c'est exactement ce que je veux dire.

— Vous avez demandé à cet homme de vous déposer à Begbroke ?

— De quel homme parlez-vous ?

— De l'homme qui vous a prise en stop.

— Mais je ne suis pas allée en stop à Begbroke.

— Vous quoi ? hurla Morse.

— Je dis que je n'ai pas fait de stop. Je n'en ferais sous aucun prétexte. Je pense qu'il faut que vous sachiez quelque chose, inspecteur. J'ai une voiture.

Pendant que Lewis faisait taper la seconde déposition, Morse se retrancha dans son bureau. S'était-il trompé de bout en bout ? Si ce que Jennifer affirmait maintenant était vrai, cela pourrait expliquer bien des choses. Sur la même route, la même nuit et une collègue de bureau assassinée ? Bien sûr, elle pouvait être effrayée. Mais était-ce suffisant pour expliquer ses dérobades ? Il prit le téléphone et appela le *Golden Rose* à Begbroke. Le patron à la voix joviale était très désireux de coopérer. Sa femme avait assuré le service dans le salon mercredi. Pourrait-elle faire un saut au QG de la police de Kidlington ? Oui. Le patron lui-même la conduirait. Parfait. Alors, dans un quart d'heure.

— Vous rappelez-vous une jeune femme qui serait venue chez vous mercredi dernier ? Seule ? Vers 19 h 30 ?

La dame, parée de bagues nombreuses et d'une avant-scène opulente, n'était pas sûre.

— Pourtant, vous n'avez pas souvent pour clientes des femmes seules.

— Souvent, non. Mais, de nos jours, inspecteur, cela n'a rien d'exceptionnel. Vous seriez surpris !

Morse avait l'impression que peu de choses étaient encore susceptibles de le surprendre.

— Pourriez-vous reconnaître une personne de ce genre ? Une femme qui n'a fait que passer un soir ?

— Je pense que oui.

Morse appela Lewis qui attendait toujours avec Jennifer dans la salle des interrogatoires.

— Ramenez-la chez elle, Lewis.

La patronne du *Golden Rose* était près de Morse à la réception lorsque Jennifer et Lewis passèrent.

— Est-ce elle ? demanda l'inspecteur.

C'était son avant-dernière question.

— Oui. Je pense que oui.

— Je vous suis très reconnaissant, mentit Morse.

— Je suis heureuse d'avoir pu vous aider, inspecteur.

L'inspecteur l'accompagna vers la porte.

— Je n'ose espérer que vous vous rappelez ce qu'elle a commandé.

— En fait, si, inspecteur. Je crois que je m'en souviens. Une bière blonde au citron vert. Oui, c'est cela : bière et citron.

Une demi-heure plus tard, Lewis était de retour.

— Croyez-vous ce qu'elle a dit, monsieur ?

— Non, dit Morse.

Il était encore plus frustré que déprimé. Il se rendait compte que ses propres insuffisances l'avaient conduit à la pagaille et à la confusion. Il avait refusé l'offre de personnel auxiliaire disponible, si bien que seules quelques-unes des nombreuses pistes possibles avaient été contrôlées avec preuves à l'appui. Sanders, par exemple, la cible la plus susceptible d'une investigation immédiate et soigneuse pour n'importe quel officier de police expérimenté, il l'avait jusqu'à présent presque totalement ignoré. En fait, un examen même superficiel de la façon dont il avait conduit l'enquête aurait révélé une approche au petit bonheur la chance qui frisait la négligence. Pas plus tard que le mois dernier, il avait prononcé devant des confrères une conférence sur l'importance primordiale de faire preuve de minutie, rigueur et discipline dès le début d'une enquête criminelle, et d'explorer systématiquement tous les aspects de l'affaire.

Néanmoins, son intuition — facteur qu'il n'avait pas mentionné dans sa conférence — lui soufflait qu'il était toujours, bien que vaguement, sur la bonne piste ; il avait eu raison de permettre à Jennifer de partir ; et bien que son dernier coup de pied eût été hors jeu, tôt ou tard, il tirerait un but.

Pendant l'heure qui suivit, les deux officiers échangèrent leurs observations sur l'interrogatoire de l'après-midi. Morse sondait impatiemment les réactions de Lewis face aux dérobades, coups d'œil et attitudes de la jeune fille.

— Pensez-vous qu'elle mente, Lewis ?

— Je n'en suis plus si sûr, maintenant.

— Arrêtez votre char, mon vieux ! Quand vous aurez mon âge, vous reconnaîtrez un menteur à un kilomètre de distance !

Lewis était dubitatif : il avait plusieurs années de plus que son vis-à-vis. Un silence s'ensuivit.

— Et maintenant, d'où allons-nous repartir ? dit enfin Lewis.

— Je pense que nous allons porter l'attaque sur l'autre flanc.

— Nous quoi ?

— Oui. Elle protège un homme. Pourquoi ? Pourquoi ? C'est la question que nous nous sommes posée jusqu'à présent. Et vous savez à quoi nous a menés cette ligne de conduite. Nulle part. Elle ment, je le sais ; mais nous ne l'avons pas encore brisée, pas encore. Elle ment tellement bien qu'elle est capable de tromper n'importe quel foutu imbécile.

Lewis apprécia le sous-entendu.

— Peut-être vous trompez-vous, monsieur.

— Non, non et non ! fulmina Morse qui s'interrogeait sur ce point. Nous avons simplement attaqué l'affaire par le mauvais bout. On dit, Lewis, que l'on peut faire l'ascension de l'Eiger en charentaises si l'on s'y prend par la voie facile.

— Vous voulez dire que nous avons essayé de résoudre notre problème par la voie la plus ardue ?

— Non, je veux dire exactement le contraire. Nous avons tenté la voie facile. Maintenant, il nous faut essayer la voie la plus ardue.

— Comment allons-nous nous y prendre, monsieur ?

— Nous avons cherché à découvrir qui était l'autre fille parce que nous pensions qu'elle pourrait nous conduire à l'homme que nous voulons.

— Mais, selon vous, nous l'avons trouvée.

— Oui. Mais elle est trop intelligente pour nous. Et aussi trop loyale. Elle a été prévenue qu'elle devait garder bouche cousue, ce qui était, à mon humble avis, tout à fait inutile. Mais, pour l'instant, nous sommes acculés à un mur de brique et il n'y a qu'une alternative. La fille ne nous conduira pas à l'homme ? Parfait. Trouvons l'homme.

— Par quoi allons-nous commencer ?

— Je crois que nous allons avoir besoin d'un peu de logique aristotélicienne, non ?

— Si vous le dites, monsieur.

— Je vous dirai tout sur le sujet demain matin, dit Morse.

Parvenu à la porte, Lewis fit une pause.

— Cette identification de Miss Coleby, monsieur. Pensez-vous qu'elle soit satisfaisante ? Que l'on puisse croire la patronne sur parole ?

— Pourquoi pas ?

— Eh bien, c'était un peu désinvolte, non ? Je veux dire que ça ne s'est pas passé vraiment selon les règles.

— Quelles règles ? dit Morse.

Lewis estima que la journée lui avait suffisamment brouillé l'esprit. Il sortit.

On ne peut dire que celui de Morse fonctionnait pour l'instant avec une lucidité cristalline ; pourtant, le germe d'une idée nouvelle surgissait du dédale de la confusion. Il avait soupçonné dès le départ que Jennifer Coleby mentait ; il aurait joué sur ce point sa réputation de policier. Mais il aurait pu se tromper, au moins sur un point. Il avait essayé de briser la version de Jennifer, mais s'était-il attaqué au point faible, qui était aussi le point faux ?

Et si tout ce qu'elle lui avait dit était parfaitement vrai ? Pour ou contre, les arguments tournoyaient devant ses yeux comme les chevaux de bois dans une fête foraine. Bientôt, son esprit devint, lui aussi, tourbillon vertigineux. Il était temps de lui accorder une pause.

10. Mercredi, 6 octobre

Au *Black Prince*, le salon des cocktails faisait rarement le plein pendant l'heure qui suivait l'ouverture, fixée à 11 heures du matin. Ce mercredi 6 octobre n'avait donc rien d'exceptionnel. L'onde de choc provoquée par le meurtre se retirait et le *Black Prince* était promptement revenu à la normale.

Étonnant de constater avec quelle rapidité les événements s'estompent, songeait Mrs Gaye McFee en frottant un verre à martini qui rejoignit bientôt ses confrères sur une étagère. Pas si étonnant après tout : pas plus tard que ce matin, à Heathrow, un avion de ligne s'était écrasé à l'atterrissage, faisant soixante-dix-neuf victimes. Et tous les jours sur les routes...

— Qu'est-ce que ce sera pour vous, jeunes gens ?

L'homme qui parlait était un sexagénaire d'allure distinguée : corpulent, chevelure gris argenté et teint rubicond. Gaye avait eu souvent l'occasion de le servir. Le professeur Tompsett — « Felix » pour ses amis, dont on disait qu'ils n'étaient pas légion — était professeur émérite de littérature élisabéthaine à l'université d'Oxford ; il avait également été vice-principal de Lonsdale College mais était depuis peu à la retraite. Ses deux compagnons — l'un émacié, barbu, proche de la trentaine, l'autre d'apparence discrète, portant la quarantaine environ et des lunettes — commandèrent tous deux un gin-tonic.

— Trois gin-tonic, aboya Tompsett d'une voix impérieuse ; Gaye se demanda s'il obtenait du scout[1] de son collège qu'il lui remue son café matinal.

— J'espère que vous allez apprécier la vie parmi nous, mon jeune Melhuish !

Tompsett posa une large main sur l'épaule de son compagnon barbu et se lança incontinent dans des sujets que Gaye n'était plus en mesure de suivre. Un groupe de militaires américains venaient d'entrer qui l'assaillirent aussitôt de questions pressantes sur les marques de bière, le menu, le meurtre récent et son adresse personnelle. Elle aimait les Américains et ne tarda pas à rire de bon cœur avec eux. Comme d'habitude, la tireuse à bière produisait plus de mousse que de liquide et Gaye remarqua le membre à lunettes du triumvirat d'Oxford qui attendait patiemment à l'autre extrémité du bar.

— J'en ai pour une seconde, monsieur.

— Ne vous en faites pas. Je ne suis pas pressé.

Il lui sourit tranquillement et elle vit une étincelle briller dans ses yeux noirs. Elle honora prestement les commandes des Américains.

— Et maintenant, monsieur.

— Même chose pour tout le monde, s'il vous plaît. Trois gins-tonics.

Gaye le regarda avec intérêt. Son patron lui avait dit un jour que si elle entendait un client commander des « gins-tonics », au lieu du quasi universel « gin-tonic », il s'agirait réellement d'un *don*. Elle aurait voulu qu'il lui parlât de nouveau car elle aimait le son de sa voix, agrémentée du doux accent du Gloucestershire. Mais il ne le fit pas. Néanmoins,

1. Domestique dans les collèges d'Oxford. (*N.d.T.*)

elle demeura de ce côté du bar et donna un nouveau coup de torchon aux verres à martini.

— On te fait peur, mon chou ? lança un des Américains qui s'efforçaient de ramener vers eux la belle hôtesse.

Mais Gaye découragea leurs stratagèmes avec tact et pondération. Elle observait toujours l'homme du Gloucestershire. C'était Tompsett qui discourait :

— Il n'avait même pas assisté à ma leçon inaugurale quand j'ai été nommé. Qu'est-ce que vous en dites, Peter ?

— Sincèrement, je ne peux vraiment pas l'en blâmer, dit Peter. Nous avons tous à plancher et à saliver sur notre propre prose, Melhuish, et nous avons l'illusion qu'elle est sacrément merveilleuse.

Le professeur de littérature élisabéthaine descendit la moitié de son verre ; il riait aux éclats.

— Êtes-vous déjà venu ici, Melhuish ?

— Non, jamais. Plutôt sympathique comme endroit.

— Et plutôt célèbre en ce moment. Un meurtre y a été commis la semaine dernière.

— Oui, j'ai vu ça dans la presse.

— Une petite blonde. Violée et assassinée dans la cour, juste à côté. Joli brin de fille, pour autant que l'on puisse se fier aux journaux.

Très brillant et très nerveux, Melhuish venait d'être nommé professeur junior à Lonsdale. Il commençait à se sentir un peu plus à l'aise au milieu des seniors.

— A-t-elle vraiment été violée ?

— C'est ce qu'on dit — Tompsett vida son verre —, mais, personnellement, les histoires de viol m'ont toujours laissé plutôt sceptique.

— Voir Confucius. Selon lui, une fille aux jupes retroussées court plus vite qu'un homme qui a baissé culotte, hein ?

Les deux messieurs rassis sourirent poliment de cette plaisanterie éculée que Melhuish regrettait d'avoir sortie : hors de propos, trop familière. Gaye entendit la voix claire de Tompsett qui relançait la conversation. Il n'est pas fou, celui-là, pensa-t-elle.

— Je suis d'accord avec vous, Melhuish. Nous n'avons pas à prendre le viol trop au sérieux. Grand Dieu, non ! Cela arrive tous les jours. Je me souviens, il y a de cela quelques années, il y avait ici une fille épatante : vive, travailleuse, les idées claires, une gosse merveilleuse. Vous vous rappelez, Peter ? Elle passait ses examens de dernière année et avait huit exposés de trois heures. Elle avait présenté le septième le jeudi matin ; non, c'était un vendredi ou peut-être... mais là n'est pas la question. Elle fit son avant-dernier exposé le matin et il ne lui restait plus qu'un obstacle à franchir dans l'après-midi. Elle est rentrée déjeuner dans sa piaule à Headington et — Dieu me pardonne — elle s'est fait violer en revenant. Imaginez le choc ! Vous vous rappelez, Peter ? Quoi qu'il en soit, elle a tenu absolument à faire son dernier exposé et, là, franchement, elle s'est surpassée !

Melhuish éclata de rire et ramassa les verres vides.

— Inventé de toutes pièces, grommela Peter.

— C'est quand même une bonne histoire, non ? dit Tompsett.

Gaye perdit le fil de leurs propos pendant quelques minutes et, quand elle le rattrapa, la conversation avait pris un tour plus sérieux. Tout le monde dit que le gin est un sédatif.

— ... pas nécessairement violée avant d'avoir été tuée, vous savez.

— Oh ! Felix ! Bouclez-la !

— Plutôt révoltant, je sais. Mais nous avons tous lu l'affaire Christie, n'est-ce pas ? Ce vieux saligaud vicieux !

— Pense-t-on que cela se soit passé de la même façon ici ? demanda Melhuish.

— J'aurais presque pu vous le dire, assura Tompsett. C'est le vieux Morse — excellent détective ! — qui est chargé de l'affaire. Nous l'avons déjà reçu aux soirées du collège. Il était invité ce soir mais s'est décommandé. Il vient d'avoir un petit accident : il est tombé d'une échelle ! Une histoire à dormir debout ! Un type chargé d'enquêter sur un crime de sang tombe à bas d'une foutue échelle !

Tompsett se tordait de rire.

Ayant perdu tout espoir, les Américains avaient déserté le bar, à présent à moitié vide. Les trois hommes se dirigèrent vers la table près de la fenêtre.

— Nous ferions bien de voir ce qu'on peut nous offrir pour le déjeuner, dit Peter. Je vais chercher le menu.

Gaye lui tendit un immense dépliant, qui avait dû coûter très cher, et le lui présenta ouvert, comme un néophyte offrirait la collecte du jour à un prêtre vénérable.

Peter le parcourut rapidement, le visage empreint d'un aimable cynisme. Il regarda Gaye qui le regardait.

— Que recommandez-vous : « les Délices du

don » ou « le Régal du *proctor*[1] » ? demanda-t-il à mi-voix.

— Si j'étais vous, je ne prendrais pas le steak, fit-elle sur le même ton.

— Es-tu libre cet après-midi ?

Elle évalua la situation pendant quelques secondes avant d'acquiescer d'un signe de tête à peine perceptible.

— A quelle heure puis-je venir te prendre ?

— 15 heures ?

— Où ?

— Je serai dehors, devant la porte.

A 16 heures, ils étaient allongés côte à côte dans le grand lit de l'appartement de Peter à Lonsdale College. Il avait passé son bras gauche autour du cou de Gaye et, de sa main libre, lui caressait doucement les seins.

— Crois-tu qu'une jeune fille puisse être violée ? demanda-t-il.

Gaye considéra le problème. Le corps et l'esprit satisfaits, elle contempla un instant le plafond décoré.

— Ce doit être joliment difficile pour l'homme.

— Hum.

— As-tu déjà violé une femme ?

— Je pourrais te violer tous les jours de la semaine.

— Mais je ne te laisserais pas faire. Je n'opposerais pas la moindre résistance.

---

1. Réprésentant du conseil de discipline dans les universités anglaises. (*N.d.T.*)

Il embrassa de nouveau ses lèvres pleines et elle se tourna vers lui ardemment.

— Peter, lui murmura-t-elle à l'oreille, viole-moi encore !

Le téléphone brailla soudain, aigu et pressant dans la chambre tranquille. « Et merde ! »

— Oh ! Bonjour, Bernard ! Quoi ? Non. En train de flemmarder simplement. Quoi ? Oh ! Ce soir. Oui. Entendu. Vers 19 heures, je pense. Pourquoi ne ferais-tu pas un saut chez moi ? On pourrait prendre un verre rapide. Oui. Felix ? Oh ! Il a déjà fait le plein. Oui. Oui. Alors, à tout à l'heure. Oui. Bye.

— Qui est Bernard ?

— Un *don*. Il enseigne l'anglais ici. Brave garçon. Mais il choisit bien mal son heure.

— Est-ce qu'il dispose d'un appartement comme le tien ?

— Non, non. Bernard est père de famille. Il habite North Oxford. Un type tranquille.

— Alors, il ne viole pas les fillettes ?

— Qui ça ? Bernard ? Grand Dieu, non ! Du moins, je ne le pense pas...

— Es-tu un homme tranquille, Peter ?

— Moi ?

Elle le caressa voluptueusement, coupant court abruptement à tout développement possible à propos de Mr Bernard Crowther, tranquille père de famille domicilié à North Oxford.

II. A LA RECHERCHE D'UN HOMME

11. Mercredi, 6 octobre

Botley Road prend naissance sous un pont de chemin de fer particulièrement bas (hauteur limite : 3,60 m) et se poursuit, étroite et entravée, sur plusieurs centaines de mètres entre les rangées de maisons minables qui l'enserrent. Puis elle s'élargit progressivement en un large tronçon d'autoroute à quatre voies qui draine tout le trafic qui se dirige vers l'ouest en direction de Faringdon, Swindon et des divers hameaux situés entre ces villes. Ici, les maisons ne sont plus accolées à leurs voisines dans une proximité réticente et, çà et là, des entrepreneurs d'Oxford ont établi leurs locaux.

Chalkley and Sons est un bâtiment informe de deux étages. Cette grande surface, spécialisée dans les équipements ménagers, carrelages, papiers peints, meubles et peintures, s'est assuré la clientèle de nombreux charpentiers (discount), d'architectes d'intérieur (discount) et de presque tous les bricoleurs d'Oxford. A l'extrémité des salles d'exposition du rez-de-chaussée, une pancarte informe les rares clients qui ne l'ont pas encore découvert que l'atelier du Formica se trouve à l'extérieur, de l'autre côté de la cour, seconde porte à gauche.

Dans cet atelier, un homme jeune pose une grande plaque de Formica sur un établi en bois, pourvu d'une profonde rainure carrée, taillée longitudinalement dans son milieu. Le long de glissières bien entretenues, il tire vers lui une petite scie mécanique dont il aligne soigneusement les dents méchamment polies sur sa marque au crayon. Adroitement, il déroule un mètre souple en fer et contrôle ses mesures. Après un rapide calcul mental, il tourne un commutateur et, dans un vrombissement discordant, tranche le matériau coriace avec une célérité nette et précise. Il jouit de cette célérité. Il répète plusieurs fois le processus : dans le sens de la longueur, de la largeur, puis empile soigneusement contre le mur les planches découpées. Il regarde sa montre ; presque 12 h 45. Une heure un quart de liberté. Il ferme à clé derrière lui les portes coulissantes, se rend dans les toilettes du personnel, se savonne les mains, se peigne et tourne le dos sans regret aux locaux de Mr Chalkley et de ses fils. Il tapote un petit paquet qui gonfle légèrement la poche gauche de son manteau. Toujours là.

Sa destination immédiate est à dix minutes de marche ; néanmoins, il décide de prendre le bus. Il traverse la rue et, ce faisant, franchit autant de lignes continues, rompues, larges, étroites, jaunes et blanches qu'il en figure dans la légende d'une carte d'état-major. Car le conseil municipal d'Oxford a intensifié sa longue guerre d'usure contre l'automobiliste privé et institué un système de couloirs pour les autobus tout du long de Botley Road. Un bus arrive presque immédiatement dont l'équipage, composé d'un unique Pakistanais renfrogné, s'acquitte en silence de ses nombreuses fonctions. Le jeune homme espère toujours que le bus sera bondé de façon qu'il puisse s'asseoir à côté d'une des filles en cuissardes et mini-jupe qui reviennent en ville. Mais aujourd'hui, le bus est presque vide. Il s'assied et porte sur son entourage immédiat un regard machinal.

Il descend à l'arrêt avant le pont du chemin de fer — où le bus doit faire un détour sur la droite pour éviter d'être scalpé par les poutrelles de fer —, dirige ses pas vers une ruelle louche, derrière des rangées de maisons miteuses, et entre dans un petit magasin. Sur la devanture sale et craquelée de Mr Baines, l'enseigne annonce : « Presse et débit de tabac ». Mais la nature de l'établissement de Mr Baines est telle qu'il n'emploie pas de cohortes de garçons et de filles effrontés pour distribuer les journaux du matin et du soir, et son stock de tabac comporte tout au plus une demi-douzaine de marques de cigarettes parmi les plus populaires. Il ne vend ni cartes d'anniversaire, ni crèmes glacées, ni confiserie. Mr Baines — c'est un homme avisé — estime qu'il peut tirer autant de profit d'une transaction rapide et sans complication que de la recette de la distribution de quotidiens ou de la vente d'un millier de cigarettes. C'est pourquoi Mr Baines est détaillant de pornographie hard.

Plusieurs clients postés debout le long du côté droit de l'étroite boutique cherchent fébrilement leur bonheur dans une incroyable variété de magazines tape-à-l'œil, grossièrement érotiques, dont les titres soyeux annoncent l'extase prochaine : *Skin, Skirt*, *Lush*, *Lust*, *Flesh*, *Frills*... Bien que les silhouettes des modèles chichement vêtus qui ornent les couvertures de ces ouvrages soient d'une obscénité provocante, les fouineurs feignent de feuilleter les pages avec ennui, désinvolture et insouciance. Ce n'est qu'une apparence. Une affichette, rédigée de la main de Mr Baines, avertit les amateurs potentiels de ces fruits exotiques que « les livres sont à vendre » ; et Mrs Baines, juchée sur son tabouret derrière le comptoir, darde un regard dur sur ses clients piégés. Le jeune homme accorde un coup d'œil indifférent à l'exposition de nudités exhibées sur sa droite et se dirige directement vers le comptoir. Il demande à voix haute un paquet de vingt Embassy et glisse son colis vers Mrs Baines ; cette dame, à son tour, prend sous le comptoir un paquet emballé de papier brun, semblable à celui du jeune homme, et le pousse vers lui. Mr Baines ne pourrait qu'approuver ! La transaction est simple, rapide et sans complication.

Le jeune homme s'arrête au *Bookbinder's Arms*, de l'autre côté de la rue, et commande du pain, du fromage et une pinte de Guinness. Il ressent sa fringale habituelle, harcelante, mais jubile en secret de cette attente forcée. Il sera bientôt 17 heures et, depuis l'ouverture du nouveau tronçon du périphérique, le trajet vers Woodstock est désormais infiniment plus rapide. Il avalera le repas cuisiné par sa mère ; ensuite, il sera seul. A sa façon perverse, il en est presque arrivé à jouir par anticipation dès les préliminaires. Depuis ces derniers mois, le rituel est devenu hebdomadaire. Coûteux, certes, mais l'arrangement ne manque pas d'avantages car la moitié du prix lui est restituée lors de chaque retour. Il avale sa Guinness.

Parfois encore, il se sent un peu coupable, mais beaucoup moins qu'auparavant. Il se rend compte qu'en assouvissant sa passion pour la pornographie, il avilit grossièrement la sensibilité qui pouvait être sienne ; que son besoin frénétique s'enkyste comme une grosseur cancéreuse dans son esprit, un esprit qui réclame toujours plus désespérément sa gratification morbide et immédiate. Mais il n'y peut rien.

A 14 heures pile le mercredi 6 octobre, Mr John Sanders est de retour à l'atelier du Formica et l'on entend de nouveau, de l'autre côté des portes coulissantes, la scie circulaire gémir à fendre l'âme.

Le mercredi soir pendant le trimestre, la maison des Crowther était généralement désertée de 19 heures à 21 heures. Mrs Margaret Crowther retrouvait à la WEA [1] un petit groupe d'avides culturophages de son âge pour un cours de civilisation classique ; toutes les semaines, les enfants, James et Caroline, allaient grossir le club surpeuplé de la disco du mercredi à la maison de la culture voisine ; Mr Bernard Crowther n'avait de goût ni pour la pop ni pour Périclès.

Le soir du mercredi 6 octobre, Margaret quitta comme d'habitude sa maison à 18 h 30. Ses cours avaient lieu à cinq kilomètres environ, dans les locaux de la Formation pour adultes à Headington Hill, et elle était préoccupée par le souci de trouver une place de parking centrale et sûre pour l'étince-

1. Workers' Educational Association : Association éducative des travailleurs. (*N.d.T.*)

lante Mini 1000 que Bernard avait achetée pour elle en août dernier. Sans grande assurance, elle sortit du garage — Bernard avait été d'accord pour laisser sa propre 1100 affronter les intempéries hivernales dans l'allée — et tourna dans la rue paisible. Bien qu'elle se défiât toujours de ses capacités au volant, surtout la nuit, ce déplacement l'enchantait. Il signifiait liberté et indépendance : c'était sa voiture et elle pouvait aller où bon lui semblait. En arrivant à l'échangeur, elle prit comme de coutume une profonde inspiration et se concentra de toutes ses forces. Les voitures défilaient en chuintant sur la voie extérieure et elle refrénait sa réaction instinctive : relâcher la pression de son pied droit sur l'accélérateur tout en appuyant sur le frein. Elle avait une conscience aiguë des phares des voitures venant en sens inverse et de leurs conducteurs dont elle était persuadée qu'ils étaient effrontément sûrs d'eux. Elle fit jouer sa ceinture de sécurité et s'enhardit jusqu'à jeter un coup d'œil sur le tableau de bord pour s'assurer qu'elle avait baissé ses phares. Bien entendu, elle ne roulait jamais pleins phares tant elle avait peur de manipuler de travers la manette et de les éteindre complètement au cas où il aurait fallu les baisser. Au rond-point de Headington, elle se mit en temps voulu dans la bonne file et parcourut le reste du trajet sans incident.

La première fois qu'elle avait envisagé de se suicider, la voiture lui était apparue comme une possibilité concrète. Mais elle savait à présent qu'elle ne pourrait jamais s'y prendre ainsi. La conduite réveillait tous ses instincts primitifs de sécurité et d'autoconservation. De toute façon, elle ne pourrait pas démolir sa jolie Mini neuve. Il y avait d'autres moyens...

Elle se gara avec soin, entrant et sortant plusieurs fois de la voiture avant d'être tout à fait certaine de lui avoir trouvé une position sûre, à égale distance de ses deux voisines, et pénétra dans le grand bâtiment — quatre étages et une façade de verre — destiné aux étudiants adultes de la ville. Mrs Palmer, une de ses camarades de classe, s'élançait dans l'escalier menant à la salle C26.

— Tiens, mais c'est Mrs Crowther ! Vous nous avez bien manqué la semaine dernière. Avez-vous été souffrante ?

— Qu'est-ce qui cloche avec ces deux-là ? demanda James.

Un quart d'heure après le départ de Margaret, Bernard Crowther avait sauté dans le bus pour Lonsdale College où il dînait un ou deux soirs par semaine. Les enfants étaient seuls.

— Rien de bien nouveau ! dit Caroline.

— Ils se parlent à peine.

— J'pense que tous les gens mariés deviennent comme ça.

— Z'étaient pas comme ça avant.

— On n'peut pas dire que t'aides beaucoup.

— Toi non plus.

— Tu veux dire quoi ?

— Oh ! Boucle-la !

— Sale ronchon !

— Fais pas chier !

Depuis quelque temps, leurs conversations duraient rarement plus longtemps. Leurs parents connaissaient trop bien ce dialogue type, ses permutations mineures et les quelques concessions à la moralité conventionnelle de la classe moyenne quand il se déroulait en leur présence. Margaret en était profondément affectée ; Bernard enrageait, et l'un comme l'autre se demandaient secrètement si tous les enfants étaient aussi violents, mal embouchés et peu aidants que les leurs. Toutefois, ce mercredi soir, James et Caroline occupaient une place mineure dans l'esprit de leurs deux parents.

Professeur parmi les plus anciens du collège, Bernard avait naturellement été invité à la fête donnée en l'honneur de l'ex-vice-doyen qui avait pris sa retraite l'été précédent. Le dîner devait commencer à 19 h 30 et Bernard arriva chez Peter une demi-heure à l'avance. Il se versa un gin-vermouth et s'affala dans un fauteuil défraîchi. Il se dit qu'il aimait bien ce pauvre bougre de Felix Tompsett. Bien sûr, il mangeait trop, il buvait trop et, s'il fallait en croire une rumeur fortement répandue — pourquoi pas ? —, il y avait encore quantité de choses qu'il pratiquait avec excès. Mais il avait bien servi le collège ; c'était sur son conseil que l'établissement avait acheté un ensemble de propriétés au début des années soixante et son intelligence des taux d'intérêt et des prêts d'investissement était légendaire. Drôle de type, vraiment, songeait Bernard. Il termina son gin et haussa les épaules sous sa toge. Le sherry devait déjà couler à flots dans la salle des professeurs et les deux amis s'y rendirent.

— Salut, Bernard, comment allez-vous, mon vieux ? demanda Felix avec un sourire de bienvenue aussi radieux qu'il était sincère à son vieux collègue.

— Je n'ai pas à me plaindre, répondit Bernard sur un ton peu convaincant.

— Et comment va votre ravissante épouse ?

— Bien, très bien, fit Bernard en attrapant un sherry.

— Bien jolie femme, dit Felix d'un air songeur.

Il avait manifestement commencé à célébrer sa propre commémoration avec un enthousiasme délibéré, mais Bernard ne pouvait assortir son humeur à cette bonhomie. Au milieu du brouhaha des conversations volubiles, il pensait à Margaret... Il se mit au diapason juste à temps pour rire avec à-propos de l'inscription récemment découverte par Felix sur le mur des toilettes du *Minster*.

— Pas mal, hein ? s'esclaffa bruyamment Felix.

Les invités passèrent dans la pièce voisine et s'assirent à la table du festin. Bernard trouvait toujours qu'il y avait beaucoup trop à manger ; ce soir, la mesure était comble. Aux prises avec le cocktail de pamplemousse, la soupe à la tortue, le saumon fumé, le tournedos Rossini, le gâteau, le fromage et les fruits, il pensait aux millions de gens qui, pendant des semaines, voire des mois, ne mangent pas à leur faim, et des images poignantes de victimes faméliques, en Asie, en Afrique, défilaient dans son esprit...

— Vous êtes bien silencieux ce soir, dit le chapelain, en passant à Bernard une bouteille de bordeaux.

— Désolé, dit Bernard. Ce doit être tous ces plats, tous ces vins.

— Vous devriez apprendre à recevoir les bienfaits dont le Seigneur nous comble, mon fils. Voyez-vous, je dois avouer qu'en prenant de l'âge, il y a deux choses que j'apprécie toujours plus dans la vie : la beauté naturelle et la bonne chère.

Propos que le chapelain illustra en gratifiant son estomac d'un demi-verre de bordeaux millésimé.

Bernard savait évidemment que certains hommes sont gras par nature, pure question de métabolisme ou quelque chose comme cela. Mais il n'y avait pas d'hommes gras à Belsen [1]...

Quoi qu'il en fût, les éventuels aveux auxquels s'apprêtait le chapelain furent coupés net par le toast porté à Sa Majesté, suivi des toussotements du doyen lorsqu'il se leva pour entamer son panégyrique de Felix Tompsett. Rien qu'ils n'aient tous déjà entendu. Mis à part quelques indispensables retouches aux lieux communs consacrés, c'était, quant au fond, le même vieux topo. A bien des égards, Felix laisserait un vide dans la vie du collège, un vide qu'il serait difficile de combler... Bernard pensait à Margaret. Pourquoi ne pas laisser les foutus vides en l'état... Un érudit parmi les plus éminents de sa génération... Bernard consulta sa montre : 21 h 15. Il ne pouvait pas encore filer. Des anecdotes, des rires... Bernard était pratiquement sûr que l'auditoire serait bientôt gratifié du rappel de l'incident survenu deux ans plus tôt : un étudiant mécontent avait pissé sur le tapis de Felix... Retour au blabla académique. N'importe quoi. Bidon... Ses travaux sur les poètes lyriques élisabéthains... Tu parles ! Le vieux renard avait consacré l'essentiel de son temps à une recherche de première main sur

1. Bergen-Belsen : camp de concentration établi près de Hanovre en octobre 1943 par les autorités nazies. Les déportés survivants furent délivrés par les Anglais en mai 1945. (*N.d.T.*)

les auberges historiques de l'Oxfordshire. Ou avec les femmes... Pour la première fois, Bernard se demanda si Felix avait fait des avances à Margaret. Il ferait mieux de ne...

Felix parlait bien. Légèrement ivre, aimable, courtois, presque émouvant. Allez ! 21 h 45. La cérémonie s'achevait et l'assistance se dispersa vers 22 heures. Bernard quitta hâtivement le collège, suivit Broad Street jusqu'à St Giles Street où il trouva aussitôt un taxi. Avant même que le taxi ne s'arrête, il perçut de l'agitation devant la maison plongée dans l'obscurité. Frappé de panique, son cœur battait désespérément. James et Caroline étaient devant la porte d'entrée.

— Vous auriez pu... commença Caroline.

C'est à peine si Bernard entendit :

— Où est votre mère ?

Sa voix était dure et pressante.

— J'en sais rien. On pensait qu'elle était avec toi.

— Depuis combien de temps attendez-vous ? demanda-t-il d'un ton coupant, autoritaire, que ses enfants avaient rarement entendu.

— Ben, une demi-heure peut-être. Maman est toujours là avant...

Bernard ouvrit la porte.

— Appelle le collège technique de Headington. Demande si le cours est terminé.

— Vas-y, Caroline.

Avec une vigueur méchante, la main droite de Bernard s'abattit le visage de James :

— Fais-le ! siffla-t-il.

Il alla jusqu'à la grille. Personne. Il priait que lui parvienne le bruit d'une voiture, n'importe quelle voiture. Une voiture ! Une sueur froide inondait son front quand il se précipita vers le garage. La porte était fermée. Il trouva la clé. Sa main tremblait convulsivement. Il ouvrit la porte.

— Bon Dieu, mais qu'est-ce que tu fiches ?

Bernard sursauta et, du fond du cœur, bénit tous les dieux passés, présents et futurs.

— Où diable étais-tu passée ?

En une fraction de seconde, sa peur, son angoisse déchirante s'était muée en colère ; une colère féroce, un splendide exutoire.

— Il se trouve simplement que le starter de la Mini a rendu l'âme. Je n'ai pu trouver personne pour s'en occuper. Pour finir, j'ai dû prendre un bus.

— Tu aurais pu le faire savoir.

— Mais oui, bien sûr ! En plus d'appeler tous les garages, j'aurais dû t'appeler, toi. Et les enfants aussi, par-dessus le marché. C'est bien ça ? cria Margaret dont la colère grandissait. A quoi ça rime, tout ce boucan ? Simplement parce que, pour une fois, je suis en retard !

— Les enfants ont attendu pendant des heures.

— Et alors !

Margaret pénétra chez elle comme un ouragan et Bernard entendit les voix aiguës à l'intérieur. Il ferma la grille, puis le garage. Ensuite il ferma et verrouilla la porte d'entrée. Heureux. Il se sentait plus heureux qu'il ne l'avait été depuis des jours.

12. Mercredi, 6 octobre ; jeudi, 7 octobre

Morse ignorait ce qui l'avait décidé, après sept mois de résolutions et de tergiversations, à boucher le trou informe qui béait au-dessus de la porte de la cuisine, par où l'électricien avait introduit les fils pour une nouvelle prise de courant. D'emblée, tout était allé de travers. La poudre Polyfilla, achetée quelque deux ans plus tôt, formait dans son emballage un bloc dur comme du béton. La spatule qu'il utilisait pour casser les œufs et pour boucher les fissures avait mystérieusement disparu de la surface de la terre et l'escabeau rudimentaire n'avait jamais été bien stable sur ses pieds branlants. Peut-être Morse s'était-il lui-même inspiré de Mr Edward de Bono et de sa méthode de pensée latérale. Quel que fût le motif de son désir impatient de voir ce fichu trou bouché, Morse, tel un parachutiste en chute libre, avait exécuté un plongeon vertical du haut de l'escabeau lorsque la corde, qui donnait aux montants les 30 degrés d'angle fonctionnel, avait subitement lâché et que l'engin s'était effondré droit sous lui. Tel Héphaïstos précipité par-dessus les remparts de cristal, il atterrit au prix d'un choc abominable de son pied droit, demeura quelques minutes au sol, saisi de nausée, épongeant la sueur froide qui coulait de son front, clopina jusqu'au séjour et s'effondra en ahanant sur le canapé. Au bout d'un moment, il souffrait moins et se rassura ; mais une demi-heure plus tard, son pied se mit à enfler tandis qu'une douleur aiguë et lancinante gagnait le cou-de-pied. Il se demanda s'il pourrait conduire, sachant pertinemment que ce serait folie. Il était 20 h 30 et l'on était le mardi 5 octobre. Une seule chose à faire. Progressant tour à tour par boitillements et à cloche-pied, il atteignit le téléphone, appela Lewis. Une demi-heure plus tard, il attendait, mélancolique, dans la salle des urgences de l'hôpital

Radcliffe, les résultats de la radio. Assis sur le banc voisin de celui de Morse, un jeune garçon serrait sa main droite douloureuse — porte de voiture — et deux hommes gravement blessés dans un accident de la route furent emportés par priorité sur leurs chariots. Il se sentit un peu moins déprimé.

Il fut enfin reçu par un médecin chinois pratiquement inintelligible qui exposa ses radios à la lumière, de l'air indifférent d'un invité sollicité contre son gré d'admirer les diapos des vacances de son hôte.

— Pacassé. Velpébec.

De la bouche de l'infirmière sagace aux mains de laquelle il fut remis, Morse apprit qu'il n'avait pas de fracture et que le traitement prescrit se composait d'une bande Velpeau et de béquilles.

Tout en oscillant sans assurance en direction de Lewis qui l'attendait, il exprima sa gratitude à l'infirmière et au docteur.

— Vous, cria le docteur dans son dos, vous, Mr Morse. Pastravailler deuxjours. Vous repos. O.K. ?

— Merci, dit Morse, je pense que tout ira bien.

— Vous, Mr Morse. Vous vouloirvamieux, hein ? Pastravail. Deuxjours. Repos. O.K. ?

— O.K. — « Seigneur ! » songea Morse.

Il ne dormit pratiquement pas de la nuit. Il éprouvait une sorte de violente rage de dents dans chacun des orteils du pied droit. Il avala aspirine sur aspirine et finalement, quand vint l'aube, il s'assoupit d'épuisement. Lewis passa plusieurs fois le mercredi ; les douleurs torturantes persistaient ; puis, vers 21 heures, il vit l'inspecteur sombrer lourdement dans un sommeil bienheureux.

Quand Lewis vint le saluer, le matin suivant, Morse se sentait mieux ; comme il se sentait mieux, son esprit revint au meurtre de Sylvia Kaye, et comme son esprit n'était plus totalement mobilisé par les tribulations de son pied droit, une grande dépression l'envahit. Il se sentait comme le concurrent d'un jeu télévisé, qui a répondu juste à presque toutes les questions, qui avait sur le bout de la langue les autres réponses et qui a terminé sans un prix. Une seule envie : recommencer...

Allongé, il ruminait ces troubles pensées. Lewis s'affairait dans l'appartement. « Cher vieux Lewis. Ils avaient dû bien rire au commissariat », pensa-t-il. Tomber d'une échelle. Quelle humiliation ! Mais il n'était pas tombé d'une échelle. Il était tombé à travers une échelle !

— Lewis ! J'imagine que vous avez raconté à tout le monde ce qui m'est arrivé.

— Oui, monsieur.

— Et alors ?

— Ils pensent que vous racontez des craques, monsieur. En fait, ils pensent que vous avez attrapé la goutte. Trop de porto.

Morse poussa un grognement. Il se voyait déjà boitillant d'un pied sur l'autre devant tous les gens qui l'arrrêteraient pour s'enquérir des circonstances du désastre. Il allait en faire un rapport écrit détaillé, le photocopier, et distribuer cette littérature dans tout le commissariat.

— Toujours aussi mal, monsieur ?

— Évidemment ! Des millions de nerfs aboutissent dans chacun de nos foutus doigts de pied ! Vous saviez ça, sergent ?

— J'ai un oncle, monsieur, un baril de bière lui a roulé sur les pieds...

— Fermez-la ! grimaça Morse.

Sans même parler d'un baril de bière, l'idée d'un objet quelconque approchant ses orteils blessés à moins d'un mètre était proprement intolérable. Encore qu'un baril de bière... Morse se sentait mieux.

— Les pubs sont-ils déjà ouverts ?

— Vous boiriez volontiers un verre, monsieur ? suggéra Lewis enchanté de lui-même.

— Un pot ne me déplairait pas.

— En fait, cette nuit, j'avais apporté quelques boîtes, monsieur.

— Et alors ?

Lewis trouva des verres ; après avoir positionné une chaise à distance respectable du « pied », il les remplit de bière.

— Rien de neuf ? s'enquit Morse.

— Pas encore.

— Hum !

Les deux hommes burent en silence. Certaines réponses étaient presque justes... d'autres, il les avait sur le bout de la langue... Et s'il avait eu raison ? Ou presque raison ? se demanda Morse. Si seulement il pouvait redémarrer... Oubliant son handicap, il s'assit brusquement et glapit de douleur :

— Oh, mon pied ! avant de retomber dans son nid d'oreillers.

Bien sûr que si, il pouvait redémarrer :

— Lewis, j'ai besoin que vous me rendiez deux services. Apportez-moi du papier ; vous en trouverez au rez-de-chaussée, dans le secrétaire. Et que diriez-vous d'un *fish and chips* pour le déjeuner ?

Lewis acquiesça. Lorsqu'il revint avec le bloc de papier, Morse l'arrêta.

— Trois faveurs. Ouvrez donc quelques-unes de ces boîtes.

Depuis plusieurs jours, une idée voguait dans le cerveau de Morse, aussi fuyante qu'un savon dans une baignoire glissante. Au commencement était la pensée et la pensée devint mot, et Morse déplia soigneusement le texte et lut le message. *Im Anfang war die Hypothese.* Au commencement était l'hypothèse. Mais avant de formuler n'importe quelle hypothèse, y compris la plus modeste, Morse décida qu'il se sentirait beaucoup plus vif de corps, d'âme et d'esprit après une bonne toilette et un bon coup de rasoir. Lentement et péniblement, il parvint à s'extraire de son lit, louvoya comme un crabe le long des murs et franchit à cloche-pied les quelques mètres du carrelage de la salle de bains. Il lui fallut près d'une heure pour venir à bout de sa toilette mais il se sentait un homme neuf. Il reprit dans l'autre sens sa progression syncopée et souleva doucement son pied droit jusqu'à la niche confortable, ménagée le long d'un oreiller de rechange fourré au pied du lit. Il se sentait épuisé mais merveilleusement rafraîchi. Il ferma les yeux et s'endormit sur-le-champ.

Lewis se demanda s'il allait l'éveiller mais l'odeur piquante de pâte à frire et de vinaigre lui épargna ce désagrément.

— Quelle heure est-il, Lewis ? Je me suis endormi.

— 13 h 15, monsieur. Est-ce que vous voulez votre *fish and chips* sur une assiette ? Ma femme et moi, nous les mangeons toujours dans le cornet de papier ; nous trouvons que cela a meilleur goût.

— On dit que c'est le papier journal qui imprègne les chips, répondit Morse, en prenant des mains de son sergent le cornet huileux auquel il s'attaqua avec délectation. Savez-vous, Lewis, que nous avons peut-être pris cette affaire dans le mauvais sens ?

— Vous croyez, monsieur ?

— Nous avons essayé de résoudre le problème pour trouver le meurtrier, non ?

— J'imagine que c'était là notre idée générale.

— Mais nous aurions pu obtenir de meilleurs résultats en prenant les choses dans l'autre sens.

— Vous voulez dire...

Morse attendit un instant mais il était clair que Lewis n'avait pas la moindre idée de ce qu'il voulait dire.

— Je veux dire que nous devons trouver le meurtrier pour résoudre l'affaire.

— Je vois, dit Lewis, qui ne voyait rien.

— J'en suis heureux, dit Morse. C'est clair comme le jour. Et si vous nous ouvriez ces foutus rideaux, voulez-vous ?

Lewis s'exécuta.

— Si je vous disais, reprit Morse, qui est le meurtrier et où il habite, vous n'auriez plus qu'à foncer et à l'arrêter, n'est-ce pas ?

Lewis opina vaguement du chef en se demandant si son officier supérieur ne s'était pas cogné le crâne contre l'évier de la cuisine avant d'atterrir sur son précieux pied droit.

— Vous le pourriez, n'est-ce pas ? Vous pourriez l'amener ici pour me voir, vous pourriez le tenir à bonne distance de ma méchante blessure et il pourrait tout nous dire sur notre affaire, hein ? Il pourrait faire pour nous tout notre travail. C'est bien votre avis ?

Morse bafouillait, la bouche pleine de *fish and chips* et Lewis, inquiet, commençait à douter sérieusement de la santé mentale de l'inspecteur. Les traumatismes sont de drôles de choses ; il en avait trop souvent observé dans les accidents de la route. C'était parfois deux ou trois jours après que certaines victimes devenaient complètement gagas. Bien sûr, ensuite, elles se remettaient... A moins que Morse n'ait bu ? Pas la bière, en tout cas. Les boîtes ouvertes étaient toujours pleines. Subitement, une lourde responsabilité s'abattit sur les épaules de Lewis. Il transpirait légèrement. Il faisait chaud dans la chambre ; le soleil d'automne tapait à travers les vitres de la fenêtre.

— Avez-vous besoin de quelque chose, monsieur ?

— Tout juste. Gant de toilette, savon, éponge. Sapristi, Lewis, votre femme a raison. Plus jamais je n'en mangerai dans une assiette.

Un quart d'heure plus tard, le sergent éberlué franchissait le seuil de l'appartement de Morse. Il était préoccupé. Et l'aurait été plus encore si, revenant sur ses pas jusqu'à la chambre à coucher, il avait entendu Morse parler tout seul et l'avait vu branler du chef de temps à autre lorsqu'il était particulièrement satisfait des propos qu'il entendait sortir de ses propres lèvres.

« A présent, chers auditeurs, telles que je vois les choses, ma première hypothèse, mon hypothèse réellement capitale, est ceci : le meurtrier habite

North Oxford. Vous me direz qu'il s'agit d'une hypothèse téméraire ; elle l'est. Pourquoi le meurtrier ne vivrait-il pas à Didcot, Sidcup, voire Southampton ? Pourquoi habiterait-il North Oxford ? Pourquoi pas, tout simplement, Oxford ? Je peux seulement vous redire que je formule une hypothèse, autrement dit une supposition, une proposition un peu fantaisiste, présumée pour les besoins de la démonstration ; une théorie qui doit être prouvée — ou infirmée, oui, je dois vous concéder ce point —, en rapport avec les faits, et ce sera avec des faits, et non avec des fantasmes à dormir debout, que je ferai tout ce qui est en mon pouvoir pour défendre mon hypothèse. *Im Anfang war die Hypothese*, comme aurait pu écrire Goethe. Par ailleurs, je vous en prie, ne perdez jamais de vue le fait que je suis Morse le Détective, comme aurait écrit Dickens. Oh oui ! un détective ! Un détective est infiniment sensible au crime ; il le flaire ; il faut qu'il puisse le flairer avant de le détecter. Des indices désignent North Oxford. Nous n'avons aucun besoin de les passer en revue ici, mais l'ambiance correspond exactement à North Oxford. Au cas où je me tromperais, d'ailleurs, notre enquête n'en souffrirait pas. Nous proposons une hypothèse, c'est-à-dire une supposition, une proposition, si fantaisiste qu'elle puisse paraître... Mais j'ai déjà dit tout cela. Voyons, où en étais-je ? Ah ! oui ! Je souhaite que vous acceptiez provisoirement, dubitativement et, si nécessaire, désespérément ma première hypothèse. L'assassin habite North Oxford. A présent, j'énonce les faits et vous ne serez pas déçus. Aristote a classifié les animaux en les subdivisant, je crois, et la subdivision sera notre méthode de procédure. Aristote, ce grand homme, divisa et subdivisa : espèces, sous-espèces, genres — Morse était un peu perdu —, genres, espèces, sous-espèces, etc., jusqu'à parvenir — à quoi est-il donc parvenu ? — au spécimen individuel de l'espèce. Cela sonnait mieux ainsi. Moi aussi, je diviserai. North Oxford compte, disons, un nombre *x* d'habitants. A présent, nous avançons une autre hypothèse : notre meurtrier est un homme. Pourquoi pouvons-nous être si sûrs de ce fait ? Parce que, cher auditoire, la jeune fille assassinée fut violée. C'est un fait dont nous apporterons ultérieurement au procès la preuve établie par un personnel médical éminent et... »

Morse commençait à se fatiguer et trouva le réconfort dans une nouvelle boîte de bière.

« Comme je le disais, notre meurtrier est un homme. Nous pouvons donc diviser notre nombre *x* par 4, mettons, en laissant les femmes et les enfants en dehors de notre calcul. Et maintenant, me demanderez-vous : pouvons-nous subdiviser à nouveau ? Eh bien, oui. Essayons de déterminer l'âge de notre meurtrier. Je le situe — je ne suis pas très sûr et vous m'accuserez de formuler des sous-hypothèses — entre trente-cinq et cinquante ans. Oui, il y a des raisons... »

Morse décida de laisser tomber les raisons. Peut-être n'étaient-elles pas vraiment convaincantes mais il avait des raisons et il voulait préserver la dynamique de son hypothèse.

« Nous pouvons donc diviser à nouveau notre nombre *x* par deux. Cela paraît raisonnable, n'est-ce pas ? Poursuivons. Quelle autre hypothèse raisonnable pouvons-nous avancer ? Je crois — pour des raisons dont je me rends compte qu'elles ne sont pas pleinement acceptables pour vous tous — que notre suspect est un homme marié. »

Morse poursuivait sur sa lancée avec un manque d'assurance croissant. Mais la route devant lui commençait à s'éclairer ; absorbé par le soleil, le brouillard se levait et il reprit avec son alacrité première :

« Ce qui équivaut à une nouvelle diminution de la puissance de *x*. Notre *x* est devenu une unité apte à la manipulation, non ? Mais la mise au point de notre *camera hypothetica* n'est pas encore clairement réglée sur notre gibier qui ne se doute de rien. Attendez ! Notre homme est un buveur invétéré, n'est-ce pas ? C'est là une de nos assertions les plus raisonnables, et cela donne à notre démarche, en plus des mérites de la vraisemblance hypothétique, ceux d'une probabilité extrême. Notre affaire a pour centre géographique *The Black Prince*, et nul ne fréquente *The Black Prince* pour consulter l'inspecteur des impôts. »

Morse flanchait de nouveau. Des élancements rythmiques traversaient son pied et son esprit divagua pendant quelques minutes. C'étaient sûrement ces aspirines. Il ferma les yeux et poursuivit mentalement son monologue dialectique.

Le meurtrier devait aussi, il devait sûrement compter parmi les 5 % supérieurs sur l'échelle du Q.I. Jennifer n'aurait pu s'éprendre d'un pitre doublé d'un ignorant, n'est-ce pas ? Cette lettre. Un type intelligent, cultivé. S'il l'a écrite... Cela faisait beaucoup de « si ». Poursuivons. Où en est notre *x* à présent ? Allons ! Il doit plaire aux femmes. Toutefois, qui pourrait dire ce qui attire ces merveilleuses créatures ? Mais oui. Disons oui. Subdivisons. Les voitures ! Grand Dieu, il avait oublié les voitures. Tout le monde ne possède pas une voiture. Quelle proportion environ ? Peu importe. Subdivisons. Halte-là : une voiture rouge. Il avait l'impression de délirer doucement. Juste une fraction de plus... Une subdivision très, très significative. Le nombre *x* s'estompait, lentement mais sûrement, au point de n'être plus. La douleur était moins féroce. Le bien-être... presque... le bien-être...

Il fut réveillé dans l'après-midi par la maladresse de Lewis, incapable de manipuler en douceur la porte d'entrée. Et quand le sergent passa anxieusement la tête par l'entrebâillement de la porte de la chambre, il vit Morse qui griffonnait aussi furieusement qu'avait dû le faire Coleridge lorsqu'il découvrit à son réveil, pleinement épanouie dans son esprit, l'intégralité de *Kubla Khan*.

— Asseyez-vous, Lewis. Heureux de vous voir.

Il continua d'écrire avec une vélocité fougueuse pendant deux ou trois minutes avant de lever les yeux.

— Lewis, je vais vous poser quelques questions. Réfléchissez soigneusement, prenez tout votre temps et faites-moi des réponses intelligentes. Vous allez devoir deviner, je sais, mais faites de votre mieux.

« Bonté divine ! » gémit silencieusement Lewis.

— Combien d'habitants y a-t-il à North Oxford ?

— Qu'appelez-vous North Oxford, monsieur ?

— Je pose les questions, vous y répondez. Contentez-vous de penser à ce que vous entendez *grosso modo* par North Oxford ; disons Summertown et sa banlieue nord. Maintenant, répondez.

— Je pourrais trouver le renseignement.

— Allez-y au pif, mon vieux ! Est-ce vraiment au-dessus de vos forces ?

Lewis se sentait très mal à l'aise. Néanmoins, il le voyait de ses yeux, seules trois boîtes de bière avaient été vidées. Il décida de plonger.

— Dix mille, fit-il du ton définitif d'un homme sollicité de dire combien font deux et deux.

Morse prit une autre feuille de papier et y porta le nombre 10 000.

— Quelle proportion d'hommes là-dedans ?

Lewis renversa la tête et contempla le plafond avec l'assurance d'un consultant en statistiques.

— Un quart environ.

Morse écrivit clairement et soigneusement cette seconde entrée sous la première : 2 500.

— Combien, parmi ces hommes, ont entre trente-cinq et cinquante ans ?

« Beaucoup de retraités à North Oxford, se dit Lewis, et pas mal d'hommes jeunes dans les lotissements ? »

— La moitié environ. Pas plus.

Le troisième nombre fut enregistré : 1 250.

— A votre avis, combien sont mariés ?

Lewis réfléchit. La majorité d'entre eux, sûrement :

— Quatre sur cinq, monsieur.

Morse traça avec précision les chiffres résultant de son dernier calcul : 1 000.

— Combien d'entre eux sortent régulièrement prendre un verre ? Dans un pub, un club, vous voyez ce que je veux dire ?

Lewis considéra sa propre rue. Pas tant de buveurs qu'on veut bien le dire. Ses voisins ne fréquentaient ni les pubs ni les clubs. Plutôt pingres ! Dans le reste de la rue ? La situation était plus complexe :

— A peu près la moitié.

Morse rectifia son résultat avant de passer à la question suivante.

— Vous vous rappelez, Lewis, la lettre dont nous disposons. La lettre dont Jennifer Coleby dit qu'elle n'y comprend rien ? Si nous avions raison de penser ce que nous avons pensé, ou ce que j'ai pensé, diriez-vous que nous avons affaire à un homme d'intelligence supérieure ?

— C'est un très gros « si », n'est-ce pas, monsieur ?

— Écoutez, Lewis, cette lettre a été écrite par notre homme, mettez-vous bien ça dans la tête. C'est l'énorme erreur qu'il a commise. Et le meilleur indice sur lequel nous ayons mis la main, hein ? Pour quoi diable sommes-nous payés ? Nous devons exploiter les indices, non ?

Morse n'avait pas l'air vraiment convaincu de ce qu'il disait, mais Lewis l'assura qu'ils devaient suivre les indices.

— Eh bien ?

— Eh bien, quoi, monsieur ?

— Était-ce un homme intelligent ?

— Je dirais très intelligent.

— Auriez-vous l'idée d'écrire une lettre pareille ?

— Moi ? Non, monsieur.

— Et vous êtes plutôt brillant, n'est-ce pas, sergent ?

Lewis se redressa, prit une profonde inspiration

et décida de ne pas minimiser ses capacités intellectuelles.

— Je dirais que je me situe dans les 15 % supérieurs, monsieur.

— Tant mieux pour vous ! Et notre ami inconnu ? Rappelez-vous : non seulement il orthographie correctement les mots difficiles mais il sait aussi comment les écorcher !

— 5 % supérieurs, monsieur.

Morse reporta son calcul.

— Quelle est la proportion d'hommes d'âge mûr qui plaisent aux femmes ?

Question idiote s'il en fut ! Morse nota l'air moqueur de Lewis.

— Vous savez très bien ce que je veux dire. Certains hommes font littéralement horreur aux femmes ! explosa-t-il et, devant l'air dubitatif de Lewis, il poursuivit : Je connais bien ces Roméo d'âge mûr. D'ailleurs, nous sommes tous des Roméo d'âge mûr. Mais, aux yeux des femmes, certains Roméo sont plus séduisants que d'autres. Pas vrai ?

— Personnellement, je tombe rarement les femmes, monsieur.

— Ce n'est pas ce que je vous demande. Pour l'amour de Dieu, dites quelque chose.

Lewis plongea de nouveau :

— La moitié ? Non, plus que cela. Les trois cinquièmes.

— Vous êtes sûr de ce que vous dites ?

— Oui, répondit bravement Lewis.

Nouveau nombre.

— Combien d'hommes dans ce groupe d'âge ont-ils une voiture ?

— Deux sur trois.

« Quelle importance cela peut-il bien avoir ? » songea Lewis tandis que Morse écrivait son avant-dernier chiffre.

— Dernière question. Combien de personnes ont-elles une voiture rouge ?

Lewis alla jusqu'à la fenêtre, observa le trafic et compta : deux noires, une beige, une bleu foncé, deux blanches, une verte, une jaune, une noire.

— Une sur dix, monsieur.

Depuis quelques minutes, Morse manifestait une excitation croissante.

— Ouf ! Qui l'aurait cru ? Lewis, vous êtes un génie !

Lewis remercia pour le compliment et demanda en quoi résidait son génie.

— Je pense, Lewis, que nous recherchons un homme, habitant North Oxford, marié, probablement père de famille ; il sort régulièrement prendre un verre, parfois à Woodstock ; c'est un homme cultivé, peut-être même un universitaire ; tel que je le vois, il a entre trente-cinq et quarante-cinq ans, beaucoup de charme certainement ; bref, un homme dont pas mal de jeunes femmes sont susceptibles de tomber amoureuses ; dernier point, il roule en voiture et, pour être plus précis, sa voiture est rouge.

— Lui ou un autre...

— Eh bien, même si nous sommes un peu à côté de la plaque ici ou là, je mettrais ma main au feu qu'il entre très vraisemblablement dans la plupart de ces catégories. Et vous savez, Lewis, je doute que beaucoup de gens correspondent à cette catégorie. Regardez ça, dit-il en passant à Lewis la feuille de papier où il avait noté ses nombres.

North Oxford ?	10 000
Hommes ?	2 500
35-50 ans ?	1 250
Mariés ?	1 000
Buveurs ?	500
5 % supérieurs ?	25
Charme ?	15
Voiture ?	10
Voiture rouge ?	1

Lewis se sentait coupablement responsable du remarquable résultat de ces calculs. Debout près de la fenêtre dans la lumière déclinante de l'après-midi, il vit passer successivement deux voitures rouges. Combien d'habitants comptait réellement North Oxford ? Faisait-il lui-même partie du top-niveau des 15 % ? Des 25 %, plus vraisemblablement.

— Je suis sûr que nous pouvons contrôler une partie de ces chiffres, monsieur, dit Lewis qui, néanmoins, se sentit contraint d'exprimer tout haut ses doutes. Mais je ne crois pas que vous puissiez vous fier comme ça à ces nombres. Il faut que vous...

Il se rappelait vaguement l'existence de lois statistiques indispensables pour traiter les données ; les catégories devaient être sériées et limitées selon un ordre logique ; il ne se souvenait pas bien. Mais, après tout, il s'agissait tout au plus d'un jeu sophistiqué, élucubré par un cerveau enfiévré. Dans un jour ou deux, Morse serait d'aplomb. Mieux valait veiller sur lui et soigner son moral. Pourtant y avait-il quand même quelque logique dans tout cela ? Était-ce de bout en bout si stupide ? Il considéra de nouveau la liste des nombres et une nouvelle voiture rouge passa sous ses yeux. Il y avait neuf « si ».

Mélancolique, il regarda par la fenêtre et enregistra automatiquement les dix voitures suivantes. Une seule était rouge ! North Oxford était, et de loin, le pari le plus audacieux. Néanmoins, il fallait bien que ce type habite quelque part, non ? Peut-être le vieux Morse n'était-il pas aussi givré que Lewis l'avait pensé. Il regarda de nouveau la feuille... L'autre paramètre important était la lettre. A condition que le meurtrier en fût réellement l'auteur...

— Alors, Lewis, qu'en pensez-vous ?

— Ça peut valoir la peine.

— Combien d'hommes voulez-vous ?

— Il faut d'abord y réfléchir sérieusement, vous ne pensez pas ?

— Que voulez-vous dire ?

— Les autorités locales pourraient nous donner un sacré coup de main. Pour commencer, nous avons besoin d'une liste des résidents qui soit à jour.

— Oui, vous avez raison. Il faut y penser sérieusement avant d'entamer quoi que ce soit.

— C'est aussi mon avis, monsieur.

— Eh bien ?

— Nous pourrions nous y mettre dès demain matin, monsieur, si vous vous sentez d'attaque.

— Ou nous y mettre dès maintenant, Lewis, si vous vous sentez d'attaque.

— Je pense que oui.

Lewis appela son épouse, depuis longtemps résignée, puis s'entretint avec Morse pendant les deux heures qui suivirent. Après son départ, Morse s'empara de l'appareil posé sur sa table de nuit. Coup de chance, le commissaire était encore à son bureau. Une demi-heure plus tard, Morse parlait toujours et se maudissait d'avoir oublié d'appeler en pcv.

13. Samedi, 9 octobre

Le matin du samedi 9 octobre, Bernard Crowther, assis à son bureau dans son salon, lisait Milton, sans ressentir pourtant le ravissement ému qu'il y trouvait d'habitude. Son cours, ce trimestre, portait sur *Le Paradis perdu* et, malgré sa maîtrise érudite et approfondie de l'ouvrage, il ressentait la nécessité d'un peu de travail personnel. Margaret avait pris le bus pour faire ses courses à Summertown et la voiture de Bernard attendait dans la rue qu'il aille la rechercher à midi. Les enfants s'étaient envolés. Dieu sait où !

Il fut surpris d'entendre sonner la cloche de la porte d'entrée car ils avaient peu de visiteurs. Le boucher, peut-être. Il ouvrit la porte.

— Salut, Peter ! Quelle surprise ! Entre, entre.

Peter Newlove et Bernard avaient noué depuis des années une solide amitié. Ils étaient arrivés à Lonsdale College le même trimestre et appréciaient tous les deux leurs relations chaleureuses et sincères.

— Quel bon vent t'amène ? Ce n'est pas souvent que nous avons le plaisir de te voir à North Oxford. Je te croyais au golf, comme tous les samedis.

— Ce matin, je n'ai pu m'y résoudre. Il fait sacrément froid autour des fairways [1], tu sais.

Le temps avait viré au froid depuis deux jours. L'automne, subitement, avait pris un coup de vieux ; la journée s'annonçait morne et aigre. Peter s'assit.

— Tu travailles le samedi matin, Bernard ?

— Simple préparation de la semaine.

---

1. Fairway : partie bien tondue et roulée d'un golf. (*N.d.T.*)

— Ah ! *Le Paradis perdu*, livre I, annonça Peter dont le regard balaya le bureau. Je m'en souviens. On l'avait eu comme sujet pour le certificat de fin d'études secondaires.

— Tu l'as sûrement relu depuis.

— *De l'aube au zénith il tomba, du zénith à l'humide crépuscule, un jour d'été*. Qu'en dis-tu ?

— Superbe.

Bernard jeta un coup d'œil par la fenêtre ; la gelée blanche n'avait pas encore fondu sur son étroite pelouse.

— Est-ce que tout va bien, Bernard ? demanda l'homme du Gloucestershire avec une gentillesse bourrue.

— Bien sûr que tout va bien. Pourquoi cette question ?

Peter doutait fortement que tout allât bien pour son ami.

— Je ne sais pas... Tu paraissais un peu à cran mercredi soir. Tu as filé après le dîner comme un lièvre effarouché.

— J'avais oublié que Margaret rentrerait tard et je savais que les enfants attendaient à la porte.

— Je vois.

— Avais-je l'air si nerveux ?

— Non, absolument pas. Je te regardais, c'est tout. Tu n'avais pas l'air dans ton assiette quand nous avons pris un verre chez moi. Il m'a semblé que ça n'allait pas fort.

Bernard ne dit rien.

— Tout est O.K. entre toi et... Margaret ?

— Oui, tout va bien. A propos, je dois aller la cueillir à midi. Quelle heure est-il ?

— 11 h 30, dit Peter en se levant.

— Non, ne pars pas ! Nous avons juste le temps de prendre un verre. Qu'est-ce que je te sers ?
— Tu m'accompagnes ?
— Bien entendu. Whisky ?
— Parfait.
Bernard se rendit à la cuisine chercher les verres et Peter, debout près de la fenêtre, inspecta la rue étroite. Une voiture blanche et bleu pâle, dotée d'un gyrophare et d'un « POLICE » vigoureusement calligraphié en noir sur le côté, stationnait de l'autre côté de la rue, à quelques maisons de distance. Elle n'y était pas quand Peter était arrivé. Il regardait toujours lorsqu'un agent de police, arborant la casquette à visière ornée d'un bandeau à carreaux noirs et blancs, sortit par la grille d'une maison d'en face. Une femme entre deux âges l'accompagnait et ils devisaient sans contrainte, désignant tour à tour les quatre points cardinaux. L'échange se prolongeait. Que lui montrait-elle ? L'agent avait une liste à la main ; manifestement, il y cochait des noms. La femme n'avait pas quitté son tablier ; elle serrait les bras contre sa poitrine pour se protéger du froid et jacassait à perdre haleine.
Bernard revint ; les verres s'entrechoquaient légèrement sur le plateau.
— Quand tu voudras !
— Dis-moi, Bernard, on dirait que ta rue abrite quelques criminels.
— Qu'est-ce que tu racontes ? fit Bernard en relevant vivement la tête.
— Les bobbies ont-ils l'habitude de rôder comme ça dans le coin ?
Peter n'alla pas plus loin. La sonnette de l'entrée retentit deux fois ; stridente, impérieuse. Bernard

ouvrit la porte et se trouva face à face avec le jeune agent.

— Puis-je vous être utile, monsieur ?

— Je pense que oui, monsieur, si vous le voulez bien. J'en ai pour quelques minutes. Est-ce votre voiture, monsieur ? demanda-t-il en désignant la 1100 rouge garée dans la rue.

— Oui.

— Simple contrôle, monsieur. Les vols de voiture se sont multipliés récemment. Simple contrôle, répéta-t-il, en notant sur son bloc. Pouvez-vous me dire le numéro d'immatriculation, monsieur ?

Machinalement, Bernard cita le nombre.

— C'est donc bien la vôtre, monsieur. Auriez-vous votre carte grise sous la main ?

— Est-ce nécessaire ?

— Oui, c'est très important, monsieur, si cela ne vous dérange pas. Nous faisons un contrôle aussi fouillé que possible.

Par la porte ouverte, Peter entendait la conversation et se sentit étrangement inquiet. Bernard entra et fourragea au hasard sur le bureau.

— Où diable Margaret... Ils font un contrôle à propos de voitures volées, Peter. J'en ai pour une minute, assura Bernard.

Il était livide et ne trouvait rien.

— Je suis désolé, monsieur. Entrez une minute, voulez-vous ?

— Merci, monsieur. Ne vous inquiétez pas. Si vous ne pouvez mettre la main sur votre carte grise, monsieur, vous pouvez me donner vous-même les informations.

— Que voulez-vous savoir ?

— Nom et prénoms, monsieur.

— Bernard Michael Crowther.
— Votre âge, monsieur ?
— Quarante et un ans.
— Êtes-vous marié, monsieur ?
— Oui.
— Des enfants ?
— Deux.
— Profession ?
— Professeur d'université.
— Ce sera tout, monsieur, dit l'agent qui ferma son calepin. Oh, juste une question encore : auriez-vous laissé récemment votre voiture sans la fermer à clé ? Vous voyez ce que je veux dire ? En ce moment, par exemple, est-elle fermée à clé ?
— Non, je ne crois pas.
— Non, elle ne l'est pas. J'ai essayé toutes les portes avant de sonner chez vous. C'est une sérieuse incitation au vol, vous le savez.
— Bien sûr, vous avez raison. J'essaierai de m'en souvenir.
— Utilisez-vous beaucoup votre voiture, monsieur ?
— Non, pas beaucoup. Juste pour circuler dans Oxford. En fait, je m'en sers peu.
— Vous ne la prenez pas lorsque vous sortez pour prendre un verre, par exemple ?
Peter commençait à flairer ce qui se passait : Bernard avait dû conduire en état d'ivresse.
— Non, pas très souvent, répondit Bernard. Généralement, je vais au *Fletcher's*. Ce n'est pas loin et j'y vais toujours à pied.
— Prendriez-vous votre voiture pour aller boire un verre en dehors d'Oxford, monsieur ?

— J'ai bien peur que oui, dit lentement Bernard qui semblait totalement désemparé.

— Eh bien, monsieur, mieux vaut boire modérément avant de prendre le volant. Mais je suis sûr que vous en êtes convaincu.

L'agent jeta un regard rapide sur le salon, un coup d'œil caustique sur les deux verres de whisky, mais il n'ajouta rien avant d'avoir atteint la porte.

— Connaissez-vous d'autres propriétaires d'une voiture rouge dans votre rue, monsieur ? Je n'ai pas terminé mes recherches.

Bernard réfléchit, mais son esprit tournait à vide. Il ne pouvait penser à personne. Il ferma les yeux, posa sa main gauche contre son front. Tous les jours de l'année universitaire, il suivait cette rue de bout en bout. Une voiture rouge ? Une voiture rouge ? La sienne était la seule, il en était pratiquement sûr.

— Ne vous tracassez pas, monsieur. Je vais simplement faire encore une ou deux, euh... Quoi qu'il en soit, merci de votre aide, monsieur.

Il était parti. Mais ne poursuivit pas son enquête dans la rue, observa Peter. L'agent alla droit vers la voiture de police — qui n'était pas fermée à clé — et s'éloigna aussitôt.

Dix minutes plus tard, alors qu'il roulait vers Woodstock, Peter Newlove se félicitait de ne s'être jamais marié. Trente ans, quarante ans, cinquante ans avec la même femme ! Pas du tout sa tasse de thé. Il voyait mal ce pauvre vieux Bernard sautant dans son lit cet après-midi pour une demi-heure d'ébats exubérants avec Margaret. Tandis que... Il imagina Gaye en train de se déshabiller et son pied droit sollicita vigoureusement l'accélérateur.

Surexcité, l'agent McPherson traversa précipitamment la première cour du QG de la police de Thames Valley où, tôt dans la matinée, il avait vu ce malheureux Morse tituber péniblement, les bras passés autour du cou de deux collègues bien baraqués. Génial ! McPherson se sentait comme un homme ayant en poche huit tirages gagnants sur le concours de pronostics au foot. Il avait parcouru dans l'euphorie les quelques kilomètres qui séparent North Oxford de Kidlington. Un sentiment nouveau pour lui. Depuis quatre ans, sa carrière sous l'uniforme avait été banalement uniforme ; il n'avait pas arrêté de malfaiteur notoire ; il n'avait pas été témoin d'infractions mémorables, ni au code civil ni au code pénal. Mais aujourd'hui, les dieux l'avaient béni ! En arrivant à proximité du rond-point de Banbury Road, il avait déclenché les hurlements de sa sirène, les clignotements de son gyrophare bleu, et la déférence témoignée par ses frères automobilistes l'avait comblé. Il se sentait puissamment important. Pourquoi pas ? Il était puissamment important ; pour aujourd'hui, du moins.

Au commissariat, McPherson hésita deux secondes. Ferait-il son rapport à Lewis ? Ou transmettrait-il ses informations directement à l'inspecteur ? A la réflexion, la seconde démarche lui parut plus appropriée ; il enfila la suite de couloirs jusqu'à la porte de Morse, frappa et perçut de justesse le « Entrez » assourdi émis de l'autre côté.

— Que puis-je pour vous, McPherson ?

McPherson fit son rapport avec une précision et une perspicacité impressionnantes, et Morse le félicita de la promptitude et de l'efficacité avec lesquelles il avait rempli sa mission. Heureux du compliment, McPherson s'étonna néanmoins que Morse ne mobilisât pas sur-le-champ une escouade de bobbies. Mais lui-même avait fait son job ; il l'avait bien fait.

Morse lui serra chaleureusement la main :

— Excusez-moi de ne pas me lever — la goutte, vous savez — mais... Cela ne passera pas inaperçu, croyez-moi.

Après le départ de McPherson, Morse demeura quelques minutes silencieux et songeur dans son fauteuil de cuir noir. A vrai dire, il était déjà dans cet état avant l'irruption de l'agent McPherson. Lequel aurait été tellement déçu s'il avait su... Quoi qu'il en soit, McPherson avait été la cause immédiate. Non, jamais Morse n'aurait eu le cœur de lui dire que Mr Bernard Crowther avait téléphoné au commissariat à 11 h 45 car il souhaitait, avait-il dit, faire une déposition.

Crowther avait insisté sur le fait qu'il se présenterait lui-même ; pas question que la police vienne l'embarquer comme un vulgaire criminel. Il attendait des autorités cette courtoisie élémentaire envers un témoin qui se présentait volontairement, avec ce qui pouvait être une information importante. Morse avait donné son accord et Bernard s'était engagé à venir le trouver le jour même à 14 h 30.

Morse présenta des excuses de ne pouvoir se lever, et s'en étonna. Mais la première impression qu'il eut de Crowther avait été, elle aussi, étonnamment agréable. L'homme était nerveux — cela sautait aux yeux — mais il émanait de sa personne une dignité certaine et un charme peu banal ; le type même de l'enseignant aux tempes argentées dont les étudiantes s'entichent.

— Voyez-vous, inspecteur — vous êtes inspecteur principal, je pense —, jamais de ma vie jusqu'à ce jour je n'avais mis les pieds dans un commissariat de police. Je ne suis pas très au fait des pratiques et des procédures. Aussi ai-je pris la précaution d'écrire, un peu hâtivement, je le crains, la déposition que je veux faire.

14. Samedi, 9 octobre

« Le soir du mercredi 29 septembre, j'ai quitté mon domicile de Southdown Road à 18 h 45. J'ai pris ma voiture et j'ai roulé jusqu'au rond-point à l'extrémité nord de Banbury Road ; là, j'ai tourné à gauche et suivi Sutherland Avenue sur quatre cents mètres environ jusqu'au rond-point situé à l'extrémité nord de Woodstock Road où j'ai tourné dans l'A40 et pris la route de Woodstock. La nuit étant presque tombée, j'ai allumé mes feux de position, comme la plupart des autres automobilistes. Malgré le crépuscule qui rend la conduite si pénible, il ne faisait pas encore assez sombre pour rouler en phares ; en tout cas, il ne faisait pas assez noir pour que je ne puisse voir deux jeunes filles qui se tenaient un peu au-delà du rond-point, debout sur la bande de gazon le long de la station d'essence self-service. J'ai vu clairement la fille la plus proche de la route, une fille séduisante qui avait de longs cheveux blonds, un chemisier blanc, une mini-jupe et un manteau sur le bras. L'autre jeune fille s'était arrêtée un peu plus loin et me tournait le dos ; elle avait l'air plutôt satisfaite de laisser à sa camarade le soin de leur trouver un chauffeur bénévole. Mais je crois qu'elle avait les cheveux foncés et, si mon souvenir est bon, elle avait quelques centimètres de plus que sa camarade.

« Il faut à présent que je m'efforce d'être aussi honnête que possible avec vous. Je me suis souvent rendu coupable de rêves éveillés romantiques, disons même vaguement érotiques : cueillir en stop une femme furieusement attirante en laquelle je découvre un troublant mélange d'intelligence et de beauté. Dans ma folle imagination, les timides escarmouches préliminaires conduisent progressivement mais inéluctablement à d'exubérantes délices. Rappelez-vous cependant qu'il s'agit là d'un fantasme dont je ne fais état que pour m'excuser moi-même de m'être arrêté. Je ne devrais pas me sentir coupable ni éprouver le besoin de m'excuser de choses semblables ; cependant, en toute sincérité, c'est ce que je ressens et que j'ai toujours ressenti.

« Mais ceci n'est qu'une parenthèse. Je me suis penché, j'ai ouvert la porte avant et dit à la fille que j'allais à Woodstock, au cas où cela pourrait lui être utile. La jeune fille blonde a dit quelque chose comme “Oh ! Super !” Elle s'est tournée vers sa camarade et lui a dit, je crois : “Qu'est-ce que j' t'avais dit ?”, avant de monter et de s'installer sur le siège avant, près de moi. L'autre fille a ouvert la porte arrière ; elle est montée, elle aussi. La conversation, si tant est qu'on puisse parler de conversation, a été aussi décevante que succincte. La fille assise près de moi a répété à plusieurs reprises que c'était “un vrai coud'po” — sa façon de parler était typiquement oxfordienne — parce qu'elle avait manqué le bus ; je crois que la fille assise à l'arrière a ouvert la bouche une seule fois ; pour demander l'heure. Lorsque nous sommes passés devant les grilles de Blenheim Palace, je leur ai signalé que je n'allais pas beaucoup plus loin et j'ai compris que cela leur convenait tout à fait. Je les ai déposées sitôt que nous avons atteint la rue principale mais n'ai pas remarqué quelle direction elles prenaient. Je pense qu'il était tout naturel d'imaginer, comme je l'ai fait, qu'elles allaient retrouver leurs petits amis.

« Il n'y a pas grand-chose à ajouter. Ce que je viens de relater est un compte rendu véridique des événements qui, je m'en rends compte à présent, conduisirent plus tard dans la soirée au meurtre de l'une des filles que j'avais transportées.

« Je viens de relire ce que j'ai écrit et suis conscient que ces lignes vous aideront sans doute bien peu dans vos recherches. Je suis tout aussi conscient que ma déclaration suscitera deux questions : primo, pourquoi me trouvais-je, moi aussi, sur la route de Woodstock le soir du 29 septembre ? Secundo, pourquoi ne me suis-je pas présenté plus tôt avec mon témoignage ? En réalité, les deux questions n'en font qu'une et je me sens soulagé d'un grand poids de pouvoir y répondre ; mais j'espère ardemment que la police usera de façon strictement confidentielle de ce que j'ai à dire, car d'autres personnes, totalement innocentes, pourraient être blessées au-delà de toute expression si cela était publié.

« Depuis six mois à peu près, j'ai une liaison avec une autre femme. Nous avons pu nous rencontrer régulièrement une fois par semaine, presque toujours le mercredi soir lorsque ma femme et mes enfants ne sont pas à la maison et que des questions embarrassantes ne risquent pas d'être posées. Le mercredi 29, j'étais en route pour retrouver cette femme près des grilles latérales de Blenheim Palace, à 19 h 15. J'ai garé ma voiture près du *Bear Hotel* où je me suis rendu à pied. Elle m'attendait. Nous nous sommes promenés dans les jardins de Blenheim, aux abords du lac, sous les arbres, un très beau coin du parc. Bien entendu, nous prenions des risques car beaucoup de gens d'Oxford viennent dîner à Woodstock. Mais nous étions très prudents et le sentiment du risque encouru faisait peut-être partie du plaisir.

« Je n'ai pas besoin d'en dire plus. J'ai lu le compte rendu du meurtre, puis j'ai vu l'inspecteur principal de la Sûreté, Morse, lancer son appel à la télévision. Je souhaite que vous sachiez que j'ai été sur le point de téléphoner sur-le-champ à la police ; en fait, ce même soir, j'ai patienté plusieurs minutes devant une cabine téléphonique publique de Southdown Road, fermement résolu à me présenter immédiatement. Mais je donne ainsi l'impression de présenter des excuses alors que je n'en ai aucune à offrir. Je réalise parfaitement, tout comme vous, que je ne me suis pas présenté de mon propre gré, pas même à ce stade tardif. Lorsqu'un agent de police a sonné chez moi ce matin, j'ai réalisé que vous étiez sur mes traces et estimé qu'il valait mieux vous adresser sans plus attendre cette déclaration. J'ai répété à ma femme le petit discours que l'agent de police m'avait tenu à propos de vols de voiture et lui ai dit que je venais ici. Je ferais n'importe quoi au monde pour éviter de la blesser (il n'est pas improbable cependant, je le sais, que je l'aie déjà blessée) et je serais profondément reconnaissant que les éléments de ma déclaration qui ne concernent pas strictement l'enquête que vous menez puissent être gardés secrets. Que je sois sincèrement désolé des ennuis et du surcroît de travail que je vous ai causés ressort, je l'espère, de ces lignes. Si ce n'est pas le cas, laissez-moi vous prier d'accepter mes excuses pour ma conduite égoïste et lâche.

« Veuillez agréer l'expression de mes sentiments tout dévoués,

« Bernard Michael Crowther »

Morse lut lentement la déclaration. Lorsqu'il eut terminé, il regarda Crowther qui lui faisait face de l'autre côté de son bureau, puis son regard s'abaissa de nouveau vers la déclaration qu'il relut avec plus de concentration encore. Une fois achevée cette seconde lecture, il se carra dans son fauteuil de cuir noir et, soulevant avec componction son pied droit blessé, il le posa en travers de son genou gauche et le massa doucement.

— Je me suis blessé le pied, Mr Crowther.

— Vraiment ? J'en suis désolé. Mes amis médecins disent toujours que les blessures aux pieds et aux mains sont les pires qui soient, du fait des nombreuses terminaisons nerveuses qui s'y trouvent.

Il avait une voix et des manières plaisantes. Morse le regarda droit dans les yeux. Pendant plusieurs secondes, chacun des deux hommes soutint le regard de l'autre et Morse crut discerner chez son vis-à-vis une honnêteté foncière. Mais il ne pouvait se dissimuler sa propre déception. Une vraie douche froide ! Comme l'agent McPherson, il avait espéré la révélation définitive. Hélas, l'heure des « télégrammes exigés » n'était pas encore venue et les probabilités étaient faibles. Il relança la conversation.

— Je n'irai pas me promener du côté de Blenheim Park ce soir, monsieur.

— Moi non plus, dit Bernard.

— Je pense qu'il doit être très romantique d'avoir une aventure extra-conjugale de ce style.

— Vous présentez les choses sous un jour très prosaïque.

— N'était-ce pas le cas ?

— C'est possible.

— La voyez-vous toujours ?

— Non. Je pense avoir mis fin à ma carrière de don Juan.

— L'avez-vous revue depuis ce soir-là ?

— Non, tout est terminé. Cela valait mieux.

— Sait-elle que vous aviez pris les deux filles en stop ?

— Oui.

— Est-elle bouleversée ? Que ce soit terminé, j'entends.

— Sans doute. J'imagine qu'elle l'est un peu.

— Et vous-même ?

— Pour être franc, je suis très soulagé. Je n'ai pas la stature d'un Casanova et je haïssais tous ces mensonges.

— Vous vous rendez compte, bien sûr, que cela nous aiderait beaucoup si cette jeune personne... A propos, est-elle jeune ?

Pour la première fois, Bernard hésita :

— Oui, plutôt jeune.

— Si cette jeune dame, poursuivit Morse, se présentait pour confirmer votre témoignage.

— Oui, j'en suis convaincu.

— Mais vous ne le souhaitez pas.

— Je préférerais que vous mettiez en doute mes propos plutôt que de l'entraîner dans cette histoire.

— Vous ne voulez pas me dire qui elle est ? Je peux vous promettre que je conduirai moi-même cette affaire.

Bernard secoua la tête

— Je regrette. Je ne peux faire cela.

— Je peux essayer de la trouver moi-même, vous savez, dit Morse.

— Je ne peux m'y opposer.

— Non, vous ne pouvez pas.

Morse déplaça prudemment son pied jusqu'au coussin stratégique situé sous son bureau.

— Il se pourrait que vous dissimuliez ainsi des faits d'importance capitale, Mr Crowther.

Bernard ne dit rien.

— Est-elle mariée ? insista Morse.

— Je n'ai pas l'intention de vous parler d'elle, dit calmement Bernard, et Morse perçut chez lui une détermination inébranlable.

— Pensez-vous que je puisse la trouver ?

Des élancements parcouraient son pied qu'il replaça sur son genou. « Qu'est-ce que ça peut bien foutre ! pensait-il. Si ça lui plaît, à cette souris, qu'il lui tripote les nénés sous les arbres, qu'est-ce que ça peut bien me faire ? » Bernard n'avait pas répondu et Morse modifia sa tactique.

— Vous vous rendez compte, j'en suis sûr, que l'autre fille, celle qui était assise sur la banquette arrière, est la personne qui pourrait nous fournir une piste ?

Crowther acquiesça.

— A votre avis, pourquoi n'avons-nous pas entendu parler d'elle ?

— Je l'ignore.

— Voyez-vous quelque raison possible ?

Bernard en voyait, manifestement, mais ne formula pas sa pensée.

— Vous voyez pourquoi, n'est-ce pas, Mr Crowther ? Cela pourrait être exactement la même raison que celle qui vous a retenu de vous présenter, n'est-ce pas ?

Bernard hocha de nouveau la tête.

— Elle pourrait peut-être nous dire qui était le petit ami de Sylvia Kaye, où elle devait le rencontrer et ce qu'ils comptaient faire. Elle serait en mesure de nous dire des tas de choses, vous ne croyez pas ?

— Je n'ai pas eu l'impression qu'elles se connaissaient très bien.

— Qu'est-ce qui vous fait dire cela ? demanda Morse âprement.

— Eh bien, le fait qu'elles n'ont guère bavardé toutes les deux. Vous savez comment les jeunes filles papotent : pop music, danse, disco, petits amis... Elles ne se sont pas beaucoup parlé, c'est tout.

— Vous n'avez pas saisi son prénom ?

— Non.

— Avez-vous essayé de vous rappeler si Sylvia a utilisé le prénom de l'autre ?

— J'ai essayé de vous dire tout ce dont je peux me souvenir. Je ne peux rien faire de plus.

— Betty, Carole, Diana, Evelyn... non ?

Bernard demeurait impassible et Morse poursuivit :

— Gaye, Heather, Iris, Jennifer...

Morse ne parvint pas à éveiller la moindre lueur dans les yeux de Bernard.

— Avait-elle de jolies jambes ?

— Pas si jolies que celles de l'autre, je pense.

— Vous avez remarqué celles de l'autre ?

— Et comment ! Elle était assise à côté de moi.

— Quelques fantasmes érotiques, peut-être ?

— Oui, répondit Crowther, dans un farouche élan d'honnêteté.

— Heureusement que ce n'est pas tenu pour un délit, soupira Morse. Sinon, nous serions tous sous les verrous !

Il remarqua le sourire fugitif qui éclaira le visage inquiet de Crowther. « Certaines femmes doivent le trouver séduisant », songea Morse.

— A quelle heure êtes-vous rentré chez vous ce soir-là ?

— Vers 20 h 45.

— Était-ce l'heure habituelle ? Je veux dire... à cause de votre femme et tout le reste ?

— Oui.

— Une heure par semaine, c'est bien ça ?

— Guère plus.

— Cela valait-il la peine ?

— Il semblait que oui... à l'époque.

— N'êtes-vous pas passé au *Black Prince* ce soir-là ?

— Je ne suis jamais allé au *Black Prince.*

Le ton était catégorique. Le regard de Morse revint à la déclaration dont il remarqua l'écriture claire et harmonieuse ; quel dommage qu'il faille la dactylographier... Il questionna Crowther pendant une demi-heure encore et abandonna la partie peu après 16 heures.

— Je crains que nous ne devions garder votre voiture ici quelque temps.

— Vraiment ? s'étonna Crowther qui semblait déçu.

— Vraiment. Nous pouvons peut-être trouver quelque chose, voyez-vous, un cheveu, par exemple. De nos jours, nos experts font des merveilles.

Morse se leva et demanda à Crowther de lui passer ses béquilles.

— Je vous promets une chose, dit-il : nous tiendrons votre femme à l'écart de cette affaire. Je suis certain que vous pouvez bâtir un scénario à son intention. Après tout, vous en avez l'habitude, n'est-ce pas, monsieur ?

Morse suivit Crowther en clopinant et demanda au sergent de permanence de lui procurer un véhicule.

— Laissez-moi les clés de votre voiture, s'il vous plaît, monsieur, dit Morse. Vous pourrez la récupérer au début de la semaine prochaine.

Les deux hommes se serrèrent la main et Crowther attendit un court instant avant de prendre place dans une voiture de police. Morse l'observait avec des sentiments mitigés. Il avait l'impression d'avoir mené l'entretien de façon satisfaisante. A présent, il n'avait plus besoin de parler, mais de réfléchir. Curieuse, cette remarque à propos des jambes de l'autre fille ; d'après Mrs Jarman, celle-ci portait un pantalon...

Il demanda de l'aide et se fit conduire jusqu'à la

voiture de Crowther. Les portières étaient ouvertes. Il se donna beaucoup de mal pour s'installer sur le siège avant gauche, manœuvrant son pied avec mille précautions, puis étendit ses jambes aussi loin que possible. Il ferma les yeux et imagina les jambes de Sylvia Kaye, longues, brunes, fines, découvertes jusqu'à sa mini-jupe. Il songea qu'elle avait pu se renverser en arrière aussi.

— Plutôt bandante ! fit-il à mi-voix.

— Vous avez dit, monsieur ? demanda le sergent qui l'avait aidé à s'introduire dans la voiture.

Par une étrange coïncidence — mais en était-ce une ? —, le Studio 2, situé dans Walton Street, passait deux films pornos dont les titres avaient été ciselés pour titiller les appétits lassés de tout. Le premier, de 14 heures à 15 h 5, s'intitulait *Danish Blue* ; à en juger d'après les monticules explosifs de chair féminine qu'exhibaient les photographies de plateau à l'entrée du cinéma, il ne s'agissait pas d'un documentaire sur la fabrication du fromage ; le second, *Hot Pants*, de 15 h 20 à 17 heures, était le clou de la semaine.

A 17 heures, les premiers mordus quittèrent la salle ; un petit groupe d'hommes attendait au foyer le moment d'entrer. L'un d'eux, normalement, aurait dû faire partie de la première brigade, car c'était un habitué inconditionnel du samedi. Mais il avait été sollicité par MM. Chalkley and Sons d'effectuer deux heures supplémentaires dans l'atelier du Formica. Il ne pourrait donc pas s'incruster pour voir deux fois le programme ; mais les films étaient rarement à la hauteur de ses attentes exorbitantes, ni à celle des promesses faramineuses des bandes-annonces. Dans ces circonstances, il regardait rarement autour de lui et mieux valait qu'en cette fin d'après-midi du samedi 9 octobre, il détournât une fois de plus les yeux de ses confrères en voyeurisme. Car, à moins de deux mètres de lui, étudiant ostensiblement les horaires du prochain programme mais soigneusement à l'écart de la lumière des projecteurs, se tenait le sergent Lewis qui secondait l'inspecteur principal Morse, détective de la Sûreté, dans l'enquête sur le meurtre de Sylvia Kaye. D'après Lewis, c'était une des missions les plus gratifiantes que Morse lui eût jamais assignées et il soupçonnait que, n'eût été son accident, son chef aurait bien pu se l'adjuger.

15. Lundi, 11 octobre

Le week-end s'écoula et les feuilles continuèrent de tomber. Morse retrouvait un peu de tonus ; il pouvait à présent peser légèrement sur son pied et, le lundi matin, décidant qu'il était en état d'échanger ses béquilles contre une paire de cannes, il prit ses dispositions pour que McPherson le conduisît à la consultation externe de l'hôpital Radcliffe.

Tandis qu'ils roulaient, il fit subir à McPherson un interrogatoire serré. Quelle était son impression sur Crowther ? Quelles avaient été les réactions immédiates de Crowther ? A quoi ressemblait-il quand il était chez lui ? Que faisait-il lorsque McPherson avait sonné ? Morse trouva le jeune agent étonnamment intelligent et observateur ; et le lui dit. Les informations qu'il lui avait communiquées présentaient beaucoup d'intérêt et avaient sollicité sa curiosité.

— Avez-vous pu voir ce qu'il est en train de lire ?

— Non, monsieur. Des ouvrages de littérature, je pense. De la poésie, vous savez.

Morse laissa passer l'expression.

— Il a un bureau, dites-vous ?

— Oui, monsieur. Entièrement couvert de papiers, vous savez.

Morse résolut mentalement de ne pas faire le décompte des « vous savez » recueillis jusqu'à présent de la bouche de l'agent, ni de ceux dont il continuerait sûrement d'être abreuvé.

— A-t-il une machine à écrire ? questionna-t-il de son ton le plus anodin.

— Oui. Une de ces machines portables, vous savez.

Morse n'ajouta rien. Zigzaguant entre les cours étroites de l'hôpital, qui semblaient conspirer pour interdire aux trop nombreux citoyens malades un accès rapide au Service des consultations externes, la voiture de police se gara finalement sur une large bande de béton marquée « Ambulances seulement », sans soulever d'objections de la part des gardiens, garçons de salle ou responsables de la circulation. Le sort d'un agent de police avait parfois ses bons côtés. Dans l'idée de Morse, troquer ses béquilles contre des cannes devait être une transaction simple et rapide ; ce ne fut pas le cas. Un égalitarisme inviolable régentait le monde des accidentés : Morse fut contraint de prendre place dans la queue de ses confrères et d'attendre son tour tandis que les formalités s'accomplissaient en bonne et due forme. Il s'assit sur le même banc, feuilleta le même exemplaire défraîchi de *Punch* et ressentit la même impatience ; il entendit le même médecin chinois dont le sang-froid semblait près de succomber devant l'incapacité d'un gamin à rester assis tranquille.

— Ptitgaçon, f'riez vraimentmieux d'rester pe'tranqui !

Morse fixait sombrement le sol puis se surprit en train de reluquer les jambes des infirmières qui défilaient. En fait, pas de quoi se pâmer. Jusqu'au moment où une paire de jambes ravissantes s'avança ! Morse aurait aimé voir le reste de la charmante demoiselle mais elle avait déjà disparu. Épaisses, couci-couça, maigres, couci-couça, puis, de nouveau, les jambes ravissantes qui, cette fois, s'arrêtèrent miraculeusement en face de lui.

— J'espère que l'on vous a bien soigné, inspecteur.

Visiblement abasourdi, l'inspecteur releva lentement la tête et son regard direct et intense s'arrêta sur le visage triste et aguichant de la Fille aux yeux noirs, colocataire de la froide Miss Jennifer Coleby.

— Vous vous souvenez de moi ? questionna Morse.

« Sans grande logique », songea la jeune fille qui le dominait de sa taille.

— M'auriez-vous oubliée ? demanda-t-elle.

— Comment l'aurais-je pu ? dit l'inspecteur embrayant enfin sur un tempo plus animé. Vous travaillez ici ? ajouta-t-il tout en songeant : « Dieu, qu'elle est jolie ! »

— Oserais-je dire, inspecteur, que vous avez dû poser quantité de questions plus intelligentes ?

Elle portait très bien l'uniforme. Morse avait toujours pensé qu'un uniforme d'infirmière sied davantage à une fille que les falbalas des maisons de couture.

— De fait, ce n'est pas très brillant, avoua-t-il, et elle eut un sourire délicieux.

« Asseyez-vous, dit Morse. J'aimerais bavarder un moment avec vous. Nous ne nous sommes pas raconté grand-chose jusqu'à présent.

— Je regrette, inspecteur. Cela m'est impossible. Le travail.

— Oh ! fit-il, déçu.

— Eh bien...

— Juste une minute, dit Morse. Je souhaite vraiment vous revoir, vous savez. Puis-je vous rencontrer quand vous aurez terminé ?

— Je suis de service jusqu'à 18 heures.

— Alors je pourrais vous retrouver...

— A 18 heures, je rentre chez moi, je dîne rapidement et, à 19 heures...

— Vous avez un rendez-vous.

— Disons simplement que je suis prise.

— Foutu veinard, grommela Morse. Demain ?

— Pas demain.

— Mercredi ?

Mélancolique, Morse s'apprêtait à poursuivre vainement et poliment l'énumération des jours de la semaine ; mais elle le surprit.

— Je pourrais vous voir mercredi soir, si vous voulez.

— Vraiment ! s'exclama Morse avec une ferveur d'adolescent.

Ils décidèrent de se retrouver au *Bird and Baby*,

dans St Giles Street, à 19 h 30. Morse s'efforça de paraître plus désinvolte.

— Bien sûr, je pourrais vous prendre chez vous, mais peut-être vaut-il mieux l'éviter. Pouvez-vous attraper un bus ?

— Inspecteur, je ne suis pas une enfant.

— Parfait. Alors, à bientôt.

Elle tourna les talons.

— Juste une seconde, plaida Morse, et elle revint vers lui.

« Je ne sais pas votre nom. Miss...

— Miss Widdowson. Mais vous pouvez m'appeler Sue.

— Un petit nom pour les intimes ?

— Non, dit Miss Widdowson. Tout le monde m'appelle Sue.

Pendant la première semaine de l'affaire, Morse s'était senti confiant en ses capacités, comme un collégien confronté à un problème de maths épineux qui détient secrètement par-devers lui le livre du maître. Dès le début de l'affaire, il avait, croyait-il, entrevu le Grand Schéma. Bien entendu, il aurait sûrement à jongler avec les preuves fragmentaires au fur et à mesure qu'il les appréhenderait mais il connaissait le motif du puzzle. Et pour cette raison, il s'en rendait compte, il n'avait pas considéré les preuves en tant que telles mais seulement en relation avec sa propre reconstitution des événements. Et comme il avait échoué à trouver à son problème une réponse apparentée, fût-ce de très loin, à la solution officielle du livre du maître, il commençait à se demander sérieusement si, après tout, le livre du maître était infaillible. Parfois, la veille d'une grande course hippique, il avait lu de bout en bout la liste des partants et celle des jockeys, fermé les yeux, puis essayé de visualiser les gros titres des rubriques sportives dans les quotidiens du lendemain. La méthode ne lui avait pas franchement réussi. Pourtant, il croyait toujours être sur la bonne piste. Il était persévérant, c'est ainsi qu'il se voyait, tout en sachant parfaitement que, pour Lewis, assis face à lui de l'autre côté de son bureau, sa persévérance pouvait passer pour de l'obstination et, aux yeux de ses supérieurs, pour de l'entêtement pur et simple.

Pour l'instant, Lewis ne se souciait nullement du tempérament de son chef mais considérait avec une vive répugnance les ordres qu'il venait de recevoir.

— Croyez-vous vraiment qu'il soit correct de procéder de cette manière, monsieur ?

— J'en doute, dit Morse.

— Ce n'est sûrement pas légal.

— Probablement pas.

— Mais vous voulez que je le fasse.

Et comme Morse ignorait cette non-question, Lewis reprit :

— Quand ?

— Il faut d'abord vous assurer qu'il n'est pas chez lui.

— Que suggérez-vous... ?

Morse l'interrompit :

— Bon Dieu ! Lewis ! Vous n'êtes plus dans les jupons de votre mère. Servez-vous de votre jugeote !

La colère grondait en Lewis tandis qu'il se dirigeait vers la cantine où il commanda un café.

— Qu'est-ce qui ne va pas, sergent ? demanda l'agent Dickson, une fois de plus attablé.

— Ce foutu Morse ! Voilà ce qui ne va pas, marmonna Lewis, qui posa si brutalement sa tasse que la moitié de son contenu se retrouva dans la soucoupe.

— On dirait que vous aimez votre café moitié dedans, moitié dehors, persifla Dickson en riant.

McPherson entra et commanda un café.

— Résolue, sergent, l'affaire du meurtre ?

— Résolue, mon œil ! jappa Lewis.

Il se leva, laissant derrière lui, sans y avoir touché, le prétendu café, moitié dans la tasse, moitié dans la soucoupe.

— Quelle mouche l'a piqué ? demanda McPherson.

— Bonté divine ! Il ne se rend pas compte de la chance qu'il a ! Sacré bonhomme, cet inspecteur Morse. S'il ne vient pas à bout de l'affaire de Woodstock, personne ne s'en tirera. C'est moi qui vous le dis !

Beau compliment dont Morse aurait eu grand besoin. Après le départ de Lewis, il demeura longtemps assis, ses deux mains jointes dressées devant son visage, les yeux fermés comme s'il implorait quelque divinité bienveillante d'éclairer le ténébreux dédale. Mais depuis très longtemps, encore que sans le vouloir, Morse avait cessé de croire à l'existence d'une entité surnaturelle. Avec la patience du pêcheur, il jeta sa ligne dans les eaux troubles de son esprit.

Le bouchon plongea vers 16 h 30 et il boitilla jusqu'au classeur où était rangé le dossier du meurtre de Woodstock. Il y en avait deux à présent. Il les sortit et les relut ; pour la centième fois, semblait-il. Il devait avoir raison. Il le fallait. Mais il doutait encore.

Un premier détail (c'était du menu fretin, pas un requin) arrêta son attention : dans la lettre du (presque certainement) faux employeur comme dans la déclaration de Crowther, le scripteur avait utilisé le conditionnel. Moins rompu qu'il n'aurait dû l'être à certaines subtilités de la grammaire anglaise, Morse employait plus souvent — non, à la réflexion, presque toujours — le futur. « Je serai très heureux de... » Aurait-il dû dire « Je serais » ? Il attrapa son *Modern English Usage* de Fowler. Voilà : « Les verbes *aimer, préférer, s'intéresser à, être heureux de, avoir tendance à*, etc., sont fréquemment formulés au conditionnel à la première personne du singulier (*J'aimerais savoir si*, etc.). Dans ces cas, la langue anglaise exige l'emploi du conditionnel et non celui du futur. » Décidément, on apprend tous les jours, se dit Morse songeur. Mais, dans ce domaine, quelqu'un savait déjà tout ; du moins, était-il censé tout savoir ; n'était-il pas professeur d'université ? Qu'en était-il de ce « Mr N. illisible », qui avait à voir avec un département de Psychologie mal orthographié ? (Zut, il n'avait pas encore contrôlé ce point-là.) Mais Mr N. était un universitaire, lui aussi, n'est-ce pas ? soufflait une voix encore timide dans les coulisses de l'esprit de Morse. Menu fretin, peut-être, mais tout de même intéressant !

Il relut les deux documents. Halte-là ! Cette fois-ci, ce n'était plus du menu fretin. Sûrement pas ! « Il n'est pas improbable cependant... » La formule figurait dans les deux documents. Une tournure plutôt affectée. « Cependant » placé au milieu d'une proposition n'est pas une structure syntaxique très courante. Et que dire de ce « pas improbable » ? C'était une figure de rhétorique qu'il avait apprise en classe. « Saint Paul était citoyen d'une ville qui n'était pas sans importance. » Il consulta de nouveau son Fowler. Voilà. C'était une litote. Des expressions voisines affluaient à son esprit. « Toutefois il est probable... » ; « Mais il est probable/vraisemblable... » ; « Mais il se pourrait que... » ; « Peut-être... » ; « Je pense que... » ; « Mais je pense que... » Bizarre. Très bizarre. Une formule vraiment très affectée.

D'autres coïncidences apparurent. L'expression « en toute sincérité » figurait, elle aussi, dans les deux lettres. Qu'aurait-il écrit lui-même ? « Franchement », « honnêtement », « pour être franc », « sincèrement » ? Si l'on y réfléchissait, cela ne signifiait pas grand-chose. Trois petites formules ambiguës. La lettre en soi était réellement beaucoup plus étrange. Avait-il interprété son contenu de façon trop sophistiquée, trop intello ? Mais les gens font vraiment ce genre de choses. Pendant la guerre, maris et femmes utilisaient des trucs semblables pour se communiquer une profusion d'informations qui échappaient à la censure des armées. La phrase « Je suis navré d'apprendre que le petit Archie a attrapé le croup. Je t'écrirai très vite » pouvait fort bien dissimuler un renseignement militaire : « Le soldat Smith doit quitter son poste à Aldershot pour rejoindre Le Caire samedi prochain. » Extravagant ? Non. Morse pensait qu'il avait eu raison.

Le crépuscule prenait possession de son bureau ;

il remit en place le dossier Woodstock et ferma le classeur. La réponse se profilait lentement et semblait être la réponse du livre du maître.

16. Mardi, 12 octobre

Le mardi matin à 11 heures, une demi-heure après que Crowther eut pris un bus pour le centre de la ville, une petite camionnette portant la raison sociale « Kimmons Typewriters » s'arrêta devant la résidence des Crowther dans Southdown Road. Un homme vêtu d'une légère veste grise — le nom Kimmons s'étalait sur la poche — en descendit, franchit la grille blanche, traversa la pelouse pelée et frappa. Margaret Crowther ouvrit la porte tout en s'essuyant les mains sur son tablier.

— Bonjour.

— Suis-je bien au domicile de Mr Crowther, s'il vous plaît ?

— Oui.

— Mr Crowther est-il là ?

— Non, pas pour l'instant.

— Oh, vous êtes Mrs Crowther ?

— Oui.

— Votre mari a téléphoné pour nous demander de vérifier sa machine à écrire. Il dit que le chariot est bloqué.

— Je vois. Entrez, voulez-vous ?

L'employé de l'entreprise Kimmons sortit ostensiblement de sa poche une petite boîte censée contenir les outils nécessaires à son art, pénétra d'un pas réticent dans l'étroite entrée et fut introduit dans le bureau où Bernard Crowther passait une bonne partie de son temps à considérer les splendeurs de l'héritage littéraire anglais. Il repéra aussitôt la machine à écrire.

— Avez-vous besoin de moi ? s'enquit Mrs Crowther, apparemment pressée de reprendre ses travaux culinaires.

— Non, non. Je n'en ai que pour quelques minutes. A moins qu'elle ne soit vraiment détraquée, fit-il d'une voix contrainte.

— Parfait. Appelez-moi quand vous aurez terminé. Je suis à la cuisine.

Il regarda attentivement autour de lui, exécuta quelques essais de pure forme sur la machine, fit faire quelques allers et retours au chariot qui tintait en bout de course, puis tendit l'oreille ; là-bas, on manipulait de la vaisselle ; il était aussi peu exposé qu'il était nerveux. Il ouvrit rapidement le tiroir supérieur de droite du petit bureau : trombones, stylos à bille, gommes, élastiques, rien de vraiment suspect. Il passa méthodiquement en revue les deux tiroirs inférieurs puis les trois tiroirs de gauche. Le contenu était pratiquement le même : des liasses de feuillets liés par des trombones, de volumineux programmes de réunions de collège, des fichiers, du papier et encore du papier de toute espèce : réglé, vierge, à en-tête, papiers ministre, folio, in-quarto. Il réitéra sa minable pantomime et entendit, en contrepoint, le tintement bienvenu d'ustensiles qui s'entrechoquent. Il prit une feuille de chacune des espèces de papier, les plia soigneusement et les enfouit dans sa poche intérieure. Pour finir, il glissa un feuillet dans la machine, fit tourner le chariot et tapa rapidement quatre lignes :

« Après avoir examié avec attention les nombruses demandes d'emploi que nous avons reçues, nous avons le regret de vous informer que la vôtre...

Mrs Crowther le reconduisit à la porte.

— Vous ne devriez plus avoir d'ennuis, Mrs Crowther. De la poussière dans le roulement du chariot, c'est tout, assura Lewis, espérant que cela ne sonnait pas trop faux.

— Voulez-vous que je vous règle ?

— Non, non... Ne vous dérangez pas.

Il partit.

A midi, Lewis frappait à la porte de Bernard Crowther dans la seconde cour de Lonsdale College ; celui-ci terminait une leçon particulière consacrée à un jeune étudiant portant lunettes et cheveux longs.

— Rien ne presse, monsieur, dit Lewis. J'attendrai bien volontiers que vous ayez terminé.

Mais Crowther avait terminé. Il avait rencontré Lewis le samedi précédent et était très impatient d'entendre ce qu'il avait à lui dire. Le jeune homme fut congédié incontinent, avec la redoutable mission de produire pour la leçon suivante une dissertation sur « le symbolisme dans *Cymbeline* » et Crowther referma la porte.

— Eh bien, sergent Lewis ?

Lewis lui dit très exactement ce qui s'était passé le matin même ; il le fit sans détour et avoua ne pas apprécier le subterfuge. Crowther ne manifesta aucune surprise, seulement de l'inquiétude à propos de sa femme.

— Je vous assure, monsieur, repartit Lewis. Si vous dites que vous attendiez un employé de chez Kimmons pour contrôler votre machine, ce sera sans dommage pour personne.

— N'auriez-vous pu me le demander ?

— Bien sûr, monsieur, nous aurions pu. Mais l'inspecteur Morse voulait faire le moins d'histoires possible.

— J'en suis sûr, dit Crowther avec une pointe d'amertume et, comme Lewis se levait pour partir, il ajouta : Mais pourquoi ? Qu'espériez-vous trouver ?

— Nous espérions découvrir, si possible, sur quelle machine à écrire une certaine... un certain document a été tapé.

— Et vous pensiez que j'étais impliqué ?

— Nous menons une enquête, monsieur.

— Et alors ?

— Alors quoi, monsieur ?

— Avez-vous trouvé ce que vous cherchiez ?

— Oui, monsieur, dit Lewis visiblement mal à l'aise.

— Quoi donc ?

— Je dirais, monsieur, que nous n'avons rien trouvé qui soit... qui vous mette en cause. Telle est la situation, monsieur.

— Si je comprends bien, vous pensiez que j'avais écrit quelque chose sur cette machine et, à présent, vous pensez qu'il n'en est rien.

— C'est-à-dire... Il faudrait que vous questionniez l'inspecteur Morse sur ce point, monsieur.

— Mais vous venez de dire que la lettre n'avait pas été tapée sur...

— Je n'ai pas dit qu'il s'agissait d'une lettre, monsieur.

— Mais les gens écrivent des lettres sur leur machine à écrire, n'est-ce pas, sergent ?

— En effet, monsieur.

— Savez-vous, sergent, qu'à vous entendre, je commence à me sentir coupable ?

— Désolé, monsieur. Telle n'était pas mon intention. Mais dans notre métier, nous devons réellement soupçonner tout le monde. Je vous ai dit tout ce que je puis vous dire, monsieur. Quelle que soit la machine à écrire que nous recherchons, ce n'est pas celle qui se trouve chez vous. Mais il y a plus d'une machine à écrire au monde, n'est-ce pas, monsieur ?

Crowther ne contesta pas la véracité de cette assertion. Une grande fenêtre ouvrait sur la somptueuse pelouse de la deuxième cour, aussi verte et veloutée qu'un billard. Devant la fenêtre siégeait un grand bureau d'acajou jonché de papiers, de lettres, de brochures et de livres. Au centre de ce fouillis littéraire, une énorme machine à écrire antédiluvienne trônait résolument sur le bureau.

En repartant pour Kidlington, Lewis emprunta St Giles Street, large et bordée d'arbres, avant de s'engager à droite dans Banbury Road qui traverse North Oxford. Alors qu'il passait devant le bâtiment des Arts et Métiers, il vit une femme de belle taille, vêtue d'un pantalon noir et d'un long et lourd manteau, qui marchait sur le bord de la chaussée, dressant de temps à autre un pouce désabusé, révélateur d'un moral à zéro. Ses longs cheveux blonds, un blond naturel autant qu'en pouvait juger Lewis, lui arrivaient à la taille. Lewis pensa à Sylvia. Pauvre gosse. Il dépassa la blonde au moment où elle tournait la tête et ses yeux s'écarquillèrent. Dans quel monde vivons-nous ! La belle blonde portait une belle barbe et des favoris jusqu'au menton. Intéressant...

Morse n'avait pu dissimuler son exaspération lorsque Lewis, après son expédition au domicile de Crowther, lui avait fait son rapport et qu'il avait conclu avec une précipitation ridicule que la lettre, en laquelle Morse avait placé sa foi, n'avait pas été tapée sur la machine à écrire personnelle de Crowther, ni sur aucun des échantillons de papier qu'il avait adroitement subtilisés dans la réserve personnelle de Crowther. Le seul souci de Morse avait alors été de masquer les irrégularités de la procédure policière, ce pour quoi il avait immédiatement envoyé Lewis parler à Crowther. Dès son retour, à 13 heures, le sergent Lewis fit à son supérieur attentif le compte rendu de cet entretien.

— Si je comprends bien, sergent, vous n'étiez pas à la fête ce matin.

— Non. Je préférerais n'avoir pas à refaire ce genre de choses, monsieur.

Morse lui exprima sa sympathie.

— Je ne crois pas que nous ayons fait de tort à quiconque, Lewis. Et je n'ai pas trop de scrupules à l'égard de Crowther. Il n'a pas été franchement honnête envers nous, n'est-ce pas ? Mais avec Mrs Crowther... ç'aurait pu être plus délicat. Quoi qu'il en soit, je vous remercie, dit-il ; et il était sincère.

— Ne vous en faites pas, monsieur. Du moins, nous aurons essayé.

Lewis se sentait nettement mieux.

— Que diriez-vous d'un verre ? proposa Morse.

Ils quittèrent le bureau, ragaillardis.

Il ne leur était pas venu à l'esprit qu'une femme intelligente et expérimentée comme Mrs Margaret Crowther aurait pu ne pas se fier automatiquement et aveuglément à la *bona fides* de n'importe quel ouvrier qualifié, prénommé Tom, Dick ou Harry. Or, Mrs Crowther avait été secrétaire particulière avant d'épouser Bernard ; la machine à écrire lui appartenait et, le matin même, elle l'avait utilisée pour taper deux lettres, l'une adressée à son mari, l'autre à l'inspecteur Morse, c/o le QG de la police de Thames Valley à Kidlington. La machine était en parfait état de marche, elle le savait ; et elle avait vu le très nerveux employé de Kimmons Typewriters ouvrir les tiroirs du bureau de Bernard. Elle s'était demandé ce qu'il pouvait bien chercher mais, au fond, cela lui était égal. Elle avait même souri, un sourire las et morne, en refermant la porte derrière lui. Elle serait bientôt prête à poster les deux lettres. Mais elle voulait être sûre.

Morse travailla la majeure partie de l'après-midi à son bureau. Le rapport sur la voiture de Crowther lui était parvenu. A première vue, il n'apportait pas grand-chose. Un long cheveu blond, fortement oxygéné, avait été trouvé sur le plancher, derrière le siège du conducteur ; c'était tout. Aucune trace matérielle de la seconde fille. Plusieurs autres rapports, mais rien qui parût de nature à faire progresser l'enquête. L'attention de Morse se porta sur d'autres sujets. Il devait être présent le lendemain matin au tribunal de première instance et il lui fallait prendre connaissance de différents dossiers et mémoires. Il se détendit à l'idée d'avoir, pour changer, quelques faits tangibles à assimiler et se plongea dans ces documents sans se soucier du temps. Lorsqu'il consulta sa montre à 17 heures, il s'étonna de la rapidité avec laquelle l'après-midi avait passé. Une nouvelle journée s'achevait, pratiquement. Demain serait un autre jour. Sans bien savoir pourquoi, il se sentait content et se demanda si cette impression avait quelque chose à voir avec mercredi et avec Sue Widdowson.

Il appela Lewis qui était sur le point de rentrer chez lui. Oui, bien sûr, il pouvait s'en aller. Mais ne pouvait-il pourtant téléphoner à son épouse très patiente et très résignée ? Sans doute venait-elle seulement de plonger les chips dans la friteuse.

— Vous avez dit, Lewis, que Crowther a une autre machine à écrire dans son bureau au collège. Je pense que nous devrions contrôler. Qu'en dites-vous ?

— Comme vous voudrez, monsieur.

— Mais vous aimeriez que, cette fois, les choses soient faites selon les règles, hein ?

— Je pense que ce serait préférable, monsieur.

— Comme vous voudrez, Lewis.

Morse connaissait bien le doyen de Lonsdale College auquel il téléphonait de temps en temps. Lewis était un peu surpris de la demande de son supérieur qui semblait, cette fois, vouloir respecter les règles. Il écouta le monologue téléphonique de Morse.

— Combien de machines à écrire cela ferait-il ? Oui. Oui. Y compris celles... Oui. Tant que ça ? Mais cela peut se faire ? Oui, cela me faciliterait énormément le travail, bien entendu... Vous verriez plutôt les choses de cette façon ? Non, personnellement, cela m'est égal... A la fin de la semaine ? Parfait. Très reconnaissant. Maintenant, écoutez bien...

Morse donna ses instructions, réitéra ses remerciements plus longuement qu'il n'avait coutume de le faire, reposa l'appareil et darda sur son sergent un regard brillant.

— Voilà un type coopératif, Lewis.

— Il n'avait guère le choix !

— Sans doute. Mais il va nous faire gagner du temps et nous épargner bien des soucis.

— Vous voulez dire qu'il va me faire gagner du temps et m'épargner des soucis.

— Cher vieux Lewis ! Nous formons une équipe, vous et moi, non ?

A contrecœur, Lewis hocha la tête.

— A la fin de la semaine, nous serons fixés sans erreur possible sur toutes les machines à écrire de Lonsdale College. Qu'en dites-vous ?

— Y compris celle de Crowther ?

— Bien entendu !

— N'aurait-il pas été plus simple de...

— De viser droit dans le mille ? Sûrement, ça l'aurait été. Mais vous-même souhaitez que les choses soient faites selon les grands principes impartiaux de la loi anglaise. Vrai ou faux ? Nous n'avons rigoureusement rien contre Crowther. Il est probablement aussi innocent que ma tante Freda.

Lewis ignorait jusqu'à l'existence de tante Freda et s'abstint de tout commentaire direct.

— Croyez-vous que Crowther soit notre homme, monsieur ?

Morse planta son pouce dans le coin de sa bouche.

— Je ne sais pas, Lewis. Je ne sais vraiment pas.

— Il me semble que, ce matin, j'ai eu une idée, monsieur, dit Lewis après une pause. J'ai vu ce que je pensais être une fille et, lorsque je me suis approché et qu'elle s'est tournée vers moi, c'était un garçon.

— Vous vous exprimez de façon très succincte, sergent.

— Mais vous voyez ce que je veux dire.

— Je vois. Quand nous étions jeunes gens, vous et moi, nous nous efforcions de paraître des garçons ; si nous avions l'air de filles, nous passions pour des mauviettes. Mais de nos jours, on croise couramment des types qui se maquillent les yeux et portent des sacs à main. Pas de quoi s'étonner.

Morse n'avait rien compris. Lewis n'était pas un homme à idées ; il le savait depuis toujours et ressentait une vive répugnance à mettre ses opinions en avant. Néanmoins, il prit sur lui :

— Voyez-vous, monsieur, je pensais à ceci. Nous savons que Mrs Jarman a vu les deux filles à l'arrêt de l'autobus (il aurait pu s'arrêter là mais Morse garda le silence). Elle a sûrement raison. Elle a parlé à l'une d'elles, et l'autre était Sylvia Kaye. Très bien. L'épisode suivant est celui du routier, Baker : il a vu un homme dans une voiture rouge prendre les deux filles à bord de l'autre côté du rond-point. Le soir tombait. Il a dit qu'il s'agissait de deux filles. Mais il a pu se tromper. Ce matin, j'aurais juré avoir vu une fille... et je m'étais trompé. Tout le monde a été ébloui par Sylvia ; tous les yeux convergeaient vers elle, ce qui n'a rien d'étonnant.

Mais pourquoi le routier n'aurait-il pas vu Sylvia et une autre personne ? Et pourquoi cette autre personne n'aurait-elle pas ressemblé à une fille sans pourtant être une fille ? L'autre personne aurait pu être un homme. Rappelez-vous, monsieur, l'autre fille qu'a vue Mrs Jarman portait un pantalon, et les descriptions que nous tenons de Baker coïncidaient si bien que nous avons pensé qu'il s'agissait des mêmes personnes. Mais supposons que l'autre fille ait décidé en fin de compte de ne pas faire de stop pour aller à Woodstock. Supposons qu'elle ait couru pour rattraper Sylvia, qu'elle lui ait dit que, tout compte fait, elle n'allait pas s'embêter à aller à Woodstock. Et supposons que Sylvia soit tombé sur un homme, probablement un homme qu'elle connaissait, qui attendait qu'une voiture le ramasse avant qu'elle n'arrive là et qu'ils aient fait du stop ensemble. Je sais que vous avez probablement pensé à tout ça, monsieur — Morse ne se prononça ni dans un sens, ni dans l'autre ; en fait, il n'y avait pas songé —, mais j'ai pensé que je devais vous en parler. Nous essayons de trouver le criminel et j'ai pensé qu'il aurait pu être dans la voiture avec Sylvia tout du long.

— Rappelez-vous, sergent, que nous avons le témoignage de Crowther, dit lentement Morse.

— Je sais, monsieur. J'aimerais bien le revoir si possible. Autant que je m'en souvienne, il n'avait pas grand-chose à dire de sa seconde passagère.

— Exact, reconnut Morse. Et je ne peux m'empêcher de penser qu'il en sait plus qu'il ne nous en a dit.

Il se dirigea vers le classeur et sortit du dossier la déclaration de Bernard Crowther dont il relut la première page qu'il tendit à Lewis avant d'entamer la seconde. Lorsque les deux hommes eurent terminé leur lecture, leurs regards se croisèrent au-dessus du bureau.

— Eh bien, monsieur ?

Morse relut tout haut :

— « J'ai vu clairement la fille la plus proche de la route, une fille séduisante qui avait de longs cheveux blonds, un chemisier blanc, une mini-jupe et un manteau sur le bras. L'autre jeune fille s'était arrêtée un peu plus loin et me tournait le dos ; elle avait l'air plutôt satisfaite de laisser à sa camarade le soin de leur trouver un chauffeur bénévole. Mais je crois qu'elle avait les cheveux foncés et, si mon souvenir est bon, elle avait quelques centimètres de plus que son amie... » Qu'en pensez-vous ?

— Ce n'est pas très précis, monsieur.

Morse cherchait l'autre passage qui avait trait à la seconde fille :

— « ... je crois que la fille assise à l'arrière a ouvert la bouche une seule fois ; pour demander l'heure »... Il se pourrait bien que vous ayez mis le doigt sur un point intéressant, dit Morse.

— J'ai souvent entendu dire, monsieur, que lorsqu'un couple fait du stop, la fille s'exhibe et l'homme se tient en retrait pour apparaître subitement lorsque la voiture s'arrête et qu'il est trop tard pour que le conducteur puisse refuser, dit Lewis à l'appui de sa théorie.

— En l'occurrence, les choses ne se sont pas passées de cette façon, sergent.

— Non, je sais, monsieur. Mais cela correspond quand même un peu : « ... elle avait l'air plutôt satisfaite de laisser à sa camarade le soin de leur trouver un chauffeur bénévole. »

Après tout, Lewis, lui aussi, pouvait citer ses sources.

— Hum... Mais, si vous avez raison, qu'est-il arrivé à l'autre fille ?

— Elle a pu rentrer chez elle, monsieur. Elle a pu aller n'importe où.

— Mais elle tenait beaucoup à se rendre à Woodstock, selon Mrs Jarman.

— Elle a pu revenir à l'arrêt de l'autobus.

— Le conducteur ne se souvient pas d'elle.

— Oui, mais quand nous l'avons questionné, nous pensions à deux filles, pas à une.

— Hum ! Cela vaudrait la peine de contrôler de nouveau.

— Autre chose, monsieur.

La marée montait, inexorable ; déjà elle léchait les châteaux de sable du Grand Schéma de Morse.

— Oui ?

— J'espère que vous ne serez pas contrarié que j'en parle, monsieur, mais Crowther dit que l'autre fille avait quelques centimètres de plus que Sylvia.

Morse émit un grognement ; implacable comme la marée, Lewis poursuivit :

— Si mon souvenir est bon, Sylvia Kaye mesurait 1,75 m. Si l'autre fille est Jennifer Coleby, elle aurait dû marcher sur des échasses, monsieur. Elle ne mesure que 1,67 m.

— Réfléchissez, Lewis ! C'est justement sur ce genre de détail qu'il a dû mentir. Il essaie de nous dérouter. Il veut protéger l'autre fille.

— J'essaie simplement de poursuivre à partir des preuves que nous avons, monsieur.

Morse acquiesça. Il songeait sérieusement à se reconvertir dans l'enseignement ; au niveau de l'école primaire ; l'orthographe, pensait-il, le plus sûr pari. Pourquoi n'avait-il pas réfléchi plus tôt à cette question de stature ? Bien sûr, il savait pourquoi. Dans le Grand Schéma, c'était Crowther le coupable.

A présent, les vagues déferlaient, dangereusement proches du dernier château de sable. Elles en avaient inondé les douves et ravagé les remparts. Il était 18 heures et la seconde fournée de chips de Lewis refroidissait.

Morse quitta l'immeuble en clopinant, accompagné de Lewis, et ils continuèrent de parler quelques minutes près de la voiture du sergent. Dans l'école primaire putative de Morse, Lewis était à peu près aussi à l'aise qu'un écolier qui a pris son maître en défaut sur une simple question d'orthographe, et il hésitait à mentionner un détail qu'il avait à l'esprit depuis plusieurs jours. Allait-il le garder pour le lendemain ? Mais, le lendemain, Morse serait très pris au tribunal. Il plongea :

— Vous savez, monsieur, la lettre adressée à Jennifer Coleby ?

Morse la connaissait par cœur :

— Oui. Et alors ?

— Peut-être... peut-être qu'il y avait des empreintes sur l'original.

Le regard de Morse se vida de toute expression. Au bout d'un instant, il secoua tristement la tête.

— A présent, il est trop tard.

Au fil des minutes, la perspective de l'école primaire acquérait une réalité plus tangible. Le château de sable vacilla, près de s'effondrer sur ses bases. Il était temps qu'un autre prît la relève ; Morse irait voir le commissaire.

Une voiture de police s'arrêta à quelques mètres de lui.

— Voulez-vous un coup de main, monsieur ?

— Merci. Tout va bien, assura Morse, résolu à chasser les idées noires. Je reprends l'entraînement la semaine prochaine. Vous me verrez dans l'équipe de première division lors de la prochaine rencontre.

— En attendant, c'est quand même un peu gênant ! s'écria l'agent. D'autant que vous ne pouvez même pas conduire...

Morse avait pratiquement oublié sa voiture. Cela faisait plus d'une semaine maintenant qu'elle n'avait pas roulé.

— Sergent, montez à l'avant près de moi, voulez-vous ? Il est grand temps que je fasse un essai.

Il s'installa au volant, fit jouer son pied droit sur le frein et sur l'accélérateur, l'appuya ensuite fermement sur le frein et décida qu'il s'en tirerait. Il démarra, fit le tour de la cour, testa sa capacité d'accomplir correctement les manœuvres, s'arrêta et sortit de la voiture avec le sourire radieux de l'orphelin auquel on offre un ours en peluche.

— Pas si mal, hein ?

L'agent aida Morse à entrer dans l'immeuble et l'accompagna jusqu'à la porte.

— Vous pouvez reprendre votre voiture demain, monsieur.

— Je pense que oui, répondit Morse.

De retour dans son bureau, il réfléchit à la journée

du lendemain. Le commissaire. Ce serait peut-être mieux l'après-midi. Il composa son numéro mais n'obtint pas de réponse. Il devait aussi rencontrer quelqu'un d'autre ; dans la soirée. Allons, inutile de se le cacher. Il attendait avec impatience l'instant de revoir Sue Widdowson. Mais il s'y était pris comme un manche ! Le *Bird and Baby*, je vous demande un peu ! Pourquoi ne l'avait-il pas invitée à l'*Elizabeth's* ou *A la Sorbonne* ou encore au *Sheridan* ? Et pourquoi ne s'était-il pas débrouillé pour aller la chercher chez elle ? La moindre des choses... Que Jennifer Coleby aille se faire voir ! Il n'était pas trop tard. Sue devait être rentrée à cette heure-ci. Il consulta sa montre : 18 h 30. Il saisit l'*Oxford Mail* posé sur son bureau et parcourut la page des spectacles. *Hot Pants* et *Danish Blue*, nota-t-il, avaient été prolongés d'une semaine « à la demande du public ». Il aurait pu l'emmener au cinéma, évidemment. Ailleurs qu'au Studio 2. Un restaurant ? Pas grand-chose à cette rubrique. C'est alors qu'il repéra l'annonce : « Dîner dansant au *Sheridan*. Deux entrées : 6 livres. 19 h 30 à 23 h 30. Bar. Tenue de ville. » Il appela le *Sheridan*. Oui, il restait encore quelques entrées doubles mais il fallait les retirer le soir même. Pouvait-il rappeler dans un quart d'heure environ ? Oui, on lui garderait deux entrées.

Le numéro de téléphone de Jennifer Coleby figurait quelque part dans le dossier où il eut tôt fait de le trouver. Il réfléchit à ce qu'il allait dire. « Miss Widdowson », cela valait mieux. Il espérait que ce serait Sue qui répondrait.

La sonnerie s'était déclenchée. Il se sentait excité. Stupide.

— Allô ? fit une voix de jeune fille.

Mais laquelle ? La ligne crachotait.

— Suis-je bien au 54385 Oxford ?

— Oui. A qui désirez-vous parler ?

Le cœur de Morse se serra. Pas moyen de s'y tromper : c'était la voix claire et froide de Jennifer Coleby. Morse fit une tentative cafouilleuse pour parler comme s'il n'était pas Morse.

— Je souhaite parler à Miss Widdowson. Est-elle là ?

— Oui, elle est là. Qui dois-je annoncer ?

— Dites-lui que c'est un vieux camarade de classe, répliqua la voix masquée de Morse.

— Je vous la passe tout de suite, inspecteur Morse.

« Sue, Su-ue ! Un vieux camarade de classe à l'appareil !

— Allô. Sue Widdowson à l'appareil.

— Allô ! fit Morse qui ne savait trop comment se présenter. Morse à l'appareil. Je voulais seulement vous demander s'il vous plairait d'aller au *Sheridan* demain soir, au lieu d'aller simplement prendre un verre. Ils proposent un dîner dansant. J'ai déjà les entrées. Qu'en dites-vous ?

— Merveilleux ! fit la voix dont Morse se dit qu'il l'aimait. Absolument merveilleux ! Plusieurs de mes amis y vont justement. Ce sera formidable.

« Oh ! non, pas ça », pensa Morse.

— Pas trop d'amis, j'espère. Je n'ai aucune envie de vous partager avec des tas de gens, dit-il, le ton léger mais le cœur lourd.

— Juste quelques-uns, admit Sue.

— Alors, allons ailleurs, voulez-vous ? Vous connaissez un endroit ?

— On ne peut pas faire ça ! De toute façon, vous avez déjà les tickets. On s'amusera bien, vous verrez.

Morse se demanda s'il apprendrait jamais à dire la vérité.

— Très bien. Je peux venir vous prendre, si vous voulez. Cela vous convient ?

— Oh, oui ! Merci ! Jenny devait me conduire dans sa voiture mais si vous...

— Parfait ! Je passe vous prendre à 19 h 15.

— Entendu. Faut-il se mettre sur son trente et un ?

Morse l'ignorait.

— Ne vous en faites pas, reprit Sue. Je vais me renseigner.

« Auprès de l'un de vos nombreux amis, sans doute », se dit Morse.

— Parfait. Je voudrais déjà y être.

— Moi aussi ! dit Sue qui reposa le récepteur sans laisser à Morse le temps de prononcer un adieu plus tendre.

Attendait-il vraiment avec impatience cette rencontre ? Généralement, ce genre de rencontre était assez décevant. Néanmoins, cela lui ferait du bien. Ou bien cela lui apprendrait. Il s'en fichait un peu. De toute façon, il ferait un dîner correct et ce serait bon d'avoir de nouveau dans les bras une belle fille souple et dansante... Bonté divine ! Il avait oublié l'échelle ! Il avait perdu l'esprit ! Il était devenu complètement fou, fou à lier. Il ne pouvait pas plus inviter la ravissante Miss Widdowson à partager les vertiges d'une valse qu'il ne pouvait inviter un rabbin à partager un rôti de porc. Il claudiqua jusqu'à l'accueil.

— Sergent ! Trouvez-moi une voiture.

— Il y en aura une dans quelques minutes, sir. Nous avons dû...

— Trouvez-moi une voiture illico, sergent. J'ai dit illico.

L'injonction résonna désagréablement dans le grand hall et plusieurs personnes tournèrent la tête. Le sergent de permanence saisit le téléphone.

— J'attends dehors.

— Puis-je vous aider, monsieur ?

Le sergent de permanence était un homme affable qui connaissait l'inspecteur depuis des années. Morse attendit près du bureau. Il s'en voulait terriblement. A juste titre. De quel droit s'autorisait-il pour s'en prendre à l'un de ses vieux amis ? Il n'y avait pas de réponse honorable à cette question. Il maudit son égoïsme et son manque de courtoisie.

— Oui, sergent. Un coup de main ne me ferait pas de mal.

Un jour noir dans l'existence de Morse.

17. Mercredi, 13 octobre, matin

A l'aube du mercredi matin, une tempête phénoménale s'abattit sur la région d'Oxford, démolissant les cheminées, abattant les antennes de télévision et arrachant les tuiles sur son passage. Le journal de 7 heures rendit compte des dégâts provoqués à Kidlington, Oxon, où une certaine Mrs Winifred Fisher avait cru vivre sa dernière heure lorsque le toit d'un garage avait rompu ses amarres et s'était engouffré dans une fenêtre en haut de sa maison. « Les mots me manquent... Terrifiant... » Le poste de radio se trouvait sur la table de nuit, ainsi que le téléphone et un réveil qui, à 6 h 50, avait tiré Morse d'un long et paisible sommeil.

Sitôt les nouvelles terminées, il sortit de son lit et scruta les lieux à travers les rideaux. Son propre garage semblait intact. Bizarre que la tempête ne l'eût pas réveillé. Progressivement, le souvenir des événements de la veille pénétrait sa conscience et se déposait comme un sédiment au fond de son esprit. La troupe des anges qui avaient veillé sur son sommeil s'était évanouie ; il s'assit au bord de son lit, palpa du bout des doigts le poil rugueux de son menton et s'interrogea sur ce qu'apporterait cette journée. Au fur et à mesure que l'affaire avançait, la courbe de ses humeurs adoptait l'allure d'un massif montagneux déchiqueté : pics et vallées, dépressions et euphories.

A 7 h 45, il était rasé, lavé, habillé ; il se sentait frais et confiant. Il rinça à grande eau sa tasse à thé et son verre à whisky de la veille au soir, puis il emplit la bouilloire avant de tourner son attention vers un problème majeur.

Pendant ces derniers jours, il avait abrité son pied blessé dans un énorme tennis blanc, mollement lacé. Pis qu'un clochard ! Il était temps de revenir à un équipement plus classique. Il n'était guère disposé à faire son entrée au tribunal chaussé de cette façon extravagante et doutait que Miss Widdowson apprécierait follement la compagnie d'un danseur traînant un tennis éculé. Il possédait en tout et pour tout deux paires de chaussures et une réserve restreinte de chaussettes mettables ; avec des possibilités de permutation aussi limitées, la perspective d'être le jour même décemment chaussé semblait vraiment lointaine. Il enfila son fidèle tennis meurtri et décida d'acheter une paire de grands souliers chez Marks and Spencer, son magasin favori. La journée serait onéreuse. Il but une tasse de thé et regarda par la fenêtre. Le couvercle de sa poubelle gisait contre la grille d'entrée et les ordures s'étaient abondamment répandues. Il lui faudrait penser à inspecter les tuiles de son toit...

Il se rendait compte rétrospectivement qu'il avait considéré les événements de la veille sans aucun recul ; il s'était tenu trop près des arbres. Mais, à présent, il avait l'impression de voir de nouveau la même forêt familière, labyrinthique évidemment, comme avant, mais néanmoins la même. Il retrouvait son vieux moi énergique, enfin presque. Mais qu'en était-il de la ligne de conduite draconienne qu'il avait envisagée ? Il lui faudrait reconsidérer les choses ; toutefois il était tenaillé par un problème plus immédiat. Où étaient son stylo, son peigne, son portefeuille ? A sa grande surprise et à son profond soulagement, il les découvrit tous trois pêle-mêle sur la cheminée de sa chambre.

Sa chère Lancia était fidèle au poste. Quel bon achat ! Puissante, fiable, quatre cent quatre-vingts kilomètres avec un plein d'essence. Il avait souvent envisagé de la changer mais n'en avait jamais eu le cœur. Il s'introduisit par l'étroit passage entre la porte côté conducteur et le mur blanchi à la chaux du garage. C'était toujours une manœuvre délicate, d'autant qu'il ne mincissait pas. Qu'il était bon de se retrouver au volant ! Il donna à sa vieille amie plus de starter que d'habitude — après tout, elle avait été au chômage pendant une semaine — et appuya sur le démarreur. Vroum... vroum... vroum... vroum. Rien. Un peu plus de starter ? Attention à ne pas la noyer. On recommence. Vroum... vroum... vroum... vroum... vroum. Bizarre. Il n'avait jamais eu d'ennuis jusqu'ici. La troisième fois, c'est la bonne. Vroum... vroum... vroum. La batterie doit être un peu à plat. Ah ! la rosse ! Laissons-lui le temps de souffler. Cette fois, ça y est ! Vroum... vroum... Merde ! Encore une fois. Vroum... « C'est bien ma foutue veine ! gronda Morse. Comment diable vais-je bien pouvoir m'y rendre sans... » Il coupa le contact et frissonna malgré lui. Une aube grise pointait dans son esprit et les mystères pourpres du matin s'enfuirent, chassés par les rayons du soleil levant. « *En cette aube, le bonheur d'être vivant* »... Wordsworth, hein ? La citation figurait dans les mots croisés du *Times* la semaine dernière. Les vagues, enfin, refluaient de la plage. Les crêtes blanches des déferlantes s'enroulaient sans trêve ni relâche vers le rivage, mais leur force les avait abandonnées. Le Grand Schéma se dressait devant lui ; l'ultime petit château de sable avait résisté à la puissance des flots.

Le gérant du garage Barker à Oxford fut si impressionné par l'appel courtois de l'inspecteur Morse que dix minutes plus tard, une batterie neuve prenait la route ; cinq minutes encore, et elle était installée. Les nuages étaient hauts et blancs, le soleil brillait avec ardeur. « Temps dégagé », aurait dit Jane Austen. Morse récupéra le couvercle de sa poubelle et débarrassa méticuleusement son jardin de toutes les ordures.

La cité universitaire d'Oxford était très animée ce matin du troisième jour de la rentrée de la Saint-Michel. L'écharpe flambant neuve de leur collège jetée sur l'épaule, les étudiants de première année exploraient avec entrain les librairies de Broad Street ou descendaient plus timidement High Street jusqu'aux encombrements de Cornmarket Street pour s'engouffrer chez Woolworths ou Marks and Spencer puis, selon leur goût, se répandre dans les pubs et les cafés avoisinants. A 13 heures, Morse était assis dans un fauteuil au rayon self-service des chaussures pour hommes, situé au sous-sol de Marks and Spencer. Normalement, il chaussait du 42 mais, pour l'instant, il multipliait les essais, avec patience et détermination. D'emblée, la pointure 43 avait été exclue ; après un nombre impressionnant d'allées et venues effectuées en chaussettes entre les présentoirs et le fauteuil qu'il avait élu, il opta pour des mocassins de cuir noir, pointure 44. Ils paraissaient gigantesques et, à long terme, ils seraient évidemment inutilisables. Après tout, quelle importance ? Il pourrait porter deux paires de chaussettes au pied gauche. Surtout, ne pas oublier les chaussettes. Il paya ses mocassins, renfila ses tennis sous l'œil exorbité d'une caissière morose qui, à première vue, aurait pu porter du 44, elle aussi, et se rendit au rayon de bonneterie où il acheta une demi-douzaine de chaussettes fines et voyantes. S'il en avait été capable, il serait allé d'un pied léger jusqu'à Cornmarket. Sa voiture marchait, il en avait fini avec le tribunal et l'enquête progressait.

Il n'était pas seul à faire ses courses. Le commerce marchait bon train ce matin-là, pas seulement dans les grands magasins des rues principales du centre. A l'heure où Morse, le mégapode, repartait ses achats bien serrés sous son bras, une nouvelle transaction simple et rapide s'effectuait dans la rue louche et vétuste située derrière Botley Road ; l'on pouvait soutenir que cette fois, au moins, John Sanders avait conclu sa meilleure affaire.

18. Mercredi, 13 octobre, après-midi

Le mercredi 13, premier soir de fête du premier trimestre à Lonsdale College, Bernard Crowther quitta son domicile un peu plus tôt que d'habitude. A 18 h 15, il frappait à la porte de l'appartement de Peter Newlove et entra sans attendre de réponse.

— C'est toi, Bernard ?

— C'est moi.

— Sers-toi un verre. J'en ai pour deux minutes.

En venant, Bernard était passé devant la loge et avait ramassé trois lettres dans son casier. Il en ouvrit deux sans ménagement et les fourra hâtivement dans la poche de sa veste. La troisième enveloppe portait la mention « Confidentielle » et contenait une lettre sur papier à en-tête du doyen.

« Dans le cadre de ses investigations relatives au crime récemment commis à Woodstock, la police cherche activement à déterminer la provenance d'une lettre dactylographiée, entrée en sa possession et dont elle pense qu'elle peut être une preuve concrète dans son enquête. La police m'a demandé que toutes les machines à écrire du collège soient contrôlées et je prie tous mes collègues de se prêter à cette requête. L'économe a accepté de remplir cette mission et je suis d'avis, ainsi que le vice-doyen, que nous devons accéder de bonne grâce à cette demande. J'ai donc informé l'inspecteur principal Morse, en charge de l'enquête sur le meurtre, que nous-mêmes, en tant que corps collégial, sommes désireux de coopérer par tous les moyens possibles. L'économe détient un inventaire de toutes les machines à écrire du collège ; mais il se trouve peut-être des machines à écrire privées dans les appartements de plusieurs professeurs, et je demande que les informations concernant ces machines soient communiquées immédiatement à l'économe. Je vous remercie de votre aide. »

— Qu'est-ce qui se passe, Bernard ? Tu n'as pas soif ?

Peter sortait de sa salle de bains et peignait ses cheveux clairsemés avec un peigne édenté.

— As-tu reçu ça, toi aussi ?

— Parfaitement. J'ai reçu une communication de notre révérend et révéré doyen, si c'est ce dont tu parles.

— A quoi cela rime-t-il ?

— Cher ami, je l'ignore. Plutôt mystérieux, non ?

— Quand aura lieu la grande investigation ?

— Aura lieu ? Elle a eu lieu. Du moins en ce qui me concerne. Une gentille gamine est arrivée cet après-midi, en compagnie de l'économe, bien entendu. Elle a tapé un message sibyllin puis est repartie. Dommage. Un vrai petit bijou. Je vais tâcher de passer un peu plus de temps à l'économat.

— Je crains personnellement de ne pas être d'un grand secours. Ma foutue machine est de fabrication médiévale et n'a pas vu un ruban depuis six mois. Ce qu'on pourrait appeler une machine « grippée ».

— Cela fait une suspecte de moins. Alors, mon vieux, tu prends un verre, oui ou non ?

— Tu ne crois pas que l'on va picoler suffisamment ce soir ?

— Mais non, mon bon. Je n'en crois rien.

Peter s'assit et enfila une paire de chaussures de marche, brunes, épaisses, coûteuses ; taille 44 mais elles ne venaient sûrement pas du rayon self-service de Marks and Spencer.

— Je crois que nous avons juste le temps d'avaler un verre. Que prenez-vous ?

Il était presque 19 h 30.

— Un dry sherry, s'il vous plaît. J'en ai pour deux secondes. Juste le temps de me poudrer le nez.

Elle se dirigea vers le vestiaire. Il n'y avait encore que peu de monde au bar. Morse fut aussitôt servi, prit les deux verres et alla s'installer dans un angle.

Le *Sheridan* était l'hôtel chic d'Oxford et les vedettes de la scène, du sport, du grand et du petit écran étaient systématiquement logées dans ce grand bâtiment de pierre, très bien aménagé, situé en bas de St Giles Street. Un dais à rayures abritait le trottoir et un laquais en livrée montait la garde près de la plaque étincelante, en haut des marches qui descendaient de la porte à tambour à la rue. La direction n'avait pas jugé nécessaire de dérouler ce soir-là le tapis rouge, dont Morse supputait l'existence. Faute d'un emplacement libre dans la cour étroite de l'hôtel, il avait été forcé de garer sa voiture le long de St Giles Street. Un signe de mauvais augure, peut-être ; en fait, ils n'avaient trouvé jusqu'alors que peu de choses à se dire.

Il l'observa quand elle revint. Elle avait quitté

son manteau et s'avançait vers lui d'une démarche élégante ; sa longue robe de velours d'un rouge profond soulignait discrètement la grâce de ses formes. Subitement, son cœur battit plus fort, leurs regards se croisèrent et elle sourit. Elle s'assit près de lui et il fut de nouveau sensible, comme il l'avait été lorsqu'elle s'était installée dans la voiture, à la promesse subtile de son parfum.

— A votre santé, Sue.

— A la vôtre, inspecteur.

Il ne savait que faire à propos de cette appellation gênante. Il se sentait comme un maître d'école vieillissant qui rencontre une ancienne élève et qu'embarrasse le cérémonieux « maître » dont elle ponctue ses phrases, tout en estimant qu'une autre solution sonnerait faux. Il laissa passer l'« inspecteur ». Les choses évolueraient sûrement. Morse lui offrit une cigarette qu'elle refusa. Pendant qu'elle buvait son sherry, il observa ses longs doigts : ni bagues, ni vernis ; merveilleusement soignés. Il la questionna sur sa journée de travail et elle la lui raconta. Tout cela était un peu contraint. Ils finirent leur verre, quittèrent le salon et prirent l'escalier qui conduisait à la salle Evans. Sue releva un peu sa robe en abordant l'escalier et Morse s'efforçait d'oublier l'étroitesse de son soulier droit, tout en crispant au maximum son pied gauche pour éviter que le soulier ne l'abandonne définitivement.

Raffinement et sobriété présidaient à l'agencement de la pièce : autour de la piste de danse, petite et miroitante, les tables étaient disposées à intervalles réguliers. L'argenterie luisait sur les nappes blanches autour de bougies rouges dont les flammes bleu et jaune s'effilaient avec une délicatesse presque aussi exquise, se dit Morse, que Sue Widdowson elle-même. Plusieurs couples occupaient déjà leur table et il apparut tristement évident à Morse que figuraient parmi eux quelques-uns des fichus amis. Un orchestre réduit jouait une mélodie langoureuse qui traînait dans tous les esprits et lorsqu'on leur indiqua leur table, deux amoureux se rendirent sur la piste, joyeux et seuls au monde, les yeux perdus dans le regard de l'autre.

— Êtes-vous déjà venue ici ?

Sue fit signe que oui et Morse suivit des yeux le jeune couple, déterminé à ne pas laisser libre cours à son imagination. Un serveur leur apporta le menu et Morse apprécia cette diversion.

— Le vin est-il compris ?

— Nous avons une bouteille entre nous.

— C'est tout ?

— N'est-ce pas suffisant ?

— Il s'agit d'une occasion exceptionnelle, non ?

Sue refusa de prendre parti.

— Que diriez-vous d'une bouteille de champagne ?

— N'oubliez pas que vous devez me ramener !

— Vous pourriez prendre un taxi.

— Et votre voiture ?

— La police l'enverra à la fourrière.

Sue se mit à rire et Morse regarda ses dents blanches et ses lèvres pleines.

— Qu'en dites-vous ?

— Je suis entre vos mains, inspecteur.

« Que ne l'êtes-vous vraiment », pensa-t-il.

A présent, plusieurs couples dansaient et Sue les regardait.

— Vous aimez danser ?

Sue fit oui de la tête sans quitter les danseurs du regard. Un jeune Adonis agita la main dans sa direction.

— Soir, Sue. Comment va ?

Sue répondit en levant la main.

— Qui est-ce ? demanda Morse, agressif.

— Le docteur Eyres. Il est interne au Radcliffe.

Elle semblait hypnotisée par la scène. Mais elle réintégra l'orbite de Morse lors de l'arrivée du champagne et, au bout d'un moment, la conversation devint plus fluide. Morse bavardait, s'efforçant d'être aimable autant qu'intéressant et Sue paraissait agréablement détendue. Ils commandèrent leur menu et Morse resservit du champagne. L'orchestre s'arrêta : les couples sur la piste applaudirent sans chaleur et refluèrent vers les tables. Le docteur Eyres et sa petite brune aux cils englués de mascara se dirigèrent vers leur table. Sue semblait enchantée de les voir.

— Docteur Eyres, voici l'inspecteur Morse.

Les deux hommes se serrèrent la main.

— Et voici Sandra. Sandra, je te présente l'inspecteur Morse.

La jeune Sandra aux yeux charbonneux était infirmière et travaillait avec Sue au Radcliffe. L'orchestre reprit son chant plaintif.

— Vous permettez que je fasse danser Sue, inspecteur ?

— Bien sûr.

Morse parvint à sourire à celui qu'il qualifiait *in petto* de petit toubib lubrique et pourri. Sandra s'était assise et considérait Morse avec un intérêt non dissimulé.

— Je suis terriblement désolé de ne pouvoir vous

inviter à danser, dit-il. Je me suis esquinté le pied, mais ça va nettement mieux.

Sandra était la compassion personnifiée.

— Mon pauvre ! Que vous est-il arrivé ?

Pour la cinquantième fois en sept jours, Morse fit le récit circonstancié de son aventure. Mais il n'était occupé que de Sue. Alors qu'elle se dirigeait vers la piste, escortée de l'interne, un fragment de Coleridge lui revint à l'esprit :

La mariée vient d'entrer dans la salle,
Rose comme la fleur de ce nom.

Il les regardait danser ; il vit les bras de Sue enlacés autour du cou de son partenaire, son corps proche du sien ; puis la joue du toubib effleura ses cheveux et elle posa la tête sur son épaule. Heureuse. Morse crevait de jalousie. Il détourna les yeux du couple joue contre joue.

— Tout bien considéré, je crois pouvoir me tirer de cette danse en votre compagnie. Puis-je ?

Il prit la main de la petite brune qu'il conduisit vers la piste. Parvenu là, il plaça fermement son bras droit autour de son buste et l'attira vers lui. Mais il ne tarda pas à prendre la mesure de sa stupidité. Son pied blessé fonctionnait à merveille mais, faute d'oser lever l'autre pied de plus d'un centimètre au-dessus du plancher, il l'envoyait dans les orteils de sa partenaire avec une régularité monotone et mal perçue. Fort heureusement, la danse s'acheva vite ; murmurant des excuses prolixes de la part de son pied si mal éduqué, Morse revint en clopinant jusqu'au havre de sa table. Sue parlait toujours avec animation avec le docteur Eyres et quand Sandra les eut rejoints, le trio éclata de rire.

Dix minutes plus tôt, Morse aurait parié qu'un steak succulent lui semblerait aussi desséché que les pommes de la mer Morte. Néanmoins, il attaqua son dîner avec détermination. Au moins il pouvait manger. Même s'il dansait comme un sabot, même s'il avait sottement oublié à quel point son âge était mûr, même si Sue se languissait d'un autre homme, il pouvait toujours manger. Et c'était joliment bon. Ils parlaient peu et quand une vraie question fut posée — ils en étaient au café —, elle suscita une vive surprise.

— Pourquoi m'avez-vous invitée, inspecteur ?

Morse la regarda : les cheveux châtain clair relevés souplement, le visage tout de charme et de fraîcheur, les joues légèrement colorées par le vin, la magie des grands yeux tristes. Avait-il une idée précise lorsqu'il l'avait invitée ? Il n'en était pas sûr. Il posa les coudes sur la table et son menton sur ses mains serrées l'une contre l'autre.

— Parce que je vous trouve ravissante et que je voulais être avec vous.

Sue le fixa quelques secondes, sans ciller, gentiment.

— Vous le pensez vraiment ? demanda-t-elle tranquillement.

— J'ignore si telle était mon idée quand je vous ai invitée. Mais c'est ce que je veux dire maintenant, et je crois que vous le savez.

Il parlait d'un ton calme, avec simplicité, sans quitter des yeux son regard. Il vit deux larmes splendides perler à ses paupières ; elle se pencha et posa une main sur son bras.

— Venez danser avec moi, murmura-t-elle.

La piste était encombrée et ils ne firent guère plus que se balancer lentement, au rythme long et lent de l'orchestre. Sue inclina légèrement la tête vers sa joue et Morse sentit avec un bonheur merveilleux l'humidité de ses yeux. Il désirait que le monde s'arrêtât et que ce moment céleste pût être lancé sur les flots éternels. Il embrassa son oreille, chuchota gauchement de tendres choses et Sue se blottit plus étroitement encore dans ses bras tout en l'attirant contre elle. Ils restèrent ainsi lorsque la musique s'arrêta et Sue leva les yeux vers lui.

— Pourrions-nous partir à présent ? Dans un endroit pour nous seuls ?

Morse garda peu de souvenirs des instants qui suivirent. Il avait attendu dans un état de rêve éveillé près de la porte à tambour et, bras dessus bras dessous, ils avaient suivi St Giles Street jusqu'à la Lancia.

— Je veux vous parler, annonça Sue lorsqu'ils furent assis dans la voiture.

— Je vous écoute.

— Vous savez, quand vous avez dit que vous pourriez ne pas avoir voulu... ne pas avoir voulu dire ce que vous avez dit... Oh, mon Dieu, je m'embrouille complètement. Voilà ce que je veux dire : vous aviez l'intention de me questionner, n'est-ce pas ?

— Moi ? fit Morse.

— Vous savez que c'est vrai. A propos de Jennifer. C'est là que nous devions en venir, n'est-ce pas ? Vous pensez qu'elle a quelque chose à voir dans le meurtre de Woodstock...

Morse acquiesça d'un mouvement de tête.

— Et vous vouliez me questionner sur ses petits amis et tout le reste.

Silencieux dans l'obscurité de sa voiture, Morse tardait à répondre.

— Je n'ai pas l'intention de vous questionner maintenant, Sue, dit-il enfin. Ne vous en faites pas.

Il l'enlaça de son bras, l'attira vers lui et embrassa tendrement les lèvres les plus suaves, les plus divines que le Tout-Puissant créât jamais.

— Quand pouvons-nous nous revoir, Sue ?

Avant même d'avoir fini sa phrase, il sentit que quelque chose allait de travers. Sue s'était raidie ; elle s'écarta de lui, chercha son mouchoir et se moucha. Elle était au bord des larmes.

— Jamais, dit-elle. Nous ne pouvons pas.

Et jamais encore Morse n'avait ressenti pareille blessure. Incrédule, il demanda :

— Mais pourquoi ? Pourquoi ? Bien sûr que si nous pouvons nous revoir !

— C'est impossible, dit-elle sur un ton neutre, définitif. Nous ne pouvons pas nous revoir, inspecteur, parce que... parce que je suis fiancée. Je vais me marier.

Elle parvint tout juste à s'arracher le dernier mot avant d'enfouir sa tête sur l'épaule de Morse et de fondre douloureusement en larmes. Morse l'enlaçait toujours étroitement de son bras et il écoutait avec une tristesse insondable ses sanglots convulsifs. Le pare-brise était tout embué par leur respiration ; il l'essuya sommairement du revers de sa main libre. Le mur massif de St John's College apparut. Il n'était que 22 heures et un groupe d'étudiants riaient gaiement devant la loge du portier. Morse connaissait bien l'endroit. Il y avait aussi fait ses études ; vingt ans plus tôt et, d'une certaine manière, il avait raté sa vie.

Ils roulèrent en silence jusqu'à North Oxford et Morse arrêta la Lancia devant chez Sue. A cet instant, la porte d'entrée s'ouvrit et Jennifer Coleby parut, les clés de sa voiture à la main. Elle vint vers eux.

— Bonsoir, Sue. Vous rentrez bien tôt !

Sue ouvrit sa fenêtre.

— On ne tenait pas à être arrêtés pour conduite en état d'ivresse.

— Vous entrez prendre un café ? demanda Jennifer dont la question, à travers la vitre de la voiture, s'adressait obliquement à Morse.

— Non. Je pense que je vais rentrer.

— Alors, on se retrouve dans cinq minutes, dit Jennifer à Sue. Je vais juste rentrer la voiture.

Elle pénétra dans une élégante petite Fiat et démarra doucement en direction du garage qu'elle louait dans la rue voisine.

— Braves petites voitures, les Fiat, dit Morse.

— Pas meilleures que les voitures anglaises, dit Sue qui cherchait courageusement à ne pas se ridiculiser de nouveau.

— On dit qu'elles sont très sûres. Et même si quelque chose cloche, il y a toujours un excellent concessionnaire à proximité, répondit Morse qui s'essayait sans conviction à la désinvolture.

— A portée de main, pour ainsi dire.

— Pour ma part, j'ai toujours trouvé Barker satisfaisant.

— Jennifer aussi, dit Sue.

— Bon, je crois que je ferais mieux de rentrer.

— Vous êtes sûr que vous n'avez pas envie d'un café ?

— J'en suis certain.

Sue lui prit la main et la retint légèrement dans la sienne.

— Vous savez que je vais m'endormir en pleurant. Vous le savez, n'est-ce pas ?

— Ne dites pas ça, fit Morse qui ne voulait pas souffrir davantage.

— Je souhaiterais que vous veniez dormir avec moi, murmura-t-elle.

— Je souhaite dormir avec vous tous les jours de ma vie, Sue.

Ils n'en dirent pas plus. Sue descendit de voiture et agita la main tandis que la voiture s'éloignait lentement ; puis elle se tourna vers la porte, le visage inondé de larmes.

Le cœur lourd, Morse roula jusqu'à Kidlington. Il pensait à la première fois où il avait vu la Fille aux yeux noirs ; puis il pensa à la dernière. Si seulement les choses avaient pu être différentes ! Le plus triste lambeau de poésie qu'il eût jamais lu lui revint à l'esprit :

Pas une ligne écrite de sa main, je ne possède,
[pas une boucle de ses cheveux.

Rien de réconfortant. Il n'avait pas envie de rentrer chez lui ; jamais il n'avait réalisé jusqu'alors à quel point il était devenu solitaire. Il s'arrêta au *White Horse*, commanda un double whisky et s'installa dans un coin désert. Elle ne lui avait même pas demandé son prénom... Il songea au docteur Eyres et à sa Sandra aux yeux charbonneux. Il songea sans envie qu'ils étaient probablement en train de se mettre au lit. Il pensa à Bernard Crowther dont il doutait que ses amours illégitimes à Blenheim Park fussent empreintes d'une tristesse égale à la moitié de celle qu'il éprouvait. Il pensa enfin à Sue et à son fiancé dont il espérait que c'était un gentil garçon. Il commanda un autre double whisky et lorsque le patron cria l'heure, il sortit éméché, l'œil larmoyant.

Il gara sa voiture avec des précautions exagérées et entendit sonner le téléphone avant d'avoir pu ouvrir la porte. Son cœur bondit. Quand il se rua dans l'entrée, la sonnerie venait de s'arrêter. Était-ce elle ? Était-ce Sue ? Il pouvait toujours l'appeler. Quel était son numéro ? Il l'ignorait. Il était dans les dossiers, au QG de la police. Il pourrait appeler là-bas. Il saisit le téléphone... et le reposa. Ce ne devait pas être Sue. Si c'était elle, elle rappellerait. Sans doute n'avait-elle cessé d'appeler tout le temps qu'il avait passé au *White Horse*. Et merde ! Rappelle, Sue. Que j'entende ta voix, simplement. Rappelle, Sue. Mais le téléphone ne sonna plus cette nuit-là.

19. Jeudi, 14 octobre

Le jeudi matin, Bernard Crowther avait la gueule de bois. Il devait donner un cours au collège à 11 heures et contemplait avec une appréhension croissante ses notes sur « Les influences sur le style poétique de Milton ». A neuf heures moins le quart, Margaret lui avait apporté une tasse de café noir brûlant ; elle savait toujours et, généralement, elle le disait. Debout à 6 h 30, elle avait préparé le breakfast des enfants, lavé quelques chemises et chemisiers, fait les lits, passé l'aspirateur dans les chambres. A présent, elle enfilait son manteau dans l'entrée. Elle passa la tête par la porte.

— Tout va bien ?

Bernard haïssait qu'on le lui rappelle !

— Très bien.

— Veux-tu que je te prenne quelque chose en ville ? Des comprimés de magnésie ?

Ils paraissaient toujours au bord d'une explosion d'hostilité, s'observant l'un l'autre de part et d'autre d'une frontière longtemps disputée. Margaret ! Margaret ! Il désirait pouvoir lui parler.

— Non, non merci. Écoute, Margaret, je dois bientôt partir. Peux-tu m'attendre quelques minutes ?

— Non. Il faut que j'y aille. Tu déjeunes ici ?

« A quoi bon ? » songea-t-il.

— Non, je mangerai un morceau au collège.

Il entendit claquer la porte d'entrée et la suivit des yeux tandis qu'elle descendait la rue d'un pas rapide jusqu'à ce que, tournant à l'angle, elle disparût à ses yeux. Il alla à la cuisine, remplit un verre d'eau froide et y laissa tomber deux comprimés d'aspirine soluble.

Morse et Lewis s'entretinrent de 9 heures à 10 heures ce matin-là. Il y avait encore quelques détails à régler et plusieurs pistes intéressantes à suivre. C'est ainsi du moins que Morse présenta les choses à Lewis. Après le départ de son sergent, il reçut un appel téléphonique d'un jeune journaliste de l'*Oxford Mail* qui préparait un entrefilet pour l'édition du soir. Réponses de routine. En fait, Morse ne pouvait pas dire grand-chose à qui que ce soit mais il s'efforça de paraître aussi confiant que possible. C'était bon pour le moral.

Il sortit le dossier Kaye et passa l'heure suivante à relire les documents amassés. A 11 heures du matin, il enferma le dossier, prit l'annuaire téléphonique d'Oxford et de son district, chercha le numéro qu'il voulait et appela le directeur de Chalkley and Sons, Botley Road. Pas de chance. John Sanders n'était pas venu travailler ce matin ; sa mère avait téléphoné : mauvais rhume, semblait-il.

— Que pensez-vous de lui ? demanda Morse.

— Il fait l'affaire. Tranquille, un peu renfrogné, peut-être. Mais qui ne l'est de nos jours ? Il fait bien son travail.

— Eh bien, je suis désolé de vous avoir dérangé. J'aurais voulu lui dire deux mots, c'est tout.

— A propos du meurtre de Woodstock ?

— Oui. Voyez-vous, c'est lui qui a trouvé la fille.

— Oui, c'est ce que j'ai lu. Évidemment, tout le monde essaie de le faire parler.

— A-t-il beaucoup à dire ?

— Pas vraiment. Il n'a pas l'air de vouloir en parler. Cela se comprend, j'imagine.

— Certainement. Eh bien, merci encore.

— Je vous en prie. Voulez-vous son adresse personnelle ?

— Merci. Je l'ai déjà.

Lewis eut plus de chance. Mrs Jarman était chez elle, en train de balayer l'escalier.

— Mais je n'y comprends rien, sergent. Je suis sûre que c'étaient deux filles.

Lewis acquiesça.

— Je dois juste contrôler un ou deux détails.

— Mais j'ai parlé à l'une d'elles, vous le savez, et l'autre pauvre fille, enfin, vous savez... Et je pensais qu'elles étaient à peu près de la même taille ; mais c'est toujours difficile de se rappeler, vous savez...

Oui, Lewis savait. Il la laissa en compagnie de son balai.

Il trouva le chauffeur de l'autobus à la cantine de Gloucester Green ; il buvait un café.

— Une fille qui a pris le bus ? Mais la dernière fois, vous avez dit qu'elles étaient deux !

— Je sais. Mais, à présent, nous avons l'impression que, peut-être, une seule serait montée.

— Désolé. Je ne me rappelle pas. Sincèrement, je regrette, mais cela fait un bon bout de temps maintenant.

— C'est vrai. Ne vous en faites pas. C'était juste une idée. Si jamais vous pensez à quelque chose...

— Bien entendu.

George Baker bêchait son jardin.

— Salut, mon pote. On s'est déjà rencontrés.

— Sergent Lewis, de la police de Thames Valley.

— Ça alors. Qu'est-ce que je peux pour vous ?

Lewis expliqua le but de sa visite mais la réponse de George fut à peine moins décourageante que celles des précédents témoins.

— Ben vrai, j'suppose qu'ça aurait pu être un mec, mais cogne-moi, mon pote, j'aurais juré qu'les deux étaient des femmes.

Les souvenirs s'estompaient, l'affaire avait perdu sa saveur. Lewis rentra déjeuner chez lui.

A 14 heures, il fut introduit dans le bureau du

chef du service voitures au garage Barker de Banbury Road où, pendant plus d'une heure, il compulsa méthodiquement des centaines de copies au carbone de feuilles de travail, factures de clients, réservations et autres enregistrements de réparations de voitures au cours des semaines du 22 et du 27 septembre. Il ne trouva rien. Il passa une heure supplémentaire à remonter jusqu'au début septembre, toujours plus convaincu qu'il perdait son temps. Bien qu'elle eût un compte chez Barker, Miss Jennifer Coleby n'avait pas amené sa voiture pour une réparation ou pour un entretien courant depuis juillet. Trois ans plus tôt, elle avait acheté au garage la voiture neuve. Location-vente presque terminée ; pas d'ennuis avec les paiements ; pas d'anomalie mécanique sérieuse. Révision des 10 000 kilomètres le 14 juillet avec quelques réglages : 13,55 livres. Facture payée le 30 juillet.

A défaut d'être surpris, Lewis était déçu. Morse semblait réellement obsédé par cette Coleby. Cette recherche infructueuse allait peut-être l'en guérir pour de bon. Mais il en doutait. Il traversa la rue pour acheter un journal du soir. Un sous-titre en bas et à droite de la une lui tira l'œil :

MEURTRE DE WOODSTOCK
RÉVÉLATION EN VUE

« Poursuivant une activité intense, la police est tranquillement assurée de mettre rapidement la main sur le tueur de Sylvia Kaye, trouvée violée et assassinée au *Black Prince*, à Woodstock, pendant la nuit du 29 septembre. L'inspecteur principal Morse, du QG de

Thames Valley, en charge de l'enquête, a fait savoir ce jour que plusieurs témoins clés se sont déjà présentés. Il considère que la comparution du coupable devant la justice n'est plus qu'une question de temps. »

« Sans doute un canular », pensa Lewis.

Sur l'île déserte hypothétique, le téméraire inspecteur chargé de l'enquête savait depuis toujours qu'en fait de disques, il emporterait Wagner, tout l'œuvre de Wagner. Et ce jeudi 14 octobre, il songeait au bonheur simultané qu'il aurait à fuir tous les comités, à commencer par celui-ci. La réunion qui roulait sur les thèmes des retraites, promotions et salaires s'étirait en longueur comme un désert aride. La seule contribution de Morse fut un mot de recommandation en faveur de l'agent McPherson. Cela semblait une excuse légitime pour contrevenir à son attitude habituelle, caustique et taciturne. La réunion s'acheva enfin à 17 h 5. Il reprit en bâillant le chemin de son bureau où il trouva Lewis plongé dans la lecture des pronostics concernant le match de l'Oxford United contre Blackpool, le samedi suivant.

— Vous avez vu ça, monsieur ? demanda Lewis.

Il lui tendit le journal, en désignant le sous-titre qui annonçait le jour du jugement du tueur de Woodstock. Morse parcourut l'entrefilet avec une lassitude paisible.

— Ces journalistes déforment un tantinet les choses. Qu'en dites-vous ?

La journée de Sue Widdowson se traînait tout

aussi platement. Elle avait désespérément souhaité pouvoir joindre Morse la nuit dernière. Qui sait ce qu'elle aurait bien pu lui dire ? Son téléphone était-il en dérangement ? Mais, dans la lumière froide du matin, elle avait réalisé à quel point ç'aurait été insensé. David arriverait samedi pour le week-end et elle devait aller l'attendre à la gare à l'heure habituelle. Cher David. Ce matin encore, elle avait reçu une lettre. Il était si gentil et elle l'aimait beaucoup. Mais... Non ! Elle avait enfin réussi à ne plus penser à Morse. Ç'avait été presque impossible. Sandra l'avait harcelée de questions, le docteur Eyres lui avait tapoté le postérieur de façon beaucoup trop familière et elle était salement, désespérément misérable.

Mrs Amy Sanders se faisait du souci pour son fils. Depuis plus d'une semaine, il était apathique et pâlot. Il lui était arrivé déjà de sécher l'atelier les jours de déprime et elle avait dû parfois en rajouter lourdement lorsqu'elle décrivait à Messrs Chalkley les symptômes des maladies fictives qui avaient frappé son cher garçon. Mais, ce jour-là, elle était vraiment inquiète. John avait vomi deux fois pendant la nuit et, quand elle était allée le réveiller à 7 heures, il gisait, grelottant et trempé de sueur. Il n'avait rien avalé de la journée et, malgré ses protestations, elle était finalement allée sonner chez le médecin à 17 heures. Non, elle ne pensait pas que ce fût urgent mais elle serait très reconnaissante si le docteur pouvait passer.

La sonnette retentit à 19 h 30 et Mrs Sanders ouvrit la porte à un homme qu'elle n'avait jamais vu. De nos jours, les docteurs changent sans arrêt.

— Suis-je bien au domicile de Mr John Sanders ?

— Oui. Entrez, docteur. Je suis tellement contente que vous ayez pu venir.

— Désolé, mais je ne suis pas médecin. Je suis inspecteur de police.

Le patron du *Bell*, à Chipping Norton, reçut lui-même la demande de réservation, à 20 h 30. Il consulta le registre et reprit le récepteur.

— Pour la nuit de demain et celle de samedi, dites-vous ?

— Oui.

— Eh bien, c'est tout à fait possible, monsieur. Une chambre pour deux personnes. Voulez-vous une salle de bains privée ?

— Ce serait parfait. Et un lit à deux places, si vous avez. On dort bien mal dans ces lits jumeaux.

— Certainement. C'est entendu.

— Je crains de ne pas avoir le temps de confirmer par écrit.

— Ne vous inquiétez pas pour ça, monsieur. Si vous voulez bien simplement me donner vos noms et adresse.

— Mr et Mrs John Brown, Hill Top, Eaglesfield — en un seul mot —, Bristol.

— Voilà qui est noté.

— Bien. Ma femme et moi sommes impatients d'arriver. Nous serons là vers 17 heures.

— J'espère que vous passerez un agréable séjour, monsieur.

Le patron reposa l'appareil et inscrivit les noms de Mr et Mrs John Brown dans le registre des réservations. Un jour, sa femme avait compté le nombre de John Brown qui avaient retenu une chambre à l'hôtel *Bell* : elle en avait recensé sept en un mois. Mais ce n'était pas son job de se tracasser pour ça. L'homme lui avait paru poli et bien élevé. Une voix agréable aussi : un accent du sud-ouest, sans doute assez proche du sien. Et après tout, il devait bien se trouver quelque part un ou deux vrais John Brown.

20. Vendredi, 15 octobre, matin

Morse se réveilla tard le vendredi matin. Le *Times* l'attendait sur le plancher de l'entrée et une lettre dépassait de la boîte aux lettres, dans un équilibre précaire : une facture de Barker de 9,25 livres. Il la glissa parmi plusieurs autres derrière la pendule, sur la cheminée.

La voiture démarra au quart de tour. Ses cannes étaient à l'arrière et il décida de passer à l'hôpital Radcliffe avant d'aller au bureau. En s'immisçant dans la lente, patiente et interminable file de voitures dans Woodstock Road, il arrêta sa ligne de conduite. Bien sûr, il pouvait de nouveau tomber sur elle par hasard, tout comme il pouvait aussi la faire demander. Mais était-ce ce qu'elle désirait ? Il aspirait seulement à la revoir et, bon Dieu, il faudrait qu'elle soit là. Quoi de plus naturel ? Il avait rêvé de Sue la nuit dernière, un rêve vague et flou qui l'avait abandonnée là, figée au seuil de son esprit. Était-ce elle qui avait téléphoné mercredi soir ?

Traversant le flot de voitures, il tourna dans la cour du Radcliffe, s'arrêta sur une double ligne jaune, harponna le plus proche gardien, lui tendit les cannes et l'engagement de restitution. Exécution. Police !

La route était dégagée lorsqu'il quitta Oxford et il se maudissait de toute son âme. Pauvre imbécile ! Que n'était-il entré ! Au fond de lui-même, pourtant, il savait bien qu'il n'était pas un pauvre imbécile, mais ce n'était pas d'un grand secours.

Lewis l'attendait.

— Quel est le programme, monsieur ?

— Je me disais, Lewis, que nous pourrions nous offrir une agréable promenade en bus en fin de matinée. Jusqu'à Woodstock.

« Naturellement, il se garde bien de m'expliquer pourquoi », ronchonna Lewis *in petto.*

— Votre voiture est encore en panne ?

— Non. Elle marche à merveille. Encore une chance ! J'ai reçu ce matin la facture pour cette foutue batterie. Devinez combien.

— 6 livres ? 7 ?

— 9,25 livres !

Lewis grimaça.

— Les types de Headington, qui font seulement les pneus et les batteries, sont moins gourmands ! Ils ne facturent pas les heures de travail. J'en ai toujours été content !

— On dirait que vous avez pas mal d'ennuis avec votre voiture.

— Pas vraiment. Quelques crevaisons dernièrement.

— Vous ne pouvez pas changer un pneu vous-même ?

— Bien sûr que si, je peux. Je ne suis pas une vieille femme ! Encore faut-il avoir une roue de secours.

Morse n'écoutait plus. Il ressentait le picotement familier du sang dans ses bras.

— Sergent, vous êtes génial. Passez-moi l'annuaire. Les pages jaunes. Nous y sommes. Il n'y a que deux numéros. Lequel essayons-nous d'abord ?

— Pourquoi pas le premier, monsieur ?

Quelques secondes plus tard, Morse était en communication avec l'entreprise Cowley, service « Pneus et batteries ».

— J'ai besoin de parler au directeur. Urgent. Police.

Il fit un clin d'œil à Lewis.

— Allô. Inspecteur principal Morse à l'appareil... Thames Valley. Non, non... Rien de ce genre. Je voudrais que vous consultiez vos doubles de factures pour la semaine du 27 septembre. Oui. J'ai besoin de savoir si vous avez fourni une batterie ou réparé un pneu pour Miss Jennifer Coleby. C-O-L-E-B-Y. Oui. Tous les jours de la semaine mais plus probablement mardi ou mercredi. Vous me rappelez ? Faites vite, s'il vous plaît. C'est urgent. Parfait. Vous avez mon numéro ? Parfait. A tout de suite.

Il composa le second numéro et renouvela sa demande. Lewis compulsait le dossier Sylvia Kaye ouvert sur le bureau de Morse. Il examina les photographies : des clichés noir et blanc, grand format, luisants ; le tracé en était étonnamment net. Il se pencha de nouveau sur les instantanés de Sylvia Kaye pris au cours de la nuit où elle gisait dans la cour du *Black Prince*. Elle avait dû être très belle fille, pensa-t-il. Le chemisier blanc avait été violemment arraché à gauche, seul le dernier des quatre boutons était resté attaché. Le sein gauche, entièrement dénudé, évoquait fortement pour Lewis les poses provocantes des modèles dans les magazines pornos. A voir ces images, l'on aurait pu penser qu'il s'agissait d'une scène érotique ; mais Lewis se rappelait trop bien la nuque de la jeune fille blonde et son crâne cruellement fracassé. Il pensa à sa fille, sa petite chérie. Treize ans déjà. Sa silhouette devenait chaque jour plus charmante. Dieu du Ciel ! Quel monde pour y élever des enfants ! Pourvu que sa fille soit épargnée... Il éprouva le besoin profond, brûlant de découvrir le bourreau de Sylvia Kaye.

Morse avait terminé.

— Pouvez-vous me mettre au parfum, monsieur ? demanda Lewis.

Morse se carra dans son siège et réfléchit quelques instants.

— Peut-être aurais-je dû vous mettre au courant plus tôt d'une ou deux choses, sergent. Mais je n'étais pas sûr, je ne le suis d'ailleurs toujours pas. Dès le début pratiquement, j'ai pensé que j'avais une idée juste de l'ensemble du scénario. Je le voyais à peu près comme ceci : deux filles décident de faire du stop pour se rendre à Woodstock et nous avons une preuve suffisamment fiable qu'elles ont été ramassées toutes les deux.

Lewis acquiesça silencieusement.

— Ensuite, ni le conducteur de la voiture ni la seconde fille ne se sont présentés. Je me suis demandé pourquoi. Pourquoi ces deux personnes sont-elles si résolues à ne pas se manifester ? Des raisons évidentes expliquent que l'une d'elles reste bouche cousue. Mais pourquoi les deux ? Il me semblait tout à fait improbable qu'elles soient toutes deux complices du crime. Bon. Que nous reste-t-il alors ? A mon avis, la très forte probabilité qu'elles se connaissent. Toutefois, d'une certaine manière, cela n'aurait pas suffi. La plupart des gens ne dissimulent pas la vérité ; *a fortiori*, ils n'inventent pas de mensonges compliqués pour la seule raison qu'ils se connaissent. Mais supposons qu'il y ait entre eux quelque raison coupable de vouloir que rien ne s'ébruite. Et que cette raison coupable soit qu'ils se connaissent... trop bien. Supposons qu'ils aient une liaison. Leur situation n'est déjà pas commode. Avec un meurtre à l'arrière-plan, elle devient franchement mauvaise.

Lewis aurait aimé qu'il en finisse.

— Mais revenons un peu en arrière. A première vue, nos preuves suggéraient dès le départ que la rencontre entre les deux filles et le conducteur de la voiture était pur hasard : le témoignage de Mrs Jarman est parfaitement clair sur ce point. Mais nous avons découvert, en nous donnant beaucoup de mal inutile, que le conducteur de la voiture rouge est Crowther. Dans sa déposition, il reconnaît avoir une liaison avec une autre femme et dit que le cadre de leurs excursions extra-maritales est Blenheim Park. De plus, toujours selon sa déposition, il allait retrouver sa dame de cœur le soir du mercredi 29 septembre. Parvenu là, j'exécute un bond dans l'inconnu : et si la dame de cœur était l'une des filles qu'il a prises en stop ?

— Mais... commença Lewis.

— Laissez-moi finir, Lewis. Sylvia Kaye était-elle la dame de cœur ? Je ne le pense pas. Nous savons que le 29, Mr John Sanders avait un rendez-vous, si vague fût-il, avec Sylvia. Cela ne prouve rien, ni dans un sens ni dans l'autre, mais Sylvia demeure la candidate la moins vraisemblable des deux. Bon, nous avons toujours notre passagère, Miss ou Mrs X. sur les bras. D'après le témoignage de Mrs Jarman, il est clair que Miss X semblait inquiète et excitée, et je pense que nul ne s'inquiète ou ne s'excite à l'idée d'aller à Woodstock, à moins d'y avoir un rendez-vous important et pas de temps à perdre. Crowther a parlé d'une heure tout au plus, vous vous souvenez ?

— Mais... intervint Lewis qui avait une meilleure idée sur ce point.

— Nous avons également appris de la bouche de Mrs Jarman que Sylvia connaissait l'autre fille : cette histoire de bien rire ensemble toutes les deux le lendemain matin. Donc nous explorons les lieux où Sylvia travaille et nous découvrons une lettre extraordinaire et inexplicable, adressée à Miss Jennifer Coleby, qui est devenue ma grande favorite au titre de Miss X. Je reconnais que la lettre n'est pas une pièce à conviction concluante, bien qu'elle vaille la peine d'être exploitée. C'est une fille intelligente, notre Jennifer. Elle nous pose deux problèmes. D'abord, il semble qu'elle soit allée dans un pub de ce côté-ci de Woodstock et non à Blenheim Park ; ensuite — et ceci n'a pas fini de m'embarrasser — pourquoi s'est-elle rendue en bus ou en stop à Woodstock si elle a une voiture ? Or, nous le savons, elle en a une. Ce qui semble un argument fatal à mon hypothèse. L'est-il vraiment ? Ma voiture n'a pas démarré mercredi parce que la batterie était à plat. Vous venez de dire que vous aviez crevé plusieurs fois récemment et que vous ne pouviez faire les réparations vous-même. Vous assurez ne pas être une vieille femme. Jennifer Coleby non plus n'est pas une vieille femme ; c'est une femme tout court. Supposons qu'elle découvre que sa voiture ne démarre pas. Que fait-elle ? Elle appelle son garage. C'est l'évidence, et c'est pourquoi vous rendez visite à Barker où vous faites chou blanc. Ce matin, pourtant, j'ai cru entrevoir la lumière. J'avais reçu la facture pour la batterie de ma voiture et vous avez mentionné le service « pneus et batterie ». A présent, la vraie question est celle-ci : à quel moment Jennifer a-t-elle découvert que sa voiture était en panne ? Sûrement pas avant d'être rentrée du bureau, vers 17 h 30. Par ailleurs, rares sont les garages qui entreprennent grand-chose à pareille heure ; tout le personnel est parti. Mais vos braves gens « pneus et batterie » ne respectent sûrement pas les horaires syndicaux et ça vaut le coup de les appeler. Je dois supposer que Jennifer n'a pu obtenir que quelqu'un s'occupe de sa voiture ce soir-là, non parce qu'ils ne pouvaient pas le faire mais parce qu'ils ne pouvaient pas le faire en temps voulu. Il se peut qu'elle n'ait pas découvert le pépin avant 18 h 15 ou 18 h 30. Mais je pense qu'elle a dû essayer de se faire dépanner et qu'elle n'a pas réussi. Que lui reste-t-il à faire ? Bien entendu, elle peut prendre un bus. Elle n'en a jamais pris auparavant mais elle a vu assez souvent les bus pour Woodstock. Et voilà pourquoi je crois que c'était Jennifer qui se trouvait près de l'arrêt de la section 5 le soir où Sylvia fut assassinée. Jennifer rencontre une compagne de route impatiente, Sylvia, et elles décident ensemble de faire du stop. Elles vont à pied de l'autre côté du rond-point ; une voiture s'arrête : celle de Crowther. C'est à peine un hasard. Il doit aller à Woodstock, lui aussi, et y arriver sensiblement à la même heure que Jennifer. Savait-il que c'était elle ? Il commençait à faire noir... Je ne sais pas mais je pense que oui.

Morse se tut.

— Et ensuite, monsieur, que se passe-t-il à votre avis ?

— Crowther nous a dit ce qui s'est passé le long des trois kilomètres suivants.

— Vous le croyez ?

Songeur, Morse tardait à répondre. Le téléphone sonna.

— Non, dit Morse, je ne le crois pas.

Lewis regardait l'inspecteur. Il ne pouvait entendre ce qui se disait à l'autre bout de la ligne. Morse écoutait, impassible.

— Merci beaucoup, dit-il enfin. Quelle heure vous irait ? Parfait. Merci.

Il reposa l'appareil. Lewis était suspendu à ses lèvres.

— Et alors, monsieur ?

— Je vous l'ai dit, Lewis. Vous êtes un génie.

— Sa voiture était en panne ?

— Miss Jennifer Coleby a appelé l'entreprise Cowley, pneus et batteries, le mercredi 29 septembre à 18 h 15. Elle a dit que c'était urgent : un pneu avant très dégonflé. Ils ne pouvaient y être avant 19 heures et elle a répondu que c'était trop tard.

— Nous avançons, monsieur.

— En effet, nous avançons. Et maintenant, si nous allions faire notre équipée en bus ?

Les deux hommes prirent le 4A de 11 h 35 pour Woodstock. Il était à moitié vide et ils s'assirent à l'avant, sur l'impériale. Morse était silencieux et

Lewis réfléchissait aux curieux développements de l'affaire. Le bus marchait à bonne allure et s'arrêta quatre fois seulement avant d'atteindre Woodstock. Lors du troisième arrêt, Morse envoya un coup de coude dans les côtes de son sergent et Lewis émergea de sa méditation pour repérer où ils étaient. Le bus s'était rangé sur une aire de stationnement à la sortie de Begbroke, près d'une grande maison au toit de chaume, dont le jardin était parsemé de tables et de chaises sous des parasols rayés de couleurs vives ; il inclina la tête jusqu'au bas de la fenêtre pour voir le nom de l'auberge : *Golden Rose.*

— Intéressant ? fit Morse.

— Très, répondit poliment Lewis.

Ils descendirent à Woodstock et Morse prit les devants.

— Prêt pour une pinte, sergent ?

Ils entrèrent au *Black Prince.*

— Bonjour, Mrs McFee. J'imagine que vous avez oublié qui je suis.

— Je me souviens très bien de vous, inspecteur.

— Quelle mémoire ! dit Morse.

— Que puis-je vous proposer, gentlemen ? demanda-t-elle sans se dérider.

— Deux pintes de votre meilleure blonde, s'il vous plaît.

— En service officiel ?

Sa curiosité foncière l'emportait sur son antipathie pour les manières de Morse.

— Non, non ! Juste une visite amicale pour vous revoir.

« Il est rudement de bonne humeur », songea Lewis.

— J'ai vu dans le journal que vous espérez...

Elle cherchait ses mots.

— Nous progressons, n'est-ce pas, sergent ?

— Oh oui ! dit Lewis qui, après tout, se livrait lui aussi à « l'activité intensive » évoquée par la presse.

— On ne vous accorde jamais le temps de souffler, ici ? questionna Morse.

— Oh, ils sont vraiment chics, dit-elle radoucie, car il est toujours agréable que les gens s'aperçoivent que vous travaillez dur. En fait, je suis libre ce soir, samedi et dimanche.

— Où irons-nous ? demanda Morse.

— Que suggérez-vous, inspecteur ? demanda l'hôtesse, arborant son sourire professionnel.

« Bravo, ma belle ! » pensa Lewis. Morse demanda le menu et l'étudia en détail.

— Comment est la cuisine chez vous ?

— Pourquoi ne pas l'essayer ?

Morse sembla considérer cette éventualité avant de s'enquérir d'un bon *fish and chips* dans le voisinage. Il n'y en avait pas. Plusieurs clients étaient entrés ; les policiers sortirent par la porte latérale et débouchèrent dans la cour. A leur droite, une voiture était assise sur ses pneus arrière, ses deux roues avant démontées. Sous la voiture, bien protégé de la graisse et de l'huile et brandissant une formidable clé à molette, le patron du *Black Prince* était étendu ; près de lui béait la boîte à outils pliante qui avait récemment contenu un long et lourd démonte-pneu.

Morse et Lewis quittèrent les lieux sans remarquer le jeune homme qui venait d'entrer dans le bar et de commander un tonic. Selon toute apparence, s'il n'avait pu reprendre son poste chez Messrs

Chalkey and Sons, Mr John Sanders était assez bien remis de ses accès grelottants de fièvre pour participer de nouveau à la vie sociale de Woodstock.

Pendant le trajet de retour, toujours sur l'impériale, Morse étudia l'horaire des bus des comtés du Midland et une carte de North Oxford. De temps à autre, il consultait sa montre et inscrivait une note rapide dans un carnet. Lewis mourait de faim. Dommage qu'ils n'aient pu avaler un *fish and chips*.

21. Vendredi, 15 octobre, après-midi

A 15 h 30, une épaisse enveloppe marquée « Confidentielle » tomba sur le bureau de Morse. Manifestement, le doyen avait fait un travail soigné et approfondi. D'après ses conclusions, Lonsdale College était équipé de quatre-vingt-treize machines à écrire. La plupart appartenaient à l'établissement et s'étaient retrouvées par des chemins divers dans les appartements des professeurs ; une vingtaine d'autres étaient la propriété personnelle de membres du collège. Une pince à dessin retenait les quatre-vingt-treize feuillets, tous numérotés et soigneusement empilés. Deux autres feuillets, agrafés ensemble, fournissaient la légende des exemplaires dactylographiés ; hiérarchie oblige, la machine à écrire du doyen portait le numéro 1. Morse feuilleta la liasse. Il y avait nettement plus de travail qu'il ne l'avait imaginé. Il appela les gens du laboratoire et apprit qu'ils en auraient pour une heure environ.

Lewis avait passé le plus clair de son après-midi

à taper ses rapports ; à 16 h 15, il rejoignit Morse dans son bureau.

— Vous espériez prendre votre week-end, Lewis ?

— Pas si vous attendez autre chose de moi, monsieur.

— Je crains que nous n'ayons beaucoup à faire. Il est temps, me semble-t-il, que nous procédions à une confrontation.

— Une confrontation ?

— Oui, une aimable petite confrontation entre une certaine Miss Coleby et un certain Mr Crowther. Qu'en pensez-vous ?

— Cela pourrait éclaircir un peu l'horizon.

— Oui... Croyez-vous que cet honorable établissement puisse nous fournir quatre tasses à café propres demain matin ?

— Vous voulez que je sois de la partie ?

— Lewis, nous sommes une équipe, mon garçon. Je vous l'ai déjà dit.

Morse appela Town and Gown et demanda Mr Palmer.

— Qui dois-je annoncer ? murmura la voix compassée de la petite Judith.

— Mr Lacharné, dit Morse.

— Ne quittez pas, je vous prie, Mr Lacharné... Je vous passe...

— Palmer à l'appareil. Je n'ai pas bien saisi votre nom, monsieur.

— Morse. Inspecteur Morse.

— Ah ! Bonjour, inspecteur.

Stupide fille !

— Je voudrais dire un mot à Miss Coleby. Confidentiel. Je me demande si...

— Je suis réellement désolé, inspecteur, l'interrompit Palmer. Elle n'est pas là cet après-midi. Elle désirait passer un long week-end à Londres et... De temps en temps, nous faisons preuve de souplesse, n'est-ce pas. Cela facilite parfois les... les bonnes...

— A Londres, dites-vous ?

— Oui. Elle m'a dit qu'elle souhaitait passer le week-end chez des amis. Elle a pris le train du déjeuner.

— A-t-elle laissé une adresse ?

— Je regrette. Je ne crois pas. Je pourrais essayer...

— Inutile. Ne vous dérangez pas.

— Puis-je prendre un message ?

— Non. Je prendrai contact avec elle à son retour.

Peut-être pourrait-il revoir Sue...

— A propos, quand rentre-t-elle ?

— Je ne sais vraiment pas. Dimanche soir, j'imagine.

— Très bien. Je vous remercie.

— Désolé de ne pouvoir...

— Vous n'y êtes pour rien.

Morse reposa l'appareil avec une courtoisie nettement défaillante.

— Un de nos oiseaux s'est échappé, Lewis.

Il tourna son attention vers Bernard Crowther et décida d'essayer d'abord le collège.

— La loge du gardien.

— Pouvez-vous me passer le bureau de Mr Crowther, s'il vous plaît ?

— Une minute, monsieur.

De sa main droite, Morse tambourinait sur la table. Pressons, pressons !

— Êtes-vous encore là, monsieur ?

— Oui, je suis encore là.

— Ça ne répond pas, monsieur, je regrette.

— Est-il au collège cet après-midi ?

— Je l'ai vu ce matin, monsieur. Une minute, s'il vous plaît.

Au bout de trois minutes, Morse soupçonnait sérieusement le foutu gardien d'être allé se détendre les jambes dans la cour.

— Êtes-vous toujours là, monsieur ?

— Oui, je suis toujours là.

— Il est parti pour le week-end, monsieur. Une conférence ou quelque chose comme ça.

— Savez-vous quand il doit rentrer ?

— Désolé, monsieur. Voulez-vous que je vous passe le secrétariat du collège ?

— Non, ne vous dérangez pas. Je rappellerai plus tard.

— Merci, monsieur.

Morse garda le téléphone en main quelques secondes avant de le reposer avec circonspection.

— Je me demande, je me demande... fit-il, perdu dans ses pensées.

— Il semble que nos deux oiseaux se soient envolés, monsieur.

— Je me demande si la conférence a lieu à Londres.

— Vous ne pensez pas... ?

— Je ne sais que penser, dit Morse.

Une demi-heure plus tard, on lui transmit par téléphone les résultats du laboratoire dont il ne sut pas davantage que penser. Lewis observait les curieuses réactions de l'inspecteur.

— Vous en êtes sûr... ? Absolument sûr... ? Oui.

Bien. Mille mercis. Vous les apporterez vous-même ? Parfait. Merci encore.

— Eh bien, Lewis, attendez-vous à une surprise.

— A propos de la lettre ?

— Oui, à propos de la lettre que quelqu'un a écrite à la jeune dame actuellement en visite chez « des amis » à Londres. Ils disent savoir de quelle machine à écrire il s'agit.

— Laquelle ?

— C'est cela qui me sidère. Nous n'avons encore jamais entendu parler de son propriétaire ! Un certain Mr Peter Newlove.

— Et qui est Mr Peter Newlove ?

— Il est grand temps de le découvrir.

Pour la seconde fois de l'après-midi, il appela Lonsdale College et eut de nouveau au bout du fil le lambin qui régnait sur la conciergerie.

— Mr Newlove, monsieur ? Non, je crains qu'il ne soit pas au collège. Laissez-moi vérifier dans le registre... Non, monsieur. Il est absent jusqu'à lundi. Voulez-vous me laisser un message ? Non ? Très bien, monsieur. Au revoir, monsieur.

— Et voilà, dit Morse. Tous nos oiseaux se sont enfuis. Je ne vois vraiment aucune raison de rester ici plus longtemps. Qu'en dites-vous, Lewis ?

Lewis n'en voyait pas non plus.

— Mettons quand même un peu d'ordre dans ce foutoir, dit Morse.

Lewis rassembla tous les papiers de son côté de la table : les photographies de Sylvia Kaye et les plans soigneusement relevés de la cour du *Black Prince*, annotés de fines pattes de mouche désignant en détail ce qu'ils y avaient trouvé. Une fois encore, il regarda les gros plans de la jeune fille assassinée et ressentit le besoin protecteur et paternel de recouvrir la nudité tragique du jeune corps.

— Je voudrais bien mettre la main sur le saligaud qui a fait ça, grommela-t-il.

— Qu'est-ce que c'est ? fit Morse en lui prenant les photos des mains.

— Un maniaque sexuel, vous ne croyez pas, monsieur ? Lui arracher ses vêtements et la laisser dans cet état, à la vue de n'importe qui ! Bon Dieu, je donnerais cher pour lui mettre la main dessus !

— Oh, je ne pense pas qu'il y ait de grosses difficultés sur ce point, dit Morse.

Lewis lui jeta un regard incrédule.

— Vous voulez dire que vous savez ?

Morse hocha lentement la tête en signe d'assentiment et referma le dossier Sylvia Kaye.

III. A LA RECHERCHE D'UN TUEUR

22. Dimanche, 17 octobre

Le dimanche soir, Sue accompagna David jusqu'à son train de 19 h 13 pour Birmingham. Elle lui dit avoir passé un merveilleux week-end, ce qui était vrai. Le samedi, ils étaient allés au cinéma, puis ils avaient délicieusement dîné dans un restaurant chinois et s'étaient délectés de leur intimité. Le dimanche, ils étaient allés à Headington chez les parents de David, des gens charmants et chaleureux, assez judicieux pour laisser les tourtereaux en tête-à-tête une bonne partie de la journée. Ils espéraient se marier l'automne suivant, une fois que David aurait terminé son troisième cycle de recherche en métallurgie à l'université de Warwick. Grâce à sa licence, il espérait être nommé assistant quelque part et Sue l'encourageait dans cette voie : elle préférait être l'épouse d'un professeur plutôt que celle d'un ingénieur dans l'industrie chimique ou de n'importe quel professionnel de la métallurgie. Que David ait choisi la métallurgie, c'était la seule chose à laquelle, foncièrement, elle ne pouvait adhérer du fond du cœur. Cette réticence, qui remontait à ses propres années d'écolière, était liée à la répugnance qu'elle avait toujours éprouvée pour les odeurs et pour les copeaux argentés des ateliers de métallurgie. Autre chose encore lui déplaisait chez les gens qui travaillent les métaux : la crasse qui s'incruste dans leurs mains en dépit des plus patients nettoyages.

Le train stationnait plusieurs minutes dans la gare d'Oxford et Sue eut tout le temps d'embrasser longuement David, penché à la fenêtre d'un compartiment vide.

— J'ai été terriblement heureux de te revoir, chérie, dit David.

— C'était super !

— Tu as aimé, hein ?

— Bien sûr, j'ai aimé, fit-elle en riant joyeusement. Pourquoi diable poses-tu pareille question ?

— Pour le plaisir d'entendre la réponse ! Rien de plus.

David souriait. Ils s'embrassèrent à nouveau et Sue fit quelques pas auprès de lui lorsque le train s'ébranla.

— Je reviens dans quinze jours. N'oublie pas d'écrire.

— Je n'oublierai pas, assura Sue. Bye !

Elle agita la main jusqu'à ce que le train eût quitté le quai et le suivit des yeux tandis qu'il infléchissait sa route vers le nord ; la lanterne rouge de la dernière voiture dansait et clignotait dans l'obscurité grandissante.

Elle revint lentement jusqu'à la gare par le passage souterrain jusqu'au portillon de l'autre côté.

Elle introduisit son ticket de quai et marcha jusqu'à Carfax. Là, elle dut attendre une demi-heure le passage d'un bus numéro 2 et il était 20 heures lorsqu'elle arriva à North Oxford. Elle traversa la rue et parcourut tête baissée Charlton Road, réfléchissant à ces deux jours. Jamais elle n'aurait pu dire à David ce qui s'était passé mercredi soir. Il n'y avait rien à en dire d'ailleurs... Simple peccadille. Elle pensait que la majorité des gens piquent parfois leur petit coup de folie, y compris les fiancés, et qu'il y a certaines choses que l'on ne peut tout simplement pas dire. Bien entendu, David n'aurait pas été jaloux ; ça n'était pas son genre. David était doux, placide, équilibré. Peut-être ne lui aurait-il pas déplu qu'il fût un peu jaloux. Mais elle savait, ou elle pensait savoir, qu'il ne l'était pas. Elle pouvait déceler la jalousie à des lieues à la ronde. Morse, par exemple... Elle s'était vraiment comportée comme une garce au *Sheridan*. Cette idée de flirter avec le docteur Eyres ! Morse avait été jaloux, férocement, furieusement jaloux. Elle avait secrètement joui de le rendre jaloux jusqu'à ce que... Bon, elle n'allait pas se remettre à penser à lui... Mais elle n'avait jamais pleuré en pensant à David... Elle se demanda si Morse l'avait crue quand elle lui avait dit qu'elle s'endormirait en pleurant, le mercredi soir. Elle espérait que oui. Car c'était vrai. Bon, voilà qu'elle recommençait : d'abord David et aussitôt lui. Il ne lui avait probablement pas accordé une pensée depuis... David ! David était l'homme de sa vie. Une fois qu'elle l'aurait épousé, elle serait enfin heureuse. Le mariage. Un grand pas, dit-on. Mais elle avait déjà vingt-trois ans... Elle espérait que Morse avait repensé à elle... Oublie-le !

Mais il ne lui fut pas permis de l'oublier. En approchant de la maison, elle vit la Lancia garée devant chez elle. Son cœur se mit à cogner ; malgré elle, une joie irrépressible l'envahit des pieds à la tête. Elle entra et se rendit tout droit au séjour. Il était assis et bavardait avec Mary. Il se leva lorsqu'elle entra.

— Bonsoir.

— Bonsoir, dit-elle d'une voix faible.

— Je suis venu voir Miss Coleby mais j'ai cru comprendre qu'elle n'arriverait pas avant un moment. Mary a eu la gentillesse de me tenir compagnie.

« Mary ! Voyez-moi ça ! Vilaine petite croqueuse d'hommes rouquine et rondouillarde ! Pourquoi ne files-tu pas, Mary ? Mary, pourquoi ne nous laisses-tu pas seuls ? Quelques minutes seulement ? Je t'en prie ! » Elle se sentait atrocement jalouse. Mary, cependant, impressionnée par le charmant inspecteur, ne manifestait aucune intention de retraite immédiate. Sue n'avait pas quitté son léger manteau ; elle se posa sur le bras d'un fauteuil, luttant de son mieux contre la vague de désespoir qui menaçait de la submerger. Elle s'entendit préciser :

— Je pense qu'elle prendra le train de 20 h 15 à Paddington. Elle sera probablement là vers 22 heures.

Dans deux heures. Deux grandes heures. Si seulement Mary fichait le camp ! Il pourrait lui proposer d'aller prendre un verre quelque part et ils pourraient parler. Mais la vague eut raison d'elle. Sue quitta le séjour et se rua dans sa chambre. Après son départ, Morse se leva et remercia Mary de son hospitalité. En ouvrant la porte d'entrée, il se tourna vers elle. Pouvait-elle demander à Sue de descendre une seconde ? Il aurait aimé lui dire un mot. A son tour, Mary disparut dans l'escalier et s'évanouit heureusement de la scène. Morse fit quelques pas sur l'allée bétonnée et bientôt la silhouette de Sue s'encadra dans la porte.

— Vous vouliez me parler, inspecteur ?

— Quelle est votre chambre, Sue ?

Elle sortit et s'arrêta près de lui. Son bras l'effleura lorsqu'elle désigna la fenêtre au-dessus de la porte d'entrée, et Morse ressentit un mal déchirant entre les tempes. Il n'était pas grand et, juchée sur ses chaussures à semelles compensées, elle était presque de sa taille. Elle laissa retomber le bras et, par un beau hasard, leurs mains se rencontrèrent. « Laissez votre main là, Sue. Laissez-la, ma chérie. » Un frisson électrique naquit de ce contact et tendrement, doucement, il frôla son poignet du bout des doigts.

— Pourquoi voulez-vous le savoir ? demanda-t-elle la voix enrouée, haletante.

— Je ne sais pas. Je pense que si un jour je repasse par ici et que je voie de la lumière à votre fenêtre, je saurai que vous êtes là.

Elle ne pouvait en supporter davantage. Elle lui retira sa main et lui tourna le dos.

— Ainsi, vous êtes venu voir Jennifer ?

— Oui.

— Je le lui dirai, bien sûr ; dès qu'elle rentrera.

Morse acquiesça en silence.

— Vous pensez qu'elle a quelque chose à voir dans l'affaire de Woodstock, n'est-ce pas ?

— Quelque chose. Peut-être.

Ils restèrent silencieux un instant. Sue portait une robe sans manches et s'efforçait de ne pas grelotter.

— Eh bien, je n'ai plus qu'à partir.

— Bonsoir.

— Bonsoir.

Il avait presque atteint la grille lorsqu'il pivota sur ses talons.

— Sue ?

Elle était sur le seuil.

— Oui ?

Il revint vers elle.

— Sue, voudriez-vous venir avec moi un moment ?

— Oh...

Sue n'alla pas plus loin. Jetant les bras autour de son cou, elle pleura de bonheur sur son épaule et, bien entendu, n'entendit pas la grille qui s'ouvrait.

— Veuillez m'excuser, s'il vous plaît.

C'était la voix froide et bien timbrée de Jennifer Coleby qui les dépassa et entra dans la maison.

Les deux autres vagabonds rentraient aussi, chacun chez soi. Bernard Crowther était revenu de Londres par le même train que Jennifer Coleby mais ils avaient voyagé dans des voitures différentes. En les voyant descendre sur le quai numéro 2, nul n'aurait pu soupçonner le moins du monde qu'ils avaient connaissance de l'existence de l'autre.

A peu près à la même heure, également, dans Church Street, Woodstock, Peter Newlove prenait congé de sa rousse et radieuse amie. Ils s'embrassèrent ardemment. Ils paraissaient insatiables.

— Je te rappelle bientôt, Gaye.

— J'espère bien. Merci encore.

Ç'avait été un week-end coûteux, très coûteux même. Mais Peter estimait en avoir eu pour son argent.

23. Lundi, 18 octobre

Le lundi matin, Morse décida que, si pénible fût-il, il devait faire son travail. Il en était malade ! C'était le grand moment, le dénouement de l'affaire — sur ce point, il se sentait confiant — et, pourtant, il avait l'impression que c'était lui le coupable. Lewis alla cueillir Jennifer Coleby dans sa voiture personnelle ; Morse sentait qu'il pouvait lui épargner le protocole officiel. Bernard Crowther avait fait savoir qu'il viendrait par ses propres moyens, si cela pouvait convenir. Cela convenait. Morse avait essayé de réfléchir à l'approche la plus plausible, mais son pouvoir de concentration l'avait lâchement abandonné. Il décida de laisser les choses suivre leur cours.

A 10 h 25, Bernard Crowther arriva, avec cinq minutes d'avance ; Morse lui servit un café et lui posa quelques questions à propos de sa « conférence ».

— Quel en était le sujet ?

— Les admissions à l'université. Une discussion parfaitement oiseuse à propos des conditions à remplir pour le niveau A. Nous n'avons pas la cote auprès du Conseil des Ecoles, vous savez. Ils estiment qu'Oxford est l'ultime bastion de l'élitisme académique. Ils n'ont sans doute pas tort...

Il n'eut pas le temps de développer son idée.

Lewis entrait avec Jennifer Coleby et Crowther se leva.

— Vous vous connaissez tous les deux, n'est-ce pas ? demanda Morse.

Aucun cynisme dans sa voix. Curieusement — telle fut du moins l'impression de l'inspecteur —, Jennifer et Crowther se serrèrent la main. Des « bonjour » furent échangés et Morse, légèrement déconcerté, versa deux autres cafés.

— Vous vous connaissez tous les deux, n'est-ce pas ? répéta-t-il d'un ton moins assuré.

— Nous habitons tout près l'un de l'autre, n'est-ce pas, Mr Crowther ?

— En effet. Je vous ai souvent vue dans le bus. Vous êtes Miss Coleby, je crois. C'est vous qui passez pour la Société protectrice des animaux ?

Jennifer acquiesça.

Morse se leva et fit passer le sucrier. Il ne tenait pas en place.

Pendant les minutes qui suivirent, Lewis fut contraint de se demander si l'inspecteur n'avait pas complètement perdu les pédales. Après une série gênante de « hum » et de « euh », après avoir déclaré « pour être tout à fait honnête à votre égard » et « nous avons quelques raisons de supposer que », il finit par suggérer à ses deux suspects numéros un, presque en s'excusant, qu'ils devaient avoir une liaison.

Jennifer se retint de pouffer de rire et Bernard sourit timidement. Ce fut lui qui parla le premier.

— Je suis infiniment flatté, inspecteur, et peut-être souhaiterais-je vivement avoir une relation privée avec Miss Coleby. Mais je dois vous avouer que la réponse est non. Que vous dire d'autre ?

— Miss Coleby ?

— Je pense avoir parlé deux fois dans ma vie à Mr Crowther : pour lui demander un don en faveur de la SPA. Je le vois quelquefois dans le bus qui conduit dans le centre ; nous le prenons et nous en descendons aux mêmes arrêts. Mais je suppose qu'il voyage toujours sur l'impériale où je ne vais jamais. Je déteste l'odeur du tabac.

Morse fumait sa troisième cigarette. Décidément, pensa-t-il, il n'aurait jamais le beau rôle face à Jennifer Coleby. Il se tourna vers Crowther.

— Je dois vous poser une autre question, monsieur. Je vous prie de réfléchir soigneusement avant d'y répondre et de ne pas oublier que vous êtes ici à propos du meurtre d'une jeune fille que vous avez transportée dans votre voiture.

Morse nota l'étonnement qu'exprima le visage de Jennifer.

— Miss Coleby, ici présente, était-elle l'autre passagère que vous avez prise en stop ce soir-là ?

La conviction et la spontanéité de la réponse de Bernard troublèrent grandement Morse.

— Non, inspecteur, ce n'était pas elle. Soyez-en pleinement assuré.

— Et vous, Miss Coleby. Jurez-vous que vous n'étiez pas l'autre passagère dans la voiture de Mr Crowther ?

— Oui, je le jure. Formellement.

Morse vida sa tasse.

— Voulez-vous que nous signions quelque chose, inspecteur ? demanda Jennifer, délibérément cynique.

Morse secoua la tête.

— Non. Le sergent Lewis a pris note de ce que vous avez dit tous les deux. Une question encore,

Miss Coleby, si vous voulez bien. Pouvez-vous me donner l'adresse des amis chez lesquels vous avez séjourné à Londres ce week-end ?

Jennifer sortit de son sac une enveloppe blanche et y nota une adresse dans Lancaster Gardens. Après une seconde de réflexion, elle y ajouta un numéro de téléphone et tendit l'enveloppe à Morse.

— Ils mentent tous les deux, dit Morse quand ils furent sortis.

Crowther devait se rendre dans le centre et avait galamment proposé à sa cosuspecte de l'y porter. Morse se demandait ce dont ils allaient bien pouvoir parler. Lewis n'avait rien dit.

— Vous m'entendez ? cria Morse en colère.

— Oui, monsieur.

— J'ai dit qu'ils font une sacrée paire de foutus menteurs. DES MENTEURS.

Lewis garda le silence. Il pensait que l'inspecteur se trompait, qu'il se trompait du tout au tout. Il avait, lui aussi, interrogé pas mal de menteurs et il était fermement convaincu que Crowther et Coleby avaient dit la vérité. Morse regardait son sergent d'un œil dur.

— Allez-y ! Sortez-le !

— Que voulez-vous dire, monsieur ?

— Ce que je veux dire ? Vous savez très bien ce que je veux dire. Vous pensez que je me suis gouré jusqu'au trognon, hein ? Vous pensez que je suis devenu complètement cinglé ! Vous êtes disposé à croire les boniments de n'importe qui mais vous ne me croyez pas. Allez-y ! Dites-le. Je veux savoir !

Lewis était bouleversé. Il ne savait que dire, d'autant que Morse avait manifestement perdu le peu de contrôle qui lui restait. Ses yeux flamboyaient, sa voix était brutale et mauvaise.

— Allez-y. Parlez. Vous avez entendu ce que j'ai dit ? Je veux savoir.

Lewis le regarda et lut l'amertume de l'échec dans les yeux de l'inspecteur. Il aurait bien voulu arranger les choses mais il ne le pouvait. A cause des qualités qui, d'emblée, lui avaient valu l'estime de Morse. Son honnêteté foncière et son intégrité.

— Je pense que vous vous trompez, monsieur, dit-il.

Ce lui fut difficile mais il le dit et il méritait mieux que la réplique féroce de Morse.

— Vous pensez que je me trompe ? Eh bien, laissez-moi vous dire ceci, Lewis. Si quelqu'un se trompe ici, ce n'est pas moi, c'est vous. Vous comprenez ? VOUS, pas moi. Si vous n'avez pas assez de jugeote pour voir que ces deux crapauds visqueux mentent, mentent pour sauver leur peau, vous n'avez rien à faire dans cette enquête. Vous m'entendez ? Vous n'avez rien à faire dans cette enquête.

Lewis éprouvait une peine profonde ; mais pas pour lui.

— Peut-être devriez-vous prendre quelqu'un d'autre avec vous, monsieur. Je veux dire pour l'enquête.

— Vous avez sans doute raison.

Morse se calmait un peu et Lewis le sentit.

— Il y a cet autre type, monsieur, Newlove. Ne devrions-nous...

— Newlove. De qui diable parlez-vous ?

Lewis avait dit la chose à ne pas dire ; la rage

et la frustration latentes de Morse atteignirent de nouvelles altitudes.

— Newlove ? Nous n'avions jamais entendu parler de ce maudit Newlove avant. D'accord, il a une machine à écrire. Ce n'est pas un crime, que je sache ! Il n'a pas écrit cette lettre. C'EST CROWTHER QUI L'A ÉCRITE ! Et si vous ne voyez pas ça, c'est que vous êtes plus myope qu'une foutue vieille chouette !

— Mais ne pensez-vous pas...

— Allez, foutez le camp, Lewis. Vous m'emmerdez !

— Dois-je comprendre que je suis dégagé de l'enquête, monsieur ?

— Je ne sais pas. Je m'en fiche. Foutez le camp et laissez-moi tranquille.

Lewis sortit et le laissa tranquille.

Une minute plus tard, le téléphone sonna. Morse prit le récepteur et barricada sa pensée.

— Je ne suis pas là, beugla-t-il. Je suis rentré chez moi.

Il plaqua l'appareil d'un geste rageur et se rassit, broyant du noir à satiété. Au point d'en oublier Sue. La dernière tour venait de s'écrouler. Après avoir longtemps défié les pires marées, elle n'était plus qu'un informe, un minable tas de sable. Mais, alors même qu'elle s'écroulait, une étrange clarté inondait l'esprit de Morse. Il quitta son fauteuil de cuir, ouvrit le classeur et sortit le dossier Sylvia Kaye. Il l'ouvrit au début et il lisait toujours lorsque, tard dans l'après-midi, l'ombre ayant pris possession de la pièce, sa lecture devint malaisée et qu'une hypothèse nouvelle, horrifiante, surgit des profondeurs de son esprit torturé.

La nouvelle du drame fut connue à 19 h 15. Margaret Crowther s'était suicidée.

24. Lundi, 18 octobre

Après avoir déposé Jennifer Coleby dans High Street, Bernard Crowther avait eu la chance de pouvoir garer sa voiture dans Bear Lane. Nul n'était plus autorisé à laisser sa voiture devant le collège, pas même les *dons*. Après un déjeuner rapide dans la salle des professeurs, il avait passé l'après-midi et le début de la soirée à travailler. Les deux enfants passaient huit jours dans un camping scolaire près de Whitham Woods. En pareilles circonstances, les parents étaient censés aller les voir en cours de semaine mais les jeunes Crowther avaient suggéré à leurs géniteurs de ne pas se donner cette peine ; ces derniers s'étaient inclinés. C'était au moins, pour Bernard et Margaret, l'occasion de substituer aux inévitables frites-sauce tomate quelques repas dignes de ce nom.

Bernard quitta le collège vers 18 h 20. Les rues commençaient à se dégager et le retour fut facile. Il utilisa sa clé de sécurité pour entrer et suspendit son manteau. Drôle d'odeur. Le gaz ?

— Margaret ?

Il déposa sa serviette au bureau. « Margaret ? » Il alla jusqu'à la cuisine dont il trouva la porte fermée à clé. « Margaret ! » Il secoua le bouton de la porte mais il était solidement bloqué de l'autre côté. Il cogna la porte : « Margaret ! Margaret ! Tu es là ? » L'odeur de gaz était beaucoup plus forte maintenant. Il avait la bouche sèche et une panique frénétique altérait sa voix. « MARGARET ! » Il sortit précipitamment par la porte d'entrée, traversa la grille de côté et essaya la porte de derrière. Fermée à clé. Il gémissait comme un enfant. Il regarda dans la cuisine par la grande fenêtre au-dessus de l'évier. L'électricité était allumée. En une fraction de seconde, la dernière lueur d'espoir jaillit, flamba, s'éteignit. La vision surréaliste que ses yeux rencontrèrent était si étrangement improbable qu'elle s'enregistrait à vide sur leur rétine, comme une image dénuée de sens, une vision absurde : un mannequin de cire aux yeux brillants et brillamment illuminé, au sourire figé, incrédule. Qu'est-ce qu'elle pouvait bien faire comme ça, assise par terre ? Elle nettoyait le four ?

Il ramassa une brique qui traînait près du mur, frappa un grand coup dans la vitre et s'entailla les doigts en essayant d'attraper le loquet pour ouvrir la fenêtre de l'intérieur. L'odeur nauséeuse du gaz le frappa comme l'eût fait un corps solide et quelques secondes de stupeur totale s'écoulèrent. Puis, son mouchoir pressé contre son visage, il enjamba maladroitement le mur, passa par la fenêtre et ferma le gaz. La tête de Margaret, à peine engagée dans le four, reposait sur un coussin rouge et soyeux. Absurdement, la pensée engourdie de Bernard lui enjoignit de remettre le coussin à sa place habituelle, sur le canapé du salon. Puis son regard halluciné de zombie tomba sur sa main tailladée qu'il tamponna machinalement avec son mouchoir. Il vit le papier adhésif brun, qui bouchait les interstices sur les montants des portes et de la fenêtre, et remarqua que Margaret en avait coupé les extrémités aussi soigneusement qu'elle le faisait toujours lorsqu'elle emballait les cadeaux pour l'anniversaire des enfants. Les enfants ! Dieu merci, ils étaient loin ! Il vit les ciseaux sur le couvercle en Formica de la machine à laver et, comme un automate, il les ramassa et les rangea dans le tiroir. L'odeur était affreusement écœurante et la nausée lui montait à la gorge. A présent, toute cette horreur infiltrait progressivement son esprit, comme une tache d'encre sur du papier buvard. Il sut qu'elle était morte.

Il déverrouilla la porte de la cuisine, attrapa le téléphone dans l'entrée et d'une voix blanche, ignorante de ce qu'elle disait, il appela la police. Une lettre à son nom était placée près de l'annuaire. Il la prit, la mit dans sa poche intérieure et retourna à la cuisine.

C'est là que la police le trouva dix minutes plus tard, assis sur le sol près de sa femme, les yeux éteints et vitreux ; sa main était posée sur les cheveux de Margaret. Il était demeuré sourd aux appels stridents de la sonnette de l'entrée.

Morse arriva quelques minutes après la voiture de police et l'ambulance. C'était l'inspecteur Bell, de la police d'Oxford City, qui l'avait appelé ; Crowther avait insisté pour qu'il le fît. Les deux inspecteurs s'étaient déjà rencontrés plusieurs fois ; debout dans le corridor, ils discutaient à voix basse. Bernard n'avait opposé aucune résistance quand le médecin légiste l'avait fait sortir de la cuisine, et il était à présent assis au salon, la tête plongée entre ses mains. Il semblait n'avoir pas conscience de ce qui se passait ni de ce qui se disait, mais lorsque Morse entra dans la pièce, il parut reprendre vie.

— Bonjour, inspecteur.

Morse posa la main sur l'épaule de Crowther,

cherchant vainement une parole qui pût être de quelque secours. Rien ne pouvait l'aider.

— Elle a laissé cela, inspecteur.

Bernard chercha dans sa poche intérieure et en ressortit l'enveloppe cachetée.

— Elle est pour vous, monsieur. Elle vous est adressée. Pas à moi, dit Morse calmement.

— Je sais. Mais lisez-la, vous. Je ne peux pas.

De nouveau, il enfouit sa tête entre ses mains et se mit à sangloter calmement.

Morse lança vers son collègue un regard interrogateur. Bell fit signe que oui et Morse ouvrit soigneusement l'enveloppe.

> « Cher Bernard,
>
> « Quand tu liras ceci, je serai morte. Je sais ce que cela va signifier pour toi et pour les enfants et c'est cette seule raison qui m'a retenue de le faire plus tôt, mais je ne peux tout simplement plus supporter la vie plus longtemps. Je trouve si difficile de savoir que dire mais je veux que tu saches que ce n'est pas ta faute. Je n'ai pas du tout été la femme que j'aurais dû être pour toi, j'ai misérablement échoué avec les enfants, tout s'est accumulé et j'aspire au repos et à la paix, loin de tout ça. Je ne peux littéralement plus le supporter plus longtemps. Je me rends compte de mon égoïsme et je sais que je ne fais que fuir loin de tout. Mais, si je ne m'enfuyais pas, je deviendrais folle. Je dois fuir, je n'ai pas le courage de faire face aux choses plus longtemps.
>
> « Tu trouveras tous les comptes sur ton bureau. Toutes les factures sont payées, ex-

cepté celle de Mr Anderson pour la taille des pommiers. Nous lui devons 5 livres mais je n'ai pas pu trouver son adresse.

« Je pense aux premiers temps, lorsque nous étions si heureux. Rien ne peut nous enlever cela. Occupe-toi des enfants. C'est ma faute, pas la leur. Je prie pour que vous n'ayez pas trop mauvaise opinion de moi et pour que vous puissiez me pardonner.

« Margaret. »

Ce n'était pas vraiment un réconfort mais Crowther devait y faire face un jour ou l'autre.

— Je vous en prie, monsieur, lisez-la.

Bernard la lut mais ne manifesta aucune émotion. Il avait déjà sombré dans les plus profonds abîmes du désespoir.

— Et les enfants ? demanda-t-il enfin.

— Ne vous tourmentez pas pour ça, monsieur. Nous nous occuperons de tout, assura vivement le médecin légiste.

Il était rodé à ce genre de situation et connaissait les démarches consécutives. Il ne pouvait faire grand-chose, mais c'était quand même quelque chose.

— Écoutez, monsieur, je veux que vous preniez...

— Et les enfants ?

C'était un homme brisé, épuisé ; Morse le laissa aux soins du médecin. Bell et lui se retirèrent dans le bureau où il remarqua la pile de comptes, assurances, mensualités d'emprunt et actions en Bourse que Margaret avait laissés, parfaitement en ordre sous un presse-papiers, sur le bureau. Mais il n'y toucha pas. Ils relevaient de la relation entre un mari et sa femme, une femme qui vivait encore lorsque, ce jour même, il avait interrogé Crowther.

— Ainsi, vous le connaissez ? demanda Bell.

— Je l'ai vu ce matin, dit Morse. Je l'ai vu à propos du crime de Woodstock.

— Vraiment ? fit Bell, surpris.

— C'est lui qui a pris en stop les deux filles.

— Vous croyez qu'il est impliqué ?

— Je ne sais pas, dit Morse.

— Est-ce que cette affaire a quelque chose à voir avec ceci ?

— Je ne sais pas.

L'ambulance attendait dehors et, tout du long de la rue, des regards curieux épiaient derrière les rideaux. Dans la cuisine, Morse examinait Margaret Crowther. Il ne l'avait jamais vue et fut surpris de découvrir à quel point elle avait dû être séduisante. La quarantaine ? Quelques cheveux gris mais une silhouette nette, élégante, et un visage aux traits fins, à présent bleu et déformé.

— Aucune raison de la laisser là, dit Bell.

— Aucune, dit Morse en secouant la tête.

— Ce gaz de la mer du Nord, cela prend longtemps, vous savez.

Les deux hommes échangèrent encore quelques propos et Morse prit congé. Il était déjà sorti et se dirigeait vers sa voiture lorsque le médecin légiste le rappela.

— Pouvez-vous revenir un instant, inspecteur ? Il dit qu'il doit vous parler.

Morse revint. Crowther était assis, la tête appuyée contre le dossier du fauteuil. Il respirait lourdement et la sueur perlait sur son front. Il était en état de choc profond, et déjà sous sédatif.

— Inspecteur, dit-il en ouvrant difficilement les yeux. Inspecteur, j'ai à vous parler, énonça-t-il avec une immense difficulté.

Morse consulta du regard le médecin qui secoua lentement la tête.

— Demain, monsieur, dit Morse. Je vous verrai demain.

— Inspecteur, j'ai à vous parler.

— Oui, je le sais. Mais pas maintenant. Nous parlerons demain. Demain, ce sera tout à fait bien.

Morse posa la main sur le front trempé de sueur de Crowther.

— Inspecteur !

Mais l'angle supérieur des murs que Crowther s'efforçait de fixer se désintégra lentement devant ses yeux ; les lignes se brouillèrent, fondirent en spirale et s'évanouirent.

Morse conduisit lentement le long de Southdown Road et se rendit compte à quel point Crowther vivait près de Jennifer Coleby. La masse pesante des nuages dissimulait la lune et il faisait nuit noire. Des rectangles de lumière, estompée par des rideaux, trouaient les façades ; derrière la majorité des fenêtres, Morse distinguait la phosphorescence bleutée d'un écran de télévision. Parvenu à hauteur d'une maison très précise, il leva les yeux vers une fenêtre, la fenêtre au-dessus de la porte. Mais elle était sombre et il poursuivit son chemin.

25. Mardi, 19 octobre, matin

Morse avait très mal dormi et s'était réveillé avec un méchant mal de tête. Il haïssait les suicides.

Pourquoi avait-elle fait ça ? Le suicide n'était-il que le refuge des lâches qui fuient le noir désespoir ? Était-il, à sa manière, un acte de courage qui révélait une forme pervertie de bravoure ? Pas que cela, cependant. Tant d'autres existences s'y trouvaient piégées ; les tourments n'étaient pas éliminés ; ils passaient simplement des épaules de l'un à celles d'un autre. L'esprit de Morse tournoyait éperdument, comme un manège fou, ne lui laissant aucun répit.

Il était 9 heures passées quand il se retrouva dans son fauteuil de cuir, le dos ployé par ses sombres humeurs. Il fit appeler Lewis qui frappa anxieusement à la porte avant d'entrer ; mais Morse semblait avoir perdu tout souvenir du déplaisant épisode de la veille. Il fit part à Lewis des circonstances du suicide de Margaret Crowther.

— Pensez-vous qu'il ait quelque chose d'important à nous dire, monsieur ?

Avant que Lewis pût apprendre la réponse, l'on frappa à la porte. Une jeune fille déposa le courrier, lança un « Bonjour » retentissant et disparut. Morse palpa du bout des doigts la douzaine de lettres et son regard s'arrêta sur une enveloppe qui lui était personnellement adressée ; elle portait la mention « Strictement confidentielle » et n'avait pas été ouverte. Elle était identique à celle qu'il avait vue la veille.

— Je ne sais si Crowther a réellement quelque chose à nous apprendre ; mais c'est le cas de celle qui était sa femme.

Il ouvrit l'enveloppe avec son coupe-papier et lut tout haut devant Lewis la lettre dactylographiée.

« Cher Inspecteur,

« Je ne vous ai jamais rencontré mais j'ai appris par la presse que vous étiez chargé de l'enquête sur la mort de Sylvia Kaye. J'aurais dû vous dire ceci depuis longtemps et j'espère qu'il n'est pas trop tard. Voyez-vous, Inspecteur, c'est moi qui ai tué Sylvia Kaye. (Ces derniers mots étaient soulignés de deux traits).

« Je dois essayer de m'expliquer. S'il vous plaît, pardonnez-moi si je m'embrouille un peu mais tout cela semble déjà tellement loin.

« J'ai appris il y a six mois environ — non, six mois très certainement ; peut-être même le savais-je depuis plus longtemps — que mon mari avait une liaison avec une autre femme. Je n'avais pas de preuve, je n'en ai toujours pas. Mais il est difficile à un homme de cacher ce genre de chose à sa femme. Nous sommes mariés depuis quinze ans et je le connais si bien. Cela ressortait de tout ce qu'il disait, de tout ce qu'il faisait et de sa façon d'être ; je pense qu'il a dû être terriblement malheureux.

« Le mercredi 22 septembre, j'ai quitté la maison à 18 h 30 pour aller à mon cours du soir à Headington, mais je n'y suis pas allée directement. Au lieu de cela, j'ai attendu dans ma voiture à l'extrémité de Banbury Road. Il m'a semblé attendre un temps interminable et je ne savais réellement pas ce que j'allais faire. Puis, à 18 h 45, à peu près, Bernard, mon mari, est arrivé en voiture au carrefour de Charlton Road et il a tourné à droite vers le rond-point nord. Je l'ai suivi de mon mieux — je dis cela parce que je ne conduis pas très bien — et, de toute façon, il faisait de plus en plus sombre. Il n'y avait pas beaucoup de circulation et je le voyais très bien, deux ou trois voitures avant moi. Au rond-point de Woodstock Road, il a pris la rocade A34. Il conduisait trop vite pour moi et je me suis laissé de plus en plus distancer. Je croyais l'avoir perdu mais il y avait des travaux plus loin et les voitures ont dû rouler sur une seule voie pendant un kilomètre environ. Il y avait en tête un gros camion très lent et j'ai repéré la voiture de Bernard dont j'étais séparée seulement par six ou sept voitures. Au rond-point suivant, le camion a dégagé vers Bladon ; j'ai réussi à suivre Bernard et je l'ai vu tourner dans la première rue à gauche dans Woodstock. J'ai été prise de panique et ne savais que faire ; j'ai tourné dans la rue suivante, j'ai garé la voiture et je suis revenue en arrière, à pied. Mais c'était sans espoir. Je suis repartie en voiture pour Headington et suis arrivée avec vingt minutes de retard seulement à mon cours.

« Le mercredi suivant, le 29 septembre, je suis de nouveau partie en voiture pour Woodstock, en quittant la maison dix minutes plus tôt que d'habitude. J'ai garé la voiture plus loin dans le village et suis revenue à pied dans la rue où Bernard avait tourné la semaine précédente. Je ne savais pas où attendre — j'avais l'impression d'être complètement idiote, l'impression aussi que tout le monde pouvait me voir, mais j'ai trouvé un petit recoin où me dissimuler sur le côté gauche de la rue — j'étais terrifiée à l'idée que Bernard pourrait me surprendre, si jamais il venait ; et j'ai attendu en surveillant toutes les voitures qui prenaient le virage. C'était un jeu d'enfant d'examiner les voitures qui tournaient, et leurs occupants. Il est arrivé à 19 h 15 et je me suis mise à trembler de tous mes membres. Il n'était pas seul ; une jeune fille aux longs cheveux blonds était assise à l'avant près de lui. Elle portait une blouse blanche. J'ai pensé qu'ils devaient me voir parce que la voiture a tourné — six ou sept mètres plus loin que moi — dans le parking du *Black Prince*. Mes genoux s'entrechoquaient et le sang battait dans mes oreilles mais quelque chose a fait que j'ai surmonté cela. Je me suis avancée avec précaution jusqu'à la cour et j'ai observé attentivement. Il y avait déjà plusieurs voitures — il m'a fallu quelques minutes avant de voir celle de Bernard. Je me suis faufilée en contournant l'arrière d'une voiture — à gauche de la cour — et je les ai vus. La voiture se trouvait du même côté, tout au fond, le coffre vers le mur — il avait dû se garer en marche arrière. Ils étaient assis à l'avant et ils ont parlé un moment. Je sentais une rage froide m'envahir. Bernard et cette petite souillon blonde. Elle avait l'air d'avoir dix-sept ans ! Je les ai vus s'embrasser. Puis ils sont descendus de voiture et sont montés à l'arrière. Je ne pouvais plus rien voir. Cela — du moins — m'a été épargné.

« Je ne peux pas expliquer ce que je sentais. A présent, alors que j'écris, tout cela semble si anodin, si dénué d'importance. J'étais plus en colère que jalouse, cela, je le sais. Une rage folle que Bernard m'humilie de cette manière.

Cinq minutes plus tard environ, ils sont sortis. Ils se parlaient mais je n'ai pas pu entendre ce qu'ils disaient. Il y avait un démonte-pneu, un engin très long ; je l'ai trouvé par terre dans la cour et je l'ai ramassé. Je ne sais pas pourquoi. J'étais terrifiée et tellement en colère. Tout à coup, le moteur de la voiture s'est mis à tourner et les phares se sont allumés, illuminant toute la cour. La voiture est sortie de la cour et — après son départ — la cour est retombée dans le noir ; on aurait dit qu'il faisait encore plus noir qu'avant. La fille était là où il l'avait laissée ; je me suis glissée derrière les trois ou quatre voitures qui nous séparaient et je suis arrivée derrière elle. Je n'ai rien dit — je suis sûre qu'elle ne m'a pas entendue. Je l'ai frappée derrière la tête avec force, sans me donner aucun mal. On aurait dit un rêve. Je ne sentais rien, ni remords, ni peur, rien. Je l'ai laissée où elle était, contre le mur du fond. Il faisait toujours très sombre. Je ne savais ni quand ni comment on la trouverait — cela m'était bien égal.

« Bernard a toujours su que j'avais assassiné Sylvia Kaye. Il m'a doublée quand je rentrais à Oxford. Il a dû me voir puisque je l'ai vu. Pendant un certain temps, il a roulé juste derrière moi — il a dû repérer le numéro de la plaque. Je l'ai vu aussi clairement qu'en plein jour quand il m'a dépassée.

« Je sais ce dont vous avez soupçonné Bernard. Mais vous vous trompiez. J'ignore ce qu'il vous a dit mais je sais que vous lui avez parlé. S'il vous a menti, c'est uniquement pour me protéger. Mais — à présent — je n'ai plus besoin que quiconque me protège. Veillez sur Bernard et ne le laissez pas trop souffrir par ma faute. Il a fait ce que font des centaines d'hommes, et c'est moi qui en suis coupable ; personne d'autre ne l'est. Je n'ai pas été une bonne épouse pour lui, ni une bonne mère pour ses enfants. Je suis seulement si fatiguée, si désespérément fatiguée de tout. A présent, je suis amèrement désolée de ce que j'ai fait, mais je sais parfaitement que ce n'est pas une excuse. Que puis-je dire d'autre ? Que faudrait-il dire d'autre ?

« Margaret Crowther. »

La voix de Morse n'était plus qu'un murmure qui s'éteignit dans la pièce tranquille. Lewis avait été très ému par cette lecture, comme si Margaret Crowther avait été présente. Mais plus jamais elle ne parlerait. Il pensait à la visite qu'il lui avait faite et imaginait sans peine les souffrances cruelles qu'elle avait endurées ces derniers mois.

— Vous pensiez que les choses s'étaient passées comme ça, n'est-ce pas, monsieur ?

— Non, répondit Morse.

— Plutôt surprenant, non ? On dirait que ça vous tombe du ciel.

— Je n'ai pas une haute opinion de son style, dit Morse qui tendit la lettre à Lewis. Trop de tirets pour mon goût.

Le commentaire paraissait aussi impitoyable qu'il était hors de propos. Lewis lut la lettre tout bas.

— Quoi qu'il en soit, c'est une excellente dactylo, monsieur.

— Plutôt bizarre, vous ne trouvez pas, qu'elle ait tapé son nom à la fin au lieu de signer de sa main ?

Donnez une lettre à Morse et son imagination s'élance au royaume des clairvoyants. En son for intérieur, Lewis gémissait d'appréhension.

— Vous pensez que c'est elle qui l'a écrite, n'est-ce pas, monsieur ?

A contrecœur, Morse réprima les ardeurs de la folle du logis.

— Oui. C'est elle.

Lewis pensait comprendre les sentiments de l'inspecteur. Il faudrait encore un bout de temps pour ordonner ce fatras, bien entendu, mais, en soi, l'affaire était close. Lui-même avait énormément apprécié le travail d'équipe avec l'irascible et lunatique inspecteur mais maintenant... Le téléphone sonnait. Morse répondit. Il répéta « Je vois » une douzaine de fois et reposa l'appareil.

— Crowther est au Radcliffe ; il vient d'avoir une petite crise cardiaque. Les visites lui sont interdites pendant deux jours au moins.

— Peut-être n'a-t-il plus grand-chose à nous dire, suggéra Lewis.

— Oh ! si.

Morse se tassa dans son fauteuil. Il mit les mains sur sa tête, comme un collégien paresseux, et son regard alla se perdre sur le mur. Lewis estima prudent de se tenir coi mais, plus le temps passait, plus son agitation croissait.

— Voulez-vous un café, monsieur ?

Morse ne parut pas entendre.

— Café ? Voulez-vous un café ?

Morse le faisait penser à un sourd profond dont l'appareil s'est détraqué. Plusieurs minutes s'écoulèrent encore avant que les yeux gris n'effectuent la mise au point nécessaire au retour dans le monde de la contingence.

— Eh bien, Lewis, voilà qui dégage un peu la scène. Nous pouvons rayer Mrs Crowther de la liste des suspects, non ?

26. Mardi, 19 octobre, après-midi

A midi, Peter Newlove était chez lui. Il n'attendait personne. Normalement, Bernard aurait dû s'inviter à peu près à cette heure pour prendre un gin, mais les nouvelles avaient couru le collège ce matin : Margaret s'était tuée et Bernard venait d'avoir une crise cardiaque. Et cette nouvelle à deux coups le frappait plus que quiconque. Il avait bien connu Margaret et il l'avait bien aimée ; et Bernard était son meilleur ami dans le style académique et dilettante qui s'épanouit dans la plupart des facultés. Il avait appelé l'hôpital mais il n'y avait aucun espoir de pouvoir rendre visite à Bernard avant jeudi au plus tôt. Il avait fait envoyer des fleurs : Bernard aimait les fleurs et n'avait plus de femme pour lui en offrir à présent... Il s'était également enquis des enfants. Ils étaient partis pour Hendon où ils séjourneraient chez une tante. Peter voyait mal comment une telle disposition pourrait tant soit peu les aider. On frappa à la porte.

— C'est ouvert.

Il n'avait jamais encore rencontré l'inspecteur Morse et fut agréablement surpris que celui-ci acceptât le verre proposé. En termes directs et sans équivoque, Morse exposa le but de sa venue.

— Et c'était tapé sur celle-ci ?

Sourcils froncés, Newlove regardait la machine à écrire portable posée sur la table, prête à l'emploi.

— Il n'y a aucun doute sur ce point.

Newlove parut un peu perplexe mais ne dit rien.

— Connaissez-vous une jeune femme nommée Jennifer Coleby, Miss Jennifer Coleby ?

— J'ai bien peur que non, répondit Newlove dont les sourcils froncés se rejoignirent.

— Elle travaille dans High Street, pas loin d'ici. Town and Gown. Compagnie d'assurances.

Newlove secoua la tête.

— Je peux l'avoir rencontrée, bien sûr. Mais je ne la connais pas. Je n'ai jamais entendu prononcer son nom.

— Et vous n'avez jamais écrit à une personne de ce nom ?

— Jamais. Comment aurais-je pu ? Je viens de vous le dire, je n'ai jamais entendu parler de cette femme.

Morse pinça les lèvres et poursuivit :

— Qui d'autre que vous a pu utiliser cette machine, monsieur ?

— Eh bien, je n'en sais vraiment rien. N'importe qui, d'une certaine manière. Je ferme rarement à clé, à moins qu'il n'y ait des papiers importants.

— Vous voulez dire que vous laissez vos portes ouvertes et que n'importe qui peut entrer, se servir un verre et utiliser vos livres ou votre machine à écrire.

— Non, ce n'est pas cela. Mais certains professeurs peuvent entrer en passant.

— A quels professeurs pensez-vous plus particulièrement ?

— Eh bien, par exemple, nous avons ici un nouveau jeune professeur ce trimestre. Il s'appelle Melhuish. Il est venu quelquefois, récemment.

— Qui encore ?

— Qui encore ? Une douzaine d'autres, fit Newlove qui semblait gêné.

— Avez-vous jamais vu un de ces... euh... amis utiliser votre machine à écrire ?

— A vrai dire, non. Je n'en ai pas souvenir.

— Ils utilisent la leur, n'est-ce pas ?

— Oui, je suppose.

— Vous n'avez pas à « supposer » beaucoup sur ce point, n'est-ce pas, monsieur ?

— Non.

— Alors, vous n'avez aucune idée.

— Je ne suis pas très aidant, je sais. Mais je n'ai pas la moindre idée.

Brusquement, Morse vira de bord.

— Connaissiez-vous Mrs Crowther ?

— Oui.

— Vous savez ce qui lui est arrivé ?

— Oui, répondit calmement Newlove.

— Et Bernard Crowther ?

Newlove fit oui de la tête.

— J'ai cru comprendre que c'est un de vos meilleurs amis.

De nouveau, Newlove inclina la tête.

— Je suis allé dans son bureau ce matin, monsieur. Pour parler crûment, je suis allé fouiner chez lui. Mais, voyez-vous, je dois souvent fouiner. Et je n'y prends pas un plaisir particulier.

— Je comprends, dit Newlove.

— Je me demande si vous comprenez, monsieur,

dit Morse dont le débit saccadé trahissait l'impatience. Il venait souvent chez vous, n'est-ce pas ?

— Très souvent.

— Et vous pensez qu'il serait venu chez vous s'il avait eu besoin de quelque chose ?

— Vous voulez dire chez moi plutôt que chez quelqu'un d'autre ?

— Oui.

— Il serait venu chez moi.

— Saviez-vous que sa machine ne peut même pas taper une virgule ?

— Non, je l'ignorais, mentit Newlove.

Après avoir déposé Morse à Lonsdale College, Lewis s'apprêtait à remplir sa propre mission. Il avait beau se creuser la cervelle, il n'arrivait pas à comprendre l'intérêt de cette démarche, mais Morse avait dit qu'elle était d'importance primordiale. Quelque chose avait galvanisé l'inspecteur ; il revivait. Mais ce n'était plus le Morse joyeux et hyperactif des premiers jours de l'affaire. Une humeur sinistre s'était emparée de lui et Lewis le trouvait parfois un peu effrayant. Il espérait de toute son âme qu'ils ne recevraient plus de lettres, terrain d'exercice privilégié où se fourvoyait régulièrement l'ingéniosité de son supérieur.

Il gara la voiture officielle de police dans la petite cour du centre médico-social de Summertown, situé à l'angle de Banbury Road et de Marston Ferry Road. C'était une vaste et imposante construction de grès rouge, dont la porte d'entrée était précédée d'un escalier et d'un porche blanc, une des nombreuses belles maisons bâties par les nantis le long de Banbury Road au cours de la seconde moitié du

XIXe siècle. Lewis était attendu et ne patienta guère plus d'une minute avant d'être introduit dans la salle de consultation du médecin-chef.

— Tout est là, sergent, dit le docteur Green en tendant un classeur à Lewis.

— Êtes-vous sûr que tout y soit, monsieur ? L'inspecteur Morse a beaucoup insisté pour que tout me soit remis.

Le docteur Green observa un instant de silence.

— Les seules choses qui n'y soient pas euh ! sont euh ! les notes que nous avons euh ! pu prendre au cours des entretiens euh ! que nous avons eus euh ! avons pu avoir avec Miss Kaye à propos de euh ! sa vie privée sexuelle. Vous comprenez, je le sais, sergent, ce que sont euh ! ce qu'est l'aspect éthique de euh ! la nature confidentielle de la euh ! relation entre le médecin et son euh ! patient.

— Vous voulez dire qu'elle prenait la pilule, docteur.

Dans ses grandes bottes de policier, Lewis s'aventurait hardiment sur le terrain que l'angélique docteur Green craignait d'effleurer.

— Euh ! Je euh ! n'ai pas dit cela, sergent, n'est-ce pas ? J'ai dit euh ! qu'il est incorrect, oui incorrect de euh ! de trahir les confidences que nous euh ! nous euh ! entendons dans la salle de consultation.

— Nous l'auriez-vous dit si elle ne prenait pas la pilule ? demanda Lewis innocemment.

— Voilà euh ! une question très euh ! très difficile. Vous euh ! nous euh ! vous me faites dire euh ! des choses que euh ! je n'ai pas dites, sergent. Tout ce que euh ! tout ce que j'ai dit est euh...

Lewis se demandait ce que le médecin-chef trouvait à dire à ses malades atteints d'un cancer. Ce devait être, à coup sûr, des entretiens terriblement prolongés. Il remercia son vis-à-vis, prit congé dès qu'il le put mais le persévérant docteur « euh » le poursuivit jusqu'au milieu de l'escalier du porche. L'anecdote amuserait sa femme.

Comme ils en étaient convenus, Lewis reprit Morse devant Lonsdale College à 13 heures. Il décrivit à l'inspecteur les problèmes de conscience du docteur Green à propos du secret professionnel ; Morse y réagit avec une indifférence cynique.

— Nous savons qu'elle prenait la pilule, rappelez-vous.

Lewis aurait dû s'en souvenir. Il avait lu les rapports et Morse avait beaucoup insisté alors pour qu'il les étudiât à fond. Sur le moment, cela n'avait pas semblé très important. Morse aurait-il pressenti dès ce moment leur intérêt ? Lewis en doutait et ses doutes, comme il apparut, étaient pleinement justifiés.

Alors que Lewis quittait le centre, Morse lui demanda de les conduire au motel du rond-point de Woodstock :

— Bière et sandwich, ça vous irait ?

Ils s'installèrent au *Morris Bar* et Morse se plongea dans les rapports médicaux concernant Sylvia Kaye. Ils couvraient à des stades intermittents l'ensemble de son existence pathétiquement brève, depuis la jaunisse bénigne contractée à l'âge de deux jours jusqu'à une mauvaise fracture du bras au cours du mois d'août précédant sa mort. Rougeole, verrues, infection de l'oreille moyenne, dysménorrhées, maux de tête (myopie ?). Une histoire médicale dénuée d'à-coups sévères. La plupart des rapports étaient à peu près lisibles ; curieusement, le parfait apôtre de l'indécision, le consciencieux docteur Green, avait une écriture merveilleusement claire et harmonieuse. Ses seuls contacts directs avec Sylvia concernaient les deux derniers ennuis de santé de la patiente : maux de tête et bras cassé. Morse rendit le dossier à Lewis et alla remplir leurs verres. Certains détails avaient figuré dans le rapport *post-mortem*, mais la mémoire n'était pas l'atout le plus fiable de Lewis.

— Vous êtes-vous jamais cassé un bras ? demanda Morse.

— Non.

— On dit que c'est très douloureux. A cause des terminaisons neurologiques, quelque chose comme ça. Comme quand on se blesse un pied, Lewis. Très, très douloureux.

— Vous en savez quelque chose, monsieur.

— Mais quand on a comme moi une robuste constitution de base, on récupère vite.

Lewis ne releva pas.

— Avez-vous remarqué, reprit Morse, que Green l'a vue la veille de sa mort ?

Lewis rouvrit le dossier. Il avait lu le compte rendu de la visite sans faire attention à la date. Il vérifia. Morse avait raison : Sylvia s'était rendue au centre médico-social de Summertown le mardi 28 septembre, munie d'une lettre du chirurgien orthopédique de l'hôpital Radcliffe. Il lut : « Bras toujours très rigide et douloureux. Traitement complémentaire nécessaire. Continuer la physiothérapie ordonnée comme avant — mardi et jeudi matin. »

Lewis imaginait sans peine la consultation. Tout à coup, une idée extravagante fulgura. Certainement due à sa collaboration avec Morse. Ses soupçons devenaient aussi délirants que ceux de l'inspecteur.

— Vous n'imaginez sûrement pas que euh !

... Voilà maintenant qu'il faisait concurrence à Green.

— Que quoi ? demanda Morse dont le visage était étrangement grave.

— Que Green avait une liaison avec Sylvia ?

Morse sourit tristement et vida son verre.

— Nous pourrions nous renseigner...

— Mais vous disiez que ce truc médical était très important.

— C'était un euphémisme.

— Avez-vous trouvé ce que vous cherchiez, monsieur ?

— Oui. On peut dire que oui. Disons que je cherchais une petite confirmation. J'ai eu Green au téléphone hier.

— A-t-il euh ! A-t-il euh ! euh... ? fit drôlement Lewis.

Un éclair de gaieté fugitive au milieu des sombres derniers jours de l'affaire.

Sue avait congé le mardi après-midi et elle en était bien contente. Travailler au service des urgences était fatigant, en particulier pour ses pieds. Les autres filles étaient sorties ; elle se fit un toast et s'assit dans la petite cuisine, ses beaux yeux mélancoliques fixés sur le carrelage blanc. Elle avait promis d'écrire à David et il fallait vraiment qu'elle s'y mette cet après-midi. Elle se demandait que lui dire. Elle pouvait évidemment lui parler de son job et lui dire combien le dernier week-end avait été merveilleux ; elle pouvait dire encore avec quelle impatience elle attendait de le revoir. Pourtant, tout bonheur avait fui. Elle se reprochait amèrement son égoïsme, tout en sachant qu'elle s'intéressait beaucoup plus à ses besoins et à ses désirs qu'à ceux d'autrui. A ceux de David, en particulier. Il était vain, il était tout à fait impossible... c'était pure folie et c'était même dangereux de penser à Morse. Mais elle avait tellement besoin de lui. Elle mourait d'envie qu'il appelle, elle mourait d'envie de le voir. N'importe quoi... Assise là, dans la petite cuisine, les yeux fixés sur les carreaux blancs, elle céda sans défense à un sentiment où se mêlaient culpabilité, solitude et misère.

Jennifer ne manqua pas de travail ce mardi après-midi. Palmer lui avait remis une ébauche de lettre, à charge pour elle de l'examiner. Toutes les primes, pratiquement, allaient augmenter de 10 % après Noël et il fallait en informer l'ensemble des clients de la compagnie. Le cher homme n'est vraiment pas doué, songea Jennifer. Le premier paragraphe de sa lettre rappelait à Jennifer les exercices tortueux auxquels elle s'était livrée en prose latine. Un « qui », un « que » et un « de laquelle » se colletaient sur deux lignes. Un vrai sabbat de relatifs, pensa-t-elle, souriant de sa trouvaille. Elle corrigea le paragraphe avec autorité : un point ici, un autre paragraphe créé plus loin, un terme plus clair et plus précis... Palmer savait qu'elle était de loin la plus brillante fille de son équipe et il lui soumettait toujours ses brouillons pour les choses importantes. Néanmoins, elle ne s'éterniserait pas chez lui ; la semaine dernière, elle avait posé sa candidature pour deux emplois. Mais s'était bien gardée d'en parler à quiconque, pas même à Mr Palmer. Non que le travail fût déplaisant dans ce bureau, loin de là. Et elle gagnait presque autant que Mary et Sue réunies... Sue ! Elle pensa à la scène qu'elle avait surprise dimanche soir à son retour de Londres. Comme elle avait été heureuse de les trouver dans cette situation ! Elle revoyait le tableau et un sourire cruel joua sur ses lèvres.

Elle porta le brouillon corrigé dans le bureau de Mr Palmer, où Judith peinait à soutenir l'allure pourtant modérée à laquelle son patron dictait une lettre. Elle tendit à Palmer le brouillon remanié.

— J'ai fait quelques suggestions.

— Merci beaucoup. C'était juste un premier jet, vous savez, les premières idées comme elles me sont venues à l'esprit. A l'état brut, pour ainsi dire. Merci beaucoup. Du bon travail.

Jennifer n'ajouta rien. Elle sortit et tandis qu'elle suivait le couloir vers la salle des dactylos, le même méchant sourire étira sa jolie bouche.

La troisième fille de la triade, l'inébranlable, rondelette et rouquine petite Mary, travaillait pour Radio Oxon. A la BBC, elle aurait pu se voir accorder le titre de « scripte » ; mais elle occupait un poste sans avenir dans une station de radio locale. Comme Jennifer, elle avait eu envie de changer de job mais, contrairement à Jennifer, elle était peu qualifiée. Jennifer avait les diplômes qui vous ouvrent la porte des universités et tous ses certificats de sténodactylo ; elle avait dû être forte en classe, pensa Mary. Glaciale, une espèce de Missje-sais-tout... Ça fonctionnait plutôt bien, leur cohabitation, mais elle n'aurait pas été contre un déménagement. Sue était chouette, Mary aimait vraiment Sue qui avait pourtant été un peu maussade et cafardeuse ces derniers temps. Chagrins d'amour. Avait-elle craqué pour ce drôle d'inspecteur ? Ce n'était toujours pas Mary qui le lui reprocherait, en tout cas. Au moins, Sue était humaine. Mary n'était pas sûre de pouvoir en dire autant de Jennifer.

Après le déjeuner, ce mardi-là, un des assistants vint bavarder avec elle. Il avait une barbe, des manières enjouées, cinq petits mioches, et il lorgnait toutes les femmes. Mary ne s'acharna pas vraiment à le décourager.

27. Jeudi, 21 octobre ; vendredi, 22 octobre

Selon l'expression de l'infirmière de garde, l'état de Bernard Crowther était « satisfaisant ». Le jeudi après-midi, il était assis dans son lit pour recevoir son premier visiteur. Curieusement, loin de revendiquer ses droits, Morse les avait abandonnés au premier de la liste.

Peter Newlove était heureux de voir son vieil ami si animé. Ils avaient parlé pendant quelques minutes avec calme et naturel. Certaines choses devaient être dites mais, après les avoir dites, Peter avait enchaîné sur d'autres sujets et constaté que Bernard comprenait. Il était presque temps que Peter s'en aille, mais Bernard posa la main sur le bras de son ami et Peter se rassit près du lit. Un tube d'oxygène pendait du support en métal au-dessus de la tête de

Bernard et un appareil doté de plusieurs cadrans montait la garde de l'autre côté du lit.

— Je désire te dire quelque chose, Peter.

Peter se pencha légèrement pour l'écouter. Bernard avait à présent plus de mal à parler et prenait une profonde inspiration avant chaque groupe de mots.

— Nous pourrons en parler demain. Pour l'instant, reste bien tranquille.

— Je t'en prie, reste, le pressa Bernard, qui forçait sa voix. Il faut que je te parle. Tu es au courant du meurtre de Woodstock.

Peter hocha la tête.

— C'est moi qui ai pris les deux filles en stop, poursuivit Bernard, qui respirait péniblement mais eut un léger sourire. Comique, non ? Quoi qu'il en soit, j'avais rendez-vous avec l'une d'elles. Mais elles avaient manqué le bus et je les ai cueillies. Bien entendu, cela a tout mis par terre. Elles se connaissaient et... et je me suis affolé.

Il se reposa un instant et Peter regarda bien en face son vieil ami en s'efforçant de réprimer l'incrédulité que son regard laissait transparaître.

— Pour abréger une longue histoire, j'ai tiré mon coup avec l'autre ! Peter, tu imagines ! Avec l'autre... Bon Dieu, elle était sacrément bandante ! Peter, tu m'entends ?

Il se renversa contre son oreiller, secoua tristement la tête et prit à nouveau une longue inspiration.

— Je l'ai sautée à l'arrière de la voiture. Elle m'avait excité... excité comme un vieux bouc. Ensuite... je l'ai laissée. C'est tout le comique de l'histoire. Je l'ai laissée. J'ai pris la voiture et suis rentré chez moi. C'est tout.

— Tu veux dire que tu l'as laissée au *Black Prince* ?

— Oui, répondit Bernard. Là où ils l'ont trouvée. Je suis heureux de te l'avoir dit.

— As-tu l'intention de le dire à la police ?

— Voilà ce que je veux te demander, Peter. Tu vois, je... — il s'arrêta —... je ne sais pas si je devrais te le dire, et tu dois me promettre de n'en jamais souffler mot à âme qui vive, fit-il en regardant anxieusement Peter, mais il semblait pouvoir compter sur lui. Je suis presque sûr d'avoir vu quelqu'un d'autre dans la cour ce soir-là. Bien entendu, je ne sais pas qui c'était.

A chaque phrase qu'il prononçait, il semblait plus épuisé et Peter, inquiet, se leva.

— Ne pars pas, supplia Bernard, presque au bout de sa douloureuse ascension et qui s'arrêtait après chaque mot. Je ne sais pas, il faisait si noir. J'étais inquiet. J'ai pris un double whisky dans un pub pas loin de là et suis rentré à la maison. Je l'ai doublée. Quel foutu imbécile j'ai pu faire ! Elle m'a vu.

— De qui parles-tu, Bernard ? Qui as-tu doublé ?

Les yeux fermés, Bernard semblait ne pas entendre.

— J'ai vérifié. Elle n'est pas allée à son cours du soir.

Épuisé, il rouvrit les yeux ; il était heureux de l'avoir dit à quelqu'un, heureux que ce quelqu'un fût Peter. Mais Peter avait l'air perplexe et abasourdi. Il se leva, se pencha ; aussi tranquillement, aussi distinctement qu'il le put, il murmura à l'oreille de Bernard :

— Tu veux dire que tu penses que c'est... que c'est Margaret qui l'a tuée ?

Bernard fit signe que oui.

— Et que c'est pour ça qu'elle...

De nouveau, la tête lasse de Bernard envoya le message affirmatif.

— Je reviens demain. Essaie de te reposer.

Peter se leva. Il s'éloignait déjà lorsqu'il s'entendit appeler une nouvelle fois.

Bernard, les yeux bien ouverts, leva sa main droite avec une autorité fragile. Peter revint sur ses pas.

— Pas maintenant, Bernard. Il faut que tu dormes un peu.

— Je veux te faire mes excuses.

— Des excuses ?

— Ils ont trouvé pour la machine à écrire, n'est-ce pas ?

— Oui, c'était la mienne.

— Je m'en suis servi, Peter. J'aurais dû te le dire.

— Oublie ça. Quelle importance ?

Beaucoup d'importance ; Bernard le savait ; mais il était trop fatigué, il ne pouvait plus réfléchir. Margaret était morte. Telle était l'accablante réalité. Il commençait seulement à saisir le désastre absolu causé par cette terrible réalité : Margaret était morte.

Il s'allongea et sombra dans un rêve éveillé. Les acteurs étaient assemblés et il revit la scène mais de façon détachée, impersonnelle, comme s'il y assistait de l'extérieur.

Quand il les avait vues, il avait su aussitôt que c'était elle mais il n'arrivait pas à comprendre pourquoi elle faisait du stop. Ils n'échangèrent pas un mot et elle s'était assise à l'arrière. Elle avait dû sentir comme lui combien tout était devenu subitement dangereux ; manifestement, elle connaissait l'autre fille. Il avait été presque soulagé quand elle avait dit qu'elle allait descendre à Begbroke. Il avait inventé un prétexte — acheter des cigarettes — et ils avaient échangé quelques répliques fébriles. Il valait mieux laisser tomber pour ce soir. Il était inquiet. Il ne pouvait pas prendre un tel risque. Mais il pouvait sûrement la retrouver un peu plus tard, non ? avait-elle demandé, furieuse. Dans la voiture déjà, il avait perçu la jalousie qu'elle avait dû ressentir à l'égard de l'autre fille qui le baratinait. Non qu'il l'eût encouragée. En tout cas, pas à ce moment-là. Mais il était réellement inquiet et il le lui avait dit. Ils pourraient se revoir la semaine prochaine ; il lui ferait savoir quand, selon leur moyen habituel. Trente secondes de chuchotements furtifs, pas plus ; juste derrière la porte du *Golden Rose*. Elle était exaspérée, ses yeux étincelaient de fureur aveugle. Mais il comprenait ce qu'elle ressentait. Il la désirait toujours autant, aussi violemment.

Il remonta en voiture et roula jusqu'à Woodstock. A présent qu'elle avait le champ libre, la fille blonde semblait encore plus libre de toute inhibition. Elle se renversa en arrière avec une sensualité détendue et offerte. Le bouton du haut de son mince chemisier était défait et le chemisier avait l'air d'une cosse soyeuse, tout près d'éclater sous la pression des seins gonflés comme deux graines gorgées de soleil.

— Vous fait' quoi ?

— Je travaille à l'université.

— Professeur ?

— Oui.

Leurs regards se rencontrèrent. Le dialogue s'était déroulé sur ce ton jusqu'à ce qu'ils arrivent à Woodstock.

— Nous y sommes. Où puis-je vous déposer ?

— Oh ! n'importe où.

— Vous allez retrouver votre ami ?

— Pas avant une demi-heure. J'ai tout mon temps.

— Où avez-vous rendez-vous ?

— *Black Prince*. Connaissez ?

— Voudriez-vous y prendre un premier verre avec moi ?

Il se sentait nerveux, excité.

— Pourquoi pas ?

Il y avait une place libre dans la cour et il se gara en marche arrière au bout du mur de gauche.

— C'est p'têt' pas génial d'prendre un verre ici, dit-elle.

— Peut-être pas.

De nouveau elle s'affala contre le siège, sa jupe remontant sur ses cuisses. Étendues de tout leur long, les longues jambes s'écartaient légèrement, engageantes.

— Marié ? demanda-t-elle.

Il fit oui de la tête. Nonchalante, la main droite de sa passagère jouait distraitement avec le levier de vitesses dont ses doigts caressaient le bouton. Le pare-brise s'embuait sous l'effet de leur haleine et il se pencha au-dessus de la boîte à gants, près du tableau de bord. Son bras l'effleura et il sentit la douce pression qu'exerçait son corps. Il trouva le chiffon et, sans grande conviction, essuya la vitre de son côté. Il sentit la pression de sa main droite contre sa jambe et il s'avança légèrement vers elle, mais elle ne fit aucun effort pour la retirer. Il passa son bras gauche autour du dossier de son siège et elle se tourna vers lui. Provocante, bouche entrouverte, elle promenait langoureusement sa langue sur ses lèvres charnues. Il ne pouvait lui résister davantage et l'embrassa fougueusement, avec un abandon passionné. La langue de la fille serpentait dans sa bouche, son corps se tendait, ses seins dardaient contre sa poitrine. De sa main droite, il lui caressa les jambes et il jouit d'un plaisir purement animal lorsqu'elle se coula légèrement de côté pour les écarter de façon plus obligeante. Elle interrompit le long baiser frénétique pour lui lécher le lobe de l'oreille.

— Défais les boutons. J'ai pas d'soutien-gorg'...

— Allons derrière, dit-il, la voix rauque.

Il avait une érection phénoménale.

Ce fut fini bien trop vite et il se sentit coupable de ses réactions. Il voulait se débarrasser d'elle. Elle semblait complètement différente à présent ; une métamorphose spectaculaire.

— Je dois partir.

— Déjà ?

Elle boutonnait lentement son chemisier mais le charme était rompu.

— Oui, j'en ai bien peur.

— Tu as joui, non ?

— Bien sûr. Tu le sais bien.

— T'aimerais qu'on remett' ça d'temps en temps ?

— Tu sais bien que oui.

Il était de plus en plus pressé de filer. Avait-il

rêvé que quelqu'un rôdait dehors ? Un voyeur, peut-être ?

— Tu n'm'as pas dit ton nom.

— Tu ne m'as pas dit le tien.

— Sylvia. Sylvia Kaye.

— Écoute, Sylvia.

Il s'efforçait de paraître aussi amoureux qu'il le pouvait.

— Tu ne crois pas que ce serait mieux si nous pensions simplement à ça comme à une très belle chose qui nous est arrivée ? Juste une fois. Ici, ce soir.

C'est alors qu'elle devint aigre et mauvaise.

— Tu veux plus m'revoir, hein ? T'es comm' tous les autres. On p'lot' un peu, on tir' son coup et on fil'.

Elle parlait différemment aussi. Comme ces filles faciles, vachardes et vulgaires qu'on ramasse pour pas cher dans les ruelles de Soho. Mais elle avait raison, bien sûr, absolument raison. Il avait eu ce qu'il voulait. Elle aussi, d'ailleurs, non ? Était-elle une prostituée ? Ses souvenirs de l'armée lui revinrent, tous ces hommes qui avaient attrapé la vérole. Il fallait qu'il se tire de là ; de cette voiture étouffante et de cette cour noire et sordide. Il fouilla dans sa poche d'où il tira un billet d'une livre. Avec quelques petites pièces, c'était tout ce qu'il avait sur lui.

— Un' livr' ! Un' sacrée foutue livr' ! Non mais, pour qui tu m'prends ? La prochain' fois, t'auras un sacré fric sur toi, mec ! Ou alors, bas les patt'.

Un sentiment profond de honte et de corruption l'avait envahi. Elle sortit de la voiture et il la suivit.

— T'inquièt', foutu môssieu ! J'saurai bien découvrir qui t'es, môssieu !

Il ignorait ce qui s'était passé ensuite. Il se rappelait avoir dit quelque chose et se rappelait vaguement qu'elle lui avait répondu. Il se rappelait ses phares baignant la cour de lumière et il se rappelait avoir dû attendre pour se faufiler dans la circulation lorsqu'il était arrivé à la nationale. Il se rappelait s'être arrêté pour boire un double whisky et se voyait roulant à tombeau ouvert sur la route à quatre voies, arrivant à deux doigts d'une voiture, faisant une embardée pour la doubler et filant dans la nuit, l'esprit en déroute. Et le jeudi dans l'après-midi, il avait lu dans l'*Oxford Mail* que Sylvia Kaye avait été assassinée.

Ç'avait été stupide d'écrire cette lettre, bien sûr, mais, au moins, Peter n'aurait pas d'ennuis. Mettre les choses noir sur blanc, c'est toujours aller au-devant des ennuis ; mais le système avait si bien fonctionné jusque-là. Quoi qu'il en soit, c'est elle qui l'avait suggéré et cela paraissait nécessaire. Le courrier à North Oxford était un désastre : 10 heures les bons jours, et comme personne ne semblait se tracasser de ce que les filles reçoivent des lettres personnelles au bureau... Il n'était jamais sûr, jusqu'à la dernière minute souvent. Parfois, tout s'embrouillait inextricablement mais, la plupart du temps, le système avait fonctionné sans accroc. Ils l'avaient mis au point tous les deux. Un excellent système, très subtil. De toute façon, personne ne regardait la date. De temps à autre, il avait glissé un court message, comme cette dernière fois. Cette dernière fois... Morse avait dû l'avoir à l'œil mais il n'avait pas été tout à fait assez intelligent pour saisir l'ensemble... Il n'aurait pu dire à Morse toute la vérité, bien sûr, mais il n'avait pas eu l'intention délibérée de l'induire en erreur. Juste un peu. Cette question de taille, par exemple... Il avait eu plaisir à rencontrer Morse. Peut-être qu'en d'autres circonstances ils auraient appris à se connaître, ils se seraient liés d'amitié...

Il s'assoupit et il faisait nuit noire quand il s'éveilla. Les lampes étaient en veilleuse. La blanche et silencieuse silhouette d'une infirmière, assise à une petite table à l'autre bout de la salle, et la plupart des autres patients qui semblaient dormir. Le monde réel, brusquement, se rua sur lui, et Margaret était morte. Pourquoi ? Pourquoi ? Était-ce pour la raison invoquée dans sa lettre ? Il se demanda comment il pourrait désormais affronter la vie et il pensa à ses enfants. Que leur avait-on dit ?

Les spasmes aigus d'une douleur atroce traversaient sa poitrine, bondissants, et il sut soudain avec certitude qu'il allait mourir. L'infirmière était près de lui, et maintenant le docteur. Il était baigné de sueur. Margaret ! Avait-elle tué Sylvia ou était-ce lui ? Quelle importance ? La douleur s'estompait et une étrange sérénité s'installa.

— Docteur, murmura-t-il.

— Calmez-vous, Mr Crowther. Vous allez vous sentir mieux maintenant.

Mais Crowther venait d'avoir une thrombose coronaire sévère et il avait peu de chances de survivre.

— Docteur, voulez-vous écrire quelque chose pour moi ?

— Oui, bien sûr.

— A l'inspecteur Morse. Notez ceci.

Le docteur prit son bloc et inscrivit le court message. Il posait sur Crowther un regard lourd d'inquiétude : le pouls faiblissait rapidement. L'appareil fonctionnait et ses cadrans noirs indiquaient la cote limite. Bernard sentit le masque à oxygène sur son visage et vit avec une étrange lucidité les moindres détails de ce qui l'entourait. Mourir allait être beaucoup plus facile qu'il l'avait jamais espéré. Plus facile que vivre. Il arracha le masque avec une vigueur surprenante et prononça ses derniers mots.

— Docteur, dites à mes enfants que je les aimais.

Ses yeux se fermèrent et il sembla sombrer dans un sommeil profond. Il était 2 h 35. Il mourut à 6 h 30 ce même jour, avant que le soleil ne se lève dans la grisaille légère du ciel, à l'orient, avant que ne cliquettent dans les couloirs les chariots des aides-soignants du petit matin.

Morse baissa les yeux vers lui. Il était 8 h 30 ; à peine deux heures plus tôt, la dépouille mortelle de Bernard Crowther avait été discrètement transportée à la morgue de l'hôpital. Morse avait apprécié Crowther. Visage intelligent ; belle allure. Il pensa que Margaret avait dû beaucoup l'aimer autrefois ; probablement l'avait-elle toujours aimé, dans les profondeurs de son être. Et pas seulement Margaret. Il y en avait eu une autre, n'est-ce pas, Bernard ? Morse relut la feuille de papier quadrillé qu'il avait à la main. « A l'inspecteur Morse. Je suis navré. Je vous ai dit tant de mensonges. Je vous en prie, laissez-la tranquille. Elle n'a rien à voir avec tout ça. Comment le pourrait-elle ? J'ai tué Sylvia Kaye. »

Les pronoms étaient déconcertants ; ç'avait été du moins l'impression du médecin lorsqu'il avait écrit ce court message. Mais Morse les comprenait et il sut qu'avant de mourir, Bernard Crowther avait deviné la vérité. Il regarda de nouveau l'homme mort : les pieds étaient froids comme de la pierre... *plus jamais il ne jaserait de vertes prairies*[1]. Morse fit lentement demi-tour et sortit.

28. Vendredi, 22 octobre, matin

Ce même vendredi, plus tard dans la matinée, Morse avait regagné son bureau et il mit Lewis au courant des ultimes événements.

— Voyez-vous, la vraie difficulté dans cette affaire n'est pas qu'ils nous aient effrontément menti mais qu'ils nous aient servi un pareil mélange de vrai et de faux. Mais, grâce à Dieu, nous approchons du but.

— Nous n'avons pas terminé, monsieur ?

— Eh bien, qu'en pensez-vous ? Cela ferait un peu désordre de laisser les choses en l'état, non ? C'est toujours satisfaisant d'obtenir des aveux, je le reconnais volontiers, mais quand deux personnes passent aux aveux concernant le même meurtre, que faire ?

— Peut-être ne saurons-nous jamais, monsieur. Je pense qu'ils essayaient tous les deux de se couvrir mutuellement, vous voyez ? D'endosser la responsabilité de ce que l'autre avait fait.

— A votre avis, qui est le coupable, sergent ?

---

1. Paraphrase d'une expression empruntée à Shakespeare : *His nose was as sharp as a pen, and a' babbled of green fields. Henry V,* acte 2, scène 3. (*N.d.T.*)

— Je pense que c'est elle, monsieur, dit Lewis, dont l'opinion était dès lors bien arrêtée.

— Peuh !

Il y avait une chance sur deux et il s'était gouré. C'était du moins ce que pensait Morse. Mais il ne tenait pas la grande forme ces derniers temps.

— Allez-y, dit Morse. Dites-moi pourquoi vous vous en prenez à cette pauvre Mrs Crowther.

— Eh bien, elle a découvert que Crowther allait rencontrer l'autre femme et je crois qu'elle a dit vrai : elle l'a suivi et elle l'a vu à Woodstock. Sans cela, elle n'aurait pas pu savoir certaines choses dont elle a parlé.

— Continuez, dit Morse.

— Je pense, par exemple, à l'endroit où la voiture était garée dans la cour et au fait qu'ils soient passés de l'avant à l'arrière de la voiture. Ces détails, nous les ignorions mais ils semblent coller avec ce que nous avons trouvé, nous : un cheveu de Sylvia sur la banquette arrière. J'ai l'impression qu'elle n'aurait pas pu inventer tout ça. Elle n'a pas pu non plus l'apprendre dans les journaux puisque ça n'a pas été publié.

Morse était d'accord.

— Et je vais vous dire autre chose, Lewis : elle n'était pas à son cours à Headington le mercredi soir. En tout cas, son nom n'a pas été coché sur le registre. J'ai vérifié.

Lewis était content d'apprendre cette confirmation.

— Et, cependant, vous ne croyez pas que c'est elle, monsieur ?

— Je sais que ce n'était pas elle, dit Morse simplement. Voyez-vous, Lewis, je pense que si Margaret avait été d'humeur meurtrière, cette nuit-là, l'extrémité du démonte-pneu aurait atteint le crâne de Bernard, pas celui d'une gosse insignifiante comme Sylvia.

Lewis n'avait pas du tout l'air convaincu.

— Je crois que vous vous trompez, monsieur. Je vois ce que vous voulez dire mais les femmes ne sont pas toutes pareilles. Vous ne pouvez pas dire simplement : une femme ferait ceci et ne ferait pas cela. Il y a des femmes capables de tout. Elle a dû éprouver une jalousie terrible envers cette fille qui lui piquait son mari comme ça.

— Elle ne dit pas qu'elle était jalouse, pourtant. Rappelez-vous : elle a parlé de « rage froide ».

Lewis ne s'en souvenait pas mais il trouva la parade :

— Et pourquoi êtes-vous subitement si soucieux de croire ce qu'elle dit, monsieur ? Il me semble que vous aviez dit ne pas la croire.

Morse approuva du chef.

— C'est exactement ce que je veux dire. Tout ça est un mélange ahurissant de vérité et de mensonge. Notre job consiste à dégager le grain de la balle.

— Et comment faut-il s'y prendre ?

— Nous avons besoin d'abord d'un minimum de perspicacité et de psychologie. Je pense qu'elle était sincère quand elle a écrit qu'elle était folle de rage. Pour moi, cela sonne très juste. Je suis pratiquement sûr que, si elle avait inventé, elle aurait parlé de jalousie plutôt que de colère. Et si elle était en colère, je pense que l'objet de sa colère devait être son mari, pas Sylvia Kaye.

Lewis trouvait l'explication plutôt mince et insipide.

— Je ne me suis jamais beaucoup intéressé à la psychologie, monsieur.

— Vous n'êtes pas convaincu ?

— Pas par cet argument, monsieur. Non.

— Ce n'est pas moi qui vous le reprocherais, dit Morse. Moi-même ne suis pas tellement convaincu. Mais vous serez heureux d'apprendre que nous n'avons pas à nous fier à mes dons de psychologue. Réfléchissez une minute, Lewis. Elle a dit qu'elle est entrée dans la cour en longeant la porte — c'est-à-dire vers sa gauche — et qu'elle a continué d'avancer derrière les voitures. Elle a vu Crowther au fond de la cour, également sur la gauche. D'accord ?

— D'accord.

— Mais le démonte-pneu, selon toute évidence, et je ne vois pas de raison possible de ne pas croire à l'évidence, était soit dans la boîte à outils, soit à côté de la boîte, dans l'angle droit le plus éloigné de la cour. L'arme avec laquelle Mrs Crowther prétend avoir tué Sylvia Kaye se trouvait au moins à vingt mètres de l'endroit où elle était. Elle mentionne dans sa déclaration qu'elle était non seulement en colère mais aussi terrifiée. Je la crois volontiers. Qui n'aurait été terrifié ? Terrifié de ce qui allait se passer, terrifié peut-être aussi par l'obscurité ; mais surtout, terrifié à l'idée d'être vu. Et vous voudriez me faire croire qu'elle a traversé la cour et qu'elle a ramassé un démonte-pneu qui était à moins de quatre ou cinq mètres de l'endroit où Bernard se trouvait avec sa poupée blonde ? Des clous ! Elle a lu dans les journaux le coup du démonte-pneu.

— Quelqu'un aurait pu le changer de place, monsieur.

— Oui, quelqu'un aurait pu, certainement. Qui est ce quelqu'un, selon vous ?

Discuter avec Morse quand il était dans cet état relevait du sacrilège. Lewis se sentait dans la peau d'un Moïse irrespectueux, frondant le Seigneur sur le Sinaï. Quoi qu'il en fût, dès le début de l'affaire, il aurait dû accorder plus d'importance à cette histoire de démonte-pneu. Dommage ! Mais autre chose encore l'avait tracassé dans la déclaration de Margaret. D'emblée, il avait paru évident que le crime avait été commis par un homme, pas par une femme. Il avait examiné Sylvia le premier soir et n'avait pas eu besoin des rapports des médecins légistes pour savoir qu'elle avait été violée. Ses vêtements étaient arrachés et, de toute évidence, l'assaillant s'était rué sur son corps. Lewis n'avait pas été surpris, Morse non plus, sûrement, que le rapport eût fait état de sperme répandu sur ses jambes et de contusions autour de ses seins. Ce qui ne cadrait pas avec la déclaration de Margaret. Elle les avait vus à l'arrière de la voiture, disait-elle. Mais avait-elle raison ? Le cheveu avait été trouvé à l'arrière de la voiture mais cela ne prouvait pas grand-chose. Il aurait pu y atterrir de cent façons. Non, dans l'un et l'autre cas, quelque chose clochait. Il était dépassé. Il formula ses doutes et Morse l'écouta attentivement.

— Vous avez raison. C'est un problème qui m'a beaucoup tourmenté.

— Mais, à présent, ce n'est pas un problème, monsieur ?

— Oh non ! Si c'était là notre seul problème, la fin de la croisière s'annoncerait sans nuages.

— Et vous ne la voyez pas ainsi ?

— Je crains qu'il ne nous faille encore affronter des mers démontées.

Morse avait le visage gris et tiré. Il poursuivit d'un ton las.

— Il y a encore une chose que j'aurais dû vous dire, Lewis. Après avoir quitté l'hôpital, ce matin, je suis allé chez Newlove. Il avait rendu visite à Bernard hier après-midi et il était très désireux de parler de lui.

— Du nouveau, monsieur ?

— Oui, dans un certain sens, oui. Newlove n'a pas voulu aborder l'aspect personnel des choses mais il m'a dit que Crowther lui avait parlé de la nuit du meurtre. Très proche de ce que nous savions déjà ou de ce que nous avons reconstitué. Sauf sur un point, Lewis. Crowther a dit qu'il pensait qu'il y avait quelqu'un d'autre dans la cour ce soir-là.

— Mais nous le savions déjà, monsieur ?

— Une minute, Lewis. Essayons de nous représenter la scène, si nous le pouvons. Crowther quitte le siège avant pour s'installer à l'arrière. D'accord ? Sylvia Kaye en fait de même. L'espace libre autour de la voiture est particulièrement restreint et ni le lieu ni les circonstances ne sont propices aux galanteries du temps jadis ; il y a tout à parier qu'elle descend du côté gauche et remonte derrière du même côté, et que lui en fait de même de son côté. Autrement dit, ils sont assis à l'arrière comme ils l'étaient à l'avant : lui à droite, elle à gauche. Maintenant, quelle que soit la posture que Crowther puisse adopter, je pense que la plupart du temps, il tourne le dos à l'endroit où se trouve sa femme ; en d'autres termes, elle est presque exactement derrière lui. Mais Bernard n'a pas d'yeux derrière la tête et

Margaret, elle nous l'a écrit, est terrifiée à l'idée qu'on puisse la voir. Ce qui nous conduit à la conclusion — l'unique conclusion possible, à mon avis — que voici : Crowther n'a pas vu sa femme ce soir-là. Je suis certain qu'elle était là mais je ne pense pas qu'il l'ait vue. Mais il a vu quelqu'un d'autre. Autrement dit, il y avait encore une autre personne dans la cour ce soir-là ; une autre personne qui se trouvait beaucoup plus près de lui que Margaret ; une personne qui se tenait très près de la boîte à outils et dont Crowther a vaguement entrevu la silhouette lorsqu'il s'est installé à l'arrière de sa voiture. Et je pense que c'est cette personne, Lewis, qui a assassiné Sylvia Kaye.

— Alors, vous ne pensez pas non plus que ce soit Bernard ?

Pour la première fois, Morse sembla curieusement hésitant.

— Bien sûr, il aurait pu le faire.

— Mais je ne vois réellement pas le mobile. Et vous, monsieur ?

— Non, je n'en vois pas, répondit Morse, la voix éteinte, en promenant autour de la pièce un regard abattu.

— Avez-vous appris autre chose de Mr Newlove, monsieur ?

— Oui, Crowther lui a dit qu'il avait utilisé sa machine à écrire.

— Vous voulez dire celle de Newlove ?

— Cela vous surprend ?

— Vous voulez dire que, finalement, c'est bien Crowther qui a écrit la lettre.

Morse, déçu, lui lança un regard chagrin.

— Vous n'en avez jamais douté, n'est-ce pas ?

Il ouvrit un tiroir de son bureau dont il sortit une enveloppe blanche, cachetée, qu'il tendit à Lewis. Elle était adressée à Jennifer Coleby.

— Je veux que vous alliez la voir, Lewis, que vous lui donniez ceci et restiez près d'elle pendant qu'elle ouvrira cette enveloppe. Elle contient une feuille de papier et une enveloppe à me retourner, libellée à mon nom. Dites-lui de répondre à la question que je lui pose, de mettre la réponse dans l'enveloppe à me retourner et de cacheter cette enveloppe. Est-ce clair ?

— Ne serait-il pas plus simple de l'appeler au téléphone, monsieur ?

Subitement, la colère flamboya dans les yeux de Morse ; néanmoins, il s'exprima d'une voix calme et contrôlée.

— Comme je vous l'ai dit, Lewis, vous resterez près d'elle et lorsqu'elle aura écrit sa réponse, vous vous assurerez que l'enveloppe est bien cachetée. Voyez-vous, Lewis, je ne veux pas que vous lisiez la question que je pose, ni la réponse qu'elle y fera.

La voix était glaciale. Lewis s'empressa de faire savoir qu'il avait compris. Jamais encore il n'avait mesuré à quel point l'inspecteur pouvait être terrifiant. Il ne demandait qu'à filer.

29. Vendredi, 22 octobre, après-midi

Après le départ de Lewis, les pensées de Morse se tournèrent vers Sue. Beaucoup d'événements s'étaient succédé depuis lundi mais Sue n'avait cessé d'occuper au plus haut degré son esprit. Il fallait qu'il la revoie. Il consulta sa montre. Midi.

Il se demanda ce qu'elle faisait puis, brusquement, se décida.

— Est-ce bien l'hôpital Radcliffe ?

— Oui.

— Le service des urgences, s'il vous plaît.

— Je vous le passe, monsieur.

— Allô. Ici le service des urgences, dit une voix qui n'était pas celle de Sue.

— Je voudrais parler à Miss Widdowson, s'il vous plaît.

— Vous voulez dire à l'infirmière titulaire Widdowson.

Il ignorait ce détail.

— Susan. Je crois que son prénom est Susan.

— Je regrette, monsieur. Nous ne sommes pas autorisés à prendre les appels téléphoniques extérieurs sauf...

— Sauf s'il s'agit d'une urgence, l'interrompit Morse plein d'espoir.

— S'agit-il d'une urgence, monsieur ?

— Non, pas vraiment.

— Je regrette, monsieur.

— Écoutez, je suis de la police.

— Je regrette, monsieur.

Manifestement, elle connaissait déjà ce couplet. La colère de Morse regagnait du terrain.

— L'infirmière en chef est-elle là ?

— Vous voulez que je vous passe l'infirmière en chef ?

— Exactement.

Il attendit bien deux minutes.

— Allô, infirmière en chef à l'appareil.

— Inspecteur principal Morse à l'appareil. Je vous appelle du commissariat de police de Thames

Valley. Je désire parler à l'infirmière titulaire Widdowson. Je comprends que vous ayez vos règlements, et bien sûr je n'essaierais pas d'y contrevenir en temps normal mais...

— Est-ce urgent ? demanda la *vox auctoritatis.*

— Disons que c'est très important.

Pendant les minutes qui suivirent, impartiale et lucide, l'infirmière en chef expliqua les règles qui présidaient à la distribution du courrier personnel et la politique des coups de téléphone, autorisés ou refusés, adressés aux membres de « son » équipe d'infirmières. Elle énuméra ces règles, et les raisons de ces règles à un inspecteur qui ne tenait plus en place et dont les doigts tambourinaient sur le plateau de son bureau avec une célérité caractéristique.

— Voyez-vous, inspecteur, vous n'avez pas idée du volume de lettres et d'appels téléphoniques officiels que mes services reçoivent chaque jour. Si je devais en plus faire face aux complications qu'entraîneraient les lettres et appels personnels, je n'en verrais pas la fin. J'ai tenté et je pense avoir réussi à...

Morse ne l'écoutait plus. Pendant qu'elle parlait, une idée aberrante s'était implantée dans son esprit. Il souhaitait presque l'entendre répéter l'inventaire fastidieux des contraintes.

— Je vous suis très reconnaissant, madame. Veuillez excuser...

— Pas du tout. J'ai été ravie de parler avec vous. Je vais faire de mon mieux pour vous rendre service.

Elle aurait fait n'importe quoi pour lui, à présent, il en était sûr. Mais la situation avait changé. Infime, extravagante, une chance était apparue là où il n'y en avait jusqu'alors aucune. Il raccrocha sitôt qu'il le put, après que l'infirmière en chef l'eut vainement supplié de lui donner l'occasion de lui faire une faveur. Mais il n'en avait pas besoin. Désormais, sa voie était claire.

Pendant que Morse concluait ce long entretien avec sa supérieure immédiate, Sue déjeunait. Elle pensait à lui, elle aussi. Que ne l'avait-elle connu plus tôt ! Elle était certaine, passionnément certaine qu'il aurait pu changer sa vie. Était-ce trop tard, maintenant ? Assis près d'elle, le docteur Eyres profitait de toutes les occasions qu'il pouvait décemment exploiter pour établir un contact physique avec la jolie infirmière titulaire. Mais sa proximité et ses insinuations répugnaient à Sue ; sans attendre le dessert, elle quitta brusquement la table. Oh ! Morse ! Pourquoi ne vous ai-je pas rencontré avant ? Elle repartit vers la salle des accidentés du service des consultations externes et s'assit sur un banc raide. D'une main distraite, elle attrapa un vieil exemplaire de *Punch* et feuilleta machinalement ses pages fanées... Qu'allait-elle faire ? Il ne s'était pas montré depuis ce maudit soir où Jennifer était rentrée de Londres. Jennifer ! Dire qu'elle avait été assez folle pour faire confiance à Jennifer. David ? Elle devait écrire à David. Il serait chaviré ; mais vivre avec un homme, dormir avec un homme pendant quarante ans, voire cinquante... un homme que l'on n'aime pas vraiment et profondément...

Puis elle le vit. Debout devant elle, les yeux gris anxieux ; l'air vulnérable. Les larmes lui montèrent aux yeux et elle éprouva un bonheur indicible. Il vint s'asseoir près d'elle. Il ne chercha pas à lui prendre la main, ce n'était pas nécessaire. Ils parlèrent, elle ne savait pas de quoi. C'était sans importance.

— Je dois y aller, dit-elle. Tâchons de nous revoir bientôt, voulez-vous ?

Il était maintenant 13 h 30. Morse était désespérément malheureux. Il regarda Sue, de tout près ; il savait qu'il l'aimait passionnément.

— Sue ?

— Oui.

— Avez-vous une photo de vous ?

Elle fourragea dans son sac à main.

— Elle n'est pas terrible.

Morse regarda la photo. Elle avait raison. La photo ne la flattait pas mais, tout de même, c'était bien sa Sue. Il la rangea soigneusement dans son portefeuille et se leva. Des patients attendaient déjà : les uns portaient des plâtres encombrants aux jambes ou aux bras, les autres des bandages autour de la tête ; un accidenté de la route venait d'arriver, visage couleur de cendre, bouche barbouillée de sang. Il était temps de partir. Il toucha légèrement sa main et leurs doigts se joignirent pour un tendre et doux au revoir. Sue le regarda disparaître, clopinant légèrement, entre les battants de la porte en celluloïd.

Il était presque 13 h 45 quand, au sortir de l'hôpital Radcliffe, il s'engagea dans St Giles Street. Il avait envisagé de remettre à plus tard sa dernière tâche mais il faudrait bien s'y résoudre un jour ou l'autre ; et puisqu'il était dans le coin...

Sans quitter le côté droit de St Giles, il prit la direction du Mémorial des Martyrs, et s'arrêta au premier snack-bar qu'il trouva, le *Wympy Grill,* où il entra. De son propre aveu, le petit Italien basané qui retournait des beef-burgers sur une plaque chauffante « no speake, signor, the English so good ». Il appela promptement à la rescousse sa serveuse, une gamine malpropre qui prit part à la consultation. Morse les quitta bientôt, étourdi par le manège de leurs mimiques et gesticulations ; cela n'allait pas être facile. Quelques mètres plus bas, nouvel arrêt. Il entra au *Bird and Baby* où il commanda une pinte de bière blonde et entama une grave et tranquille conversation avec le barman ; Morse apprit bientôt qu'il était aussi propriétaire des lieux et qu'il reprenait toujours ses fonctions derrière le bar à l'heure du déjeuner. « Désolé, non. Oui, bien sûr, il aurait remarqué ; mais non. Désolé. » Une corvée longue et déprimante, décidément, mais seul Morse pouvait la faire.

Il poursuivit son travail méthodiquement dans une douzaine d'établissements susceptibles de répondre à son attente, situés plus bas que le cinéma ABC dans Cornmarket ; puis il traversa la rue à Carfax et la remonta dans l'autre sens. Dans une petite pâtisserie-salon de thé, lovée contre l'édifice géant de Marks and Spencer, il trouva la personne qu'il cherchait : une femme aux cheveux gris, bien en chair, qui avait un visage aimable et des manières amicales. Morse lui parla plusieurs minutes et, de nouveau, il y eut beaucoup de hochements de tête et un index qui, cette fois, ne désignait pas vaguement les ruelles par-ci et les impasses par-là. Cette fois, l'index désigna une petite pièce au fond du magasin où l'on servait les produits de la maison. Pour être précis, il désignait dans un angle au fond de la pièce une table flanquée de deux chaises et garnie, sur une nappe à rayures rouges et blanches, d'un service à condiments, d'un cendrier sale et d'une bouteille de sauce tomate.

Il était 15 h 45. Morse alla jusqu'à la table et s'y assit. L'affaire était sur le point de se dénouer ; il le savait et n'en ressentait aucune excitation. Il avait mal aux pieds, surtout au pied droit, et il avait franchement besoin d'avaler quelque chose qui lui remonterait le moral. Une fois encore, il sortit de son portefeuille la photo de Sue et contempla le visage de la jeune fille qu'il aimait si désespérément. La serveuse aux cheveux gris vint vers lui.

— Puis-je vous apporter quelque chose, monsieur ? Je suis désolée. Je n'avais pas réalisé que vous pourriez...

— Je prendrai une tasse de thé, trésor, dit Morse.

C'était mieux que rien.

Vers 16 h 45, il était de retour. Une note de Lewis l'attendait sur son bureau. Son sergent était parti un peu plus tôt ; il espérait que cela ne créerait pas de problèmes. Il demandait que Morse téléphone s'il avait besoin de lui. Sa femme commençait une grippe et les gosses étaient un peu difficiles à tenir... Morse chiffonna la note et l'expédia dans la corbeille à papiers. Sous la note se trouvait la lettre de Jennifer Coleby que Lewis avait apportée. Après avoir vérifié qu'elle était bien cachetée, Morse la posa sans l'ouvrir dans le tiroir de gauche de son bureau qu'il ferma à clé.

Il chercha un numéro dans l'annuaire, le composa. Cela ne répondait pas. Il consulta sa montre : presque 17 heures. Il était sans grande importance que son correspondant fût parti ; néanmoins, Morse aurait aimé mettre les choses en ordre immédiatement. Toujours rien. Il était sur le point d'abandonner quand on décrocha à l'autre bout.

— Allô ?

C'était Palmer.

— Heureux d'avoir pu vous joindre, monsieur. Morse à l'appareil.

— Oh ! fit le petit directeur, dont le ton ne trahissait pas l'enthousiasme. Vous avez de la chance. J'étais en train de fermer mais j'ai pensé qu'il était préférable de rentrer et de répondre. Dans ce métier, voyez-vous, on ne sait jamais. Cela pourrait être important.

— C'est important.

— Oh !

Palmer habitait l'élégante Observatory Street, au bas de Woodstock Road. Oui. Il pouvait rencontrer Morse, bien sûr, il pouvait puisque c'était important. Ils se mirent d'accord pour se retrouver au *Bull and Stirrup*, tout près de Walton Street à 20 h 30 ce même soir.

C'était un pub minable, du genre miteux et mal éclairé ; un lieu démoralisant, voué aux chevaux, aux fléchettes et aux paris, revendications essentielles d'une clientèle pitoyable. Morse n'avait qu'une envie : régler son affaire et filer au plus vite. Il lui fallut d'abord se battre, car Palmer était évasif et réticent ; mais Morse en savait trop sur lui. A contrecœur mais honnêtement, semblait-il, Palmer avoua sa pitoyable petite histoire.

— Vous pensez, je suppose, que j'aurais dû vous dire tout ceci plus tôt.

— Je ne sais pas. Personnellement, je ne suis pas marié, répondit Morse, indifférent.

A 21 heures, il prit congé. Il remonta Woodstock Road à plus de 50 kilomètres à l'heure ; mais, ayant repéré une voiture de police, il ralentit jusqu'à la vitesse réglementaire. Il s'engagea sur le rond-point de Woodstock, point de départ de ce sinistre gâchis, et prit la direction de Woodstock. Au village de Yarnton, il coupa le contact et gara la Lancia devant la maison de Mrs Mabel Jarman. Il ne resta pas plus de deux minutes chez elle.

Avant de rentrer chez lui, il s'arrêta au QG de la police. Les couloirs étaient sombres mais il ne se donna pas la peine d'allumer. Sitôt entré, il ouvrit le tiroir supérieur gauche de son bureau et en sortit l'enveloppe. Sa main tremblait légèrement quand il prit son coupe-papier et l'ouvrit avec soin. Il se sentait comme un joueur de cricket au score nul qui contrôle le tableau d'affichage, au cas où un coup ambigu de l'autre batteur aurait été affecté par erreur à son nom. Mais Morse ne croyait pas aux miracles. Avant même de la déplier, il savait ce que la note lui apprendrait. Il vit la note ; il ne la lut pas. Il en eut une vision synoptique, comme si elle n'était pas composée de mots et de lettres individuels. Il n'y a pas de miracle.

Il éteignit, ferma la porte du bureau et parcourut de nouveau les couloirs obscurs. La dernière pièce avait pris sa place. Le puzzle était achevé.

30. Samedi, 23 octobre

Depuis le petit déjeuner, Sue s'efforçait d'écrire à David. A deux reprises, elle avait rempli une demi-page avant de chiffonner la feuille et de repartir à zéro sur une page blanche ; mais, le plus souvent, la phraséologie évasive s'était tarie au bout d'une misérable et courte phrase. Elle essaya de nouveau.

> « Mon cher David,
>
> « Tu as été si tendre et si aimant envers moi que cette lettre, je le sais, sera pour toi un choc terrible. Mais je sens que je dois te le dire ; ce n'est pas honnête de te cacher quelque chose. La vérité est que je suis tombée amoureuse de quelqu'un d'autre et... »

Qu'ajouter à cela ? Elle ne pouvait quand même pas s'arrêter là... Elle chiffonna le dernier brouillon qui alla rejoindre au bout de la table la collection de bouchons de papier froissé.

Ce même matin, Morse avait l'air sombre quand il s'assit dans son fauteuil de cuir noir, après une autre mauvaise nuit de sommeil entrecoupé d'insomnies. Il fallait qu'il prenne des vacances.

— Vous semblez fatigué, monsieur, dit Lewis.

— En effet, admit Morse, mais nous sommes arrivés au bout de la route.

— Vraiment, monsieur ?

Morse fit un effort manifeste pour se ressaisir. Il inspira profondément :

— J'ai pris quelques tournants erronés, Lewis, comme vous le savez, mais, par un heureux hasard, j'ai toujours gardé le cap, y compris la nuit du meurtre. Vous vous souvenez, quand nous étions dans la cour ? Je me rappelle avoir regardé les étoiles en songeant à tous les secrets qu'elles connaissent, elles qui voient tout de là-haut. Je me rappelle avoir essayé dès cet instant de voir le schéma, pas seulement les fragments dont il est fait. Vous savez, Lewis, un événement très étrange s'est passé cette nuit-là. Cela ressemblait beaucoup à un meurtre avec violences sexuelles. Mais les choses ne sont pas toujours ce qu'elles semblent être, n'est-ce pas ?

Il parlait d'une voix étouffée, incantatoire presque, comme s'il était drogué.

— Bien entendu, on peut s'arranger pour que les choses paraissent un peu bizarres, mais je n'ai jamais encore rencontré ce type de tueurs intelligents. A moins que les choses n'arrivent comme cela, hein ? Ç'aurait été curieux que Sylvia ait été violée là où on l'avait trouvée, non ? Je sais qu'il faisait très noir dans la cour ce soir-là mais des voitures entraient et sortaient continuellement, phares allumés. On imagine difficilement quelqu'un d'assez fou pour violer une fille sous la menace des phares éblouissants d'un automobiliste.

Lewis avait l'impression qu'il se détendait un peu ; ses yeux retrouvaient leur vivacité.

— D'accord ?

Voilà qui ressemblait plus au patron.

— Je pense que vous avez raison, monsieur.

— Mais cela paraissait étrange. Une jeune blonde tout en jambes assassinée et violée ou violée et assassinée. Quelle que fût la séquence, la piste était la même. C'était un assassin doublé d'un maniaque sexuel qu'il nous fallait trouver. Mais je n'en étais pas sûr. On dit que violer une femme n'est pas vraiment facile si la jeune femme n'est pas du tout consentante et, comme je l'ai dit, je trouvais peu vraisemblable que Sylvia eût été violée dans la cour. Elle aurait crié, elle aurait appelé ; à moins, bien sûr, qu'elle ne fût déjà morte. Mais je supporte mal ce genre de choses et j'ai pensé qu'il y avait de faibles chances que nous ayons affaire à un nécrophile comme Christie. Où cela nous menait-il alors ?

Question purement rhétorique, espérait Lewis. Espoir fondé.

— Bon, essayons de nous concentrer séparément sur chacune des deux composantes : viol et meurtre. Supposons qu'il y ait eu deux actions distinctes et non une seule. Supposons qu'il y ait eu des rapports avec un homme ; après tout, le fait qu'il y ait eu des rapports est indéniable. Allons plus loin et supposons que ces rapports eurent lieu avec le plein consentement de Sylvia. Certains indices vont dans ce sens. Sylvia n'était pas membre du MLF mais elle ne portait pas de soutien-gorge, ce qui n'a rien d'extraordinaire mais n'en demeure pas moins suggestif. Nous avons découvert qu'elle possédait plusieurs blouses blanches mais pas de soutien-gorge blanc. Pourquoi pas ? Sylvia Kaye était trop soucieuse de sa silhouette et de son apparence pour mettre un soutien-gorge noir sous une blouse blanche, n'est-ce pas ? Je pouvais en tirer une seule conclusion : Sylvia sortait souvent sans soutien-gorge ; et lorsqu'elle en portait un, c'était un soutien-gorge noir parce que les filles s'imaginent que les sous-vêtements noirs sont terriblement sexy. Tout cela suggère qu'elle était peut-être une jeune femme facile, et il est clair, je crois, que c'était le cas.

— Elle ne portait pas non plus de slip, monsieur.

— C'est vrai. Mais, d'après le constat médical — qui signale les marques d'un élastique autour de la taille —, elle devait en porter un. Je suis pratiquement sûr qu'elle portait un slip qui s'est retrouvé au fond de la poche d'un individu et fut par la suite jeté ou brûlé. Quoi qu'il en soit, cela importe peu. Revenons aux deux composantes séparées du crime. D'abord, un homme a des rapports sexuels avec Sylvia, presque certainement sans rencontrer beaucoup d'opposition. Ensuite, quelqu'un la tue. Ce pourrait être le même homme mais on voit difficilement quel serait le mobile. Les preuves que nous avons recueillies dès le début semblaient suggérer qu'il s'agissait d'une relation accidentelle, d'un hasard qui surgit sur la route de Woodstock. Très bien. Mais, depuis que l'on a établi que Bernard Crowther est l'homme qui s'est arrêté au rond-point de Woodstock, certains aspects de l'affaire sont devenus plus énigmatiques encore. Je peux imaginer que Bernard Crowther appartenait au type d'hommes susceptibles de tromper leur femme de temps à autre ; d'après ce que nous savons, ses relations avec Margaret auraient basculé ces dernières années de la félicité bienheureuse aux chamailleries stupides. Mais s'il nous faut un maniaque sexuel, je sens avec certitude que Crowther n'est pas l'homme que nous cherchions. Il m'est apparu comme un homme essentiellement civilisé. Vous rappelez-vous ce jour où vous regardiez les photos de Sylvia, Lewis ? Vous rappelez-vous avoir dit combien vous aimeriez mettre la main sur le saligaud qui avait fait ça ? Mais vous aviez à l'esprit une image composite du crime, je pense : vous faisiez un amalgame entre le viol, le meurtre et quelque chose d'autre : l'interférence évidente avec le vêtement minimum de Sylvia. Sincèrement, je ne pouvais faire entrer Crowther dans ce tableau ; et si la déclaration de Mrs Crowther est véridique sur certains points, la description de ce que elle a vu dans la voiture l'est certainement. Vous-même avez souligné la chose, Lewis. Qu'avons-nous alors ? D'abord, il a fait l'amour avec la fille, à l'arrière de la voiture. Deuxièmement, il s'est peut-être disputé avec elle sur un sujet quelconque. Disons qu'elle est une petite grue vénale et qu'elle a accepté de faire l'amour avec lui aux conditions courantes qu'exigent les prostituées. Disons qu'il n'a pas pu, ou pas voulu, la payer. Disons qu'ils se sont disputés et qu'il l'a tuée. C'est une possibilité. Mais je n'arrivais pas à croire que, si telle avait été la suite des événements, nous aurions trouvé Sylvia dans les conditions où nous l'avons trouvée, avec un chemisier déchiré et arraché. Du moins, si nous avions raison de penser que Crowther est le coupable.

— Vous avez dit que vous saviez qui l'avait fait, l'interrompit calmement Lewis.

— Je pense que vous le savez aussi, répondit Morse. Au fur et à mesure que l'enquête progressait, il semblait qu'une seule personne avait l'esprit suffisamment morbide et pervers pour entrer en contact avec le corps d'une femme assassinée. Un homme qui avait attendu pour la voir, par ailleurs ; un homme dont nous savons qu'il était perpétuellement tourmenté par le sexe, qu'il se torturait lui-même de fantasmes pervers ; un homme qui se régalait d'un régime hebdomadaire de films érotiques et de pornographie. Vous savez tout sur lui, Lewis. Et je suis allé le voir il y a une semaine. Sa chambre à coucher est encombrée d'un attirail complet de cartes postales cochonnes, magazines danois, pornographie hard et tout le reste. Il est malade, Lewis, et il sait qu'il est malade et sa mère sait qu'il est malade. Mais ce n'est pas un type du genre agressif. En fait, s'il inspire peu la sympathie, il n'est pas méchant pour autant. Il m'a dit qu'il avait souvent rêvé qu'il déshabillait le corps d'une fille morte.

— Mon Dieu ! dit Lewis.

— Il n'y a pas lieu de tellement s'étonner, vous savez. Je sais que Freud a parlé de ce genre de rêves, qui seraient une forme courante de fantasmes sexuels chez les voyeurs frustrés.

Lewis se rappela le film. Lui-même l'avait trouvé érotique. Même s'il avait refusé de se l'avouer à lui-même.

— Il avait déjà rencontré Sylvia plusieurs fois, reprit Morse. Ils se retrouvaient généralement au bar du *Black Prince.* Ils prenaient quelques verres, puis ils allaient chez lui, dans sa chambre. Il la payait. Il me l'a dit.

— Tout compris, ça lui faisait pas mal de frais.

— Effectivement. Quoi qu'il en soit, le soir où Sylvia fut assassinée, il l'attendait depuis 19 h 45, à peu près. Il vidait verre sur verre et, plus le temps passait, plus il était désespéré de ne pas la voir arriver. Il est sorti plusieurs fois pour aller à sa rencontre mais il n'a rien vu. Quand il a fini par la trouver, il était malade, mentalement et physiquement : malade de frustration sexuelle contenue et malade d'avoir trop bu. Il dit être tombé sur elle, par hasard, et je le crois.

— Et c'est ensuite... vous voulez dire... qu'il l'a tripotée.

— Oui, il l'a tripotée.

— Il devrait se faire soigner, monsieur.

— Il m'a promis d'aller voir un psychiatre, mais je ne suis pas très optimiste. Je ne connais qu'un psychiatre. Drôle d'oiseau ! Si quelqu'un a besoin d'un traitement psychiatrique, c'est bien lui, fit Morse avec un sourire triste, et Lewis sentit que son chef retrouvait sa vraie personnalité.

— Si bien que ce point-là est éclairci, monsieur ?

— Oui, mais cela ne nous avance pas tellement. J'étais aussi sûr qu'on pouvait l'être que Sylvia Kaye n'avait pas été tuée par Mr John Sanders. D'après le constat médical, elle a été tuée entre 19 heures et 20 heures à peu près. Bien entendu, nous connaissons tous l'histoire du criminel qui revient sur les lieux du crime, mais je ne pouvais réellement pas croire que Sanders avait pu rester deux heures et demie ou trois heures durant à s'enfiler du whisky à moins de cinquante mètres de l'endroit où gisait sa victime. Il aurait décampé, c'est sûr. Pour moi, le plus étrange était qu'on ne l'ait pas découverte plus tôt. Mais vous avez élucidé ce point.

Lewis fut heureux de savoir qu'il avait bien rempli sa fonction ; Morse faisait allusion au fait que son sergent avait interrogé tous les conducteurs des véhicules garés dans la cour ce soir-là. Celui de la voiture près de laquelle on avait trouvé Sylvia s'était d'abord très mal garé, juste devant la cour du *Black Prince*, et il craignait de bloquer les autres véhicules. Dès qu'il avait vu une voiture sortir de la cour, il avait sauté sur l'occasion et rangé la sienne en marche arrière dans l'espace laissé libre. Bien entendu, ses phares n'avaient pu atteindre le corps de Sylvia et, lorsqu'il était sorti de sa voiture, le corps se trouvait contre le mur, de l'autre côté du véhicule.

— C'est alors, poursuivit Morse, que nous avons mis la main sur Crowther. Plus exactement, sur les Crowther. Peut-être ne saurons-nous jamais le rôle exact que chacun d'eux a joué pendant cette nuit. Mais nous pouvons suggérer avec assurance que, à la suite de ce qui s'était passé, Margaret a pensé que Bernard avait assassiné Sylvia. Margaret s'est-elle tuée pour la seule raison qu'elle soupçonnait son mari ? Je l'ignore, mais ce fut certainement un des facteurs qui l'y ont conduite. Mais ceci n'est que la moitié de l'affaire. Je crois aussi que Bernard pensait que Margaret avait tué Sylvia. Si j'ai raison sur ce point, cela expliquerait beaucoup de choses. Bernard avait deux raisons accablantes de se taire. D'abord parce que sa liaison aurait à coup sûr été dévoilée, avec toutes les conséquences que cela aurait entraînées. Ensuite, et c'est encore plus important, parce que son témoignage aurait pu nous aider à trouver le meurtrier qui, dans l'optique de Bernard, était probablement sa femme, Margaret. Ah ! Lewis ! Si seulement ils avaient pu parler ensemble de tout ça ! On ne soupçonne pas quelqu'un d'autre d'un crime que l'on a soi-même commis. Et je pense que tous deux étaient très sincères lorsqu'ils soupçonnaient l'autre. Si bien que nous pouvons affirmer avec assurance que ni l'un ni l'autre n'a commis le crime. Et si Bernard avait fait preuve d'intelligence, il aurait dû savoir combien il était peu probable que Margaret fût réellement impliquée dans le meurtre. Il a doublé sa femme en rentrant à Oxford ! Or, grâce à la déclaration de Margaret, nous savons qu'elle conduit lentement et il est probable que la plupart des voitures l'auraient doublée. Mais s'il est parti pour Oxford avant elle, il y a une impossibilité physique à ce qu'il l'ait doublée. D'accord ?

— A moins qu'il ne se soit arrêté pour prendre un verre ou pour une autre raison, monsieur.

— Je n'avais pas pensé à ça, dit Morse lentement. Mais ce n'est pas un point essentiel. Poursuivons. Depuis le début, le personnage clé de l'affaire a été Miss X, la Miss X qui était avec Sylvia dans la voiture de Bernard Crowther. Que savions-nous d'elle ? Le fait essentiel que nous avons appris sur Miss X est une chose que Mrs Jarman a entendue, et elle est absolument certaine de l'avoir entendue ; je l'ai revue hier soir. Elle a entendu Sylvia dire : « Tu verras, d'main matin, on en rigol'ra un bon coup. » Le terrain de chasse s'en trouvait singulièrement réduit, non ? Nous avons enquêté chez Town and Gown Assurance et découvert quelques faits intéressants. Le plus intéressant de tous étant que quelqu'un a recommandé à Miss Jennifer Coleby de ne pas ouvrir la bouche.

Lewis ouvrit la sienne mais n'alla pas plus loin.

— Je sais, Lewis, vous pensez que, depuis le début, je suis hostile à Jennifer mais je suis à présent persuadé — plus que jamais persuadé — que la lettre adressée à Jennifer Coleby, que nous avons trouvée, lui fut écrite par Bernard Crowther. Si vous voulez les détails, les voici : elle a été écrite l'après-midi du vendredi 1er octobre, dans l'appartement de Mr Peter Newlove à Lonsdale College, sur la machine à écrire de Mr Peter Newlove. Ceci est un fait, Lewis.

Lewis essaya de nouveau d'objecter et, de nouveau, Morse écarta d'un geste l'objection.

— Laissez-moi finir, Lewis. Jennifer Coleby a menti dès le coup d'envoi. De tous les gens impliqués dans l'affaire, Jennifer Coleby détient le record absolu du mensonge. Mensonges, mensonges et encore mensonges. Mais pourquoi mentait-elle ? Pour quelle raison s'acharnait-elle obstinément à nous tromper ? Très tôt, j'ai senti que cette raison était en fait très simple. La jeune femme qui s'était installée à l'arrière de la voiture de Bernard était la maîtresse de Bernard et tout ce que nous avons appris de Margaret confirme la vérité de sa déclaration : il avait effectivement une maîtresse. Je ne vais pas m'appesantir sur les multiples falsifications que nous a servies Jennifer ; mais leur réseau serré contenait une part de vérité. Et ce qui nous a paru la plus grosse énormité sortie de sa bouche était justement la seule chose vraie. Elle a dit qu'elle avait une voiture.

Lewis ne put se retenir davantage.

— Mais elle avait un pneu crevé, monsieur. Nous savons ça par cœur !

— Oh, je ne doute pas qu'elle ait eu un pneu crevé. Nous le savons. Elle a téléphoné aux gens de « Pneus et batteries ». Ils ne pouvaient faire la réparation mais d'autres le pouvaient, hein ? Si vous vous le rappelez, Jennifer n'a pas demandé à l'homme des pneus de passer à un autre moment ; elle ne l'avait pas non plus demandé à Barker. Mais quelqu'un a réparé son pneu, Lewis. Peut-être l'a-t-elle fait elle-même ? Elle est loin d'être idiote ! Peut-être a-t-elle demandé à son voisin ? Je ne sais pas. Mais on peut réparer un pneu en cinq minutes, sans problème, et Jennifer Coleby a les pieds sur terre et avait besoin d'une voiture ce soir-là.

— Je n'y suis plus du tout, dit Lewis, mystifié.

— Vous y serez bientôt, Lewis, n'ayez crainte, assura Morse en consultant sa montre. Je veux que vous alliez la chercher.

— Vous voulez dire Miss Coleby ?

— De qui diable pourrait-il bien s'agir ?

Morse sortit derrière Lewis, alla frapper au bureau du commissaire Strange et entra.

Une demi-heure plus tard, Strange et Morse reparaissaient sur le pas de la porte. Les deux hommes avaient l'air sévère et Strange acquiesça gravement lorsque l'inspecteur principal eut prononcé ses derniers mots.

— Vous savez que vous avez l'air fatigué, Morse. A présent que cette affaire est terminée, je pense que vous devriez prendre une quinzaine de jours de permission.

— Pas tout à fait terminée, monsieur.

Morse repartit lentement vers son bureau.

Lorsque Jennifer Coleby arriva, Morse lui dit de s'asseoir puis il se dirigea vers Lewis.

— Je veux que cet entretien soit privé, Lewis. Je sais que vous comprenez.

Lewis ne comprenait pas et fut blessé. Mais il les laissa seuls et s'en fut à la cantine.

— Écoutez, inspecteur, je pensais vraiment après la rencontre d'hier avec votre sergent que vous aviez fini...

Morse l'interrompit d'un ton abrupt.

— Je vous ai convoquée ici et c'est moi qui mène l'entretien. Restez tranquille et taisez-vous.

Il y avait une menace à peine voilée dans sa voix et Jennifer Coleby, manifestement sur la défensive, fit ce que Morse avait ordonné.

— Laissez-moi vous dire ce que je soupçonne depuis longtemps à propos de cette affaire, Miss Coleby. Vous pouvez m'interrompre si je me trompe mais je ne veux plus de vos misérables mensonges.

Elle lui jeta un coup d'œil mauvais mais ne dit rien.

— Laissez-moi vous exposer mon point de vue. Je pense qu'un soir, deux filles ont été prises en stop par un homme et que l'une d'elles était la maîtresse de cet homme. Je pense que cette maîtresse faisait habituellement le trajet en voiture pour retrouver son amant mais, ce soir-là, elle ne pouvait s'y rendre en voiture ; c'est pourquoi il lui fallait soit prendre le bus, soit faire du stop. Malheureusement, et par pure coïncidence, elle a été ramassée par l'homme qu'elle devait retrouver. Malheureusement encore, il y avait deux filles — il dut les prendre toutes les deux — et ces deux filles se connaissaient. Subitement, la situation semblait devenir dangereuse ; tel est du moins mon avis. Vous me suivez, Miss Coleby ? Ils décidèrent, tacitement sans doute, de mettre une croix sur leur rendez-vous et d'attendre la prochaine occasion de se rencontrer. Je pense que cette fille, la maîtresse de l'homme, a demandé qu'on la dépose en chemin. Elle a certainement trouvé un prétexte parfaitement naturel — c'est une menteuse émérite — pour se faire déposer. Mais elle savait où l'autre fille se rendait — celle-ci le lui avait dit, sans aucun doute —

et elle fut envahie par une jalousie incontrôlable. Elle avait peut-être senti quelque chose pendant qu'ils roulaient tous les trois. Vous voyez, la fille qui était assise à l'avant était très attirante. Et peut-être ? Qui sait ? L'homme, l'homme qu'elle connaissait si bien, avait trompé sa femme. Il l'avait trompée avec elle ! Pourquoi pas avec une autre ? La suite des choses, je la vois ainsi. Elle est descendue de voiture mais n'est pas rentrée chez elle. Non. Elle a attendu un bus et quelques instants plus tard, le bus était là. Comme elle a dû maudire sa chance ! Si seulement elle n'avait pas fait de stop ! Quoi qu'il en soit, elle a pris le bus et s'est rendue à l'endroit où elle savait pouvoir les trouver. Effectivement, elle les y trouva. Il faisait très sombre, elle n'y voyait pas très bien mais elle en vit assez. Elle sentit alors jaillir du fond de son être une jalousie meurtrière qui concernait moins son amant que la sale petite grue, une fille qu'elle connaissait et n'avait jamais aimée, une fille qu'elle haïssait à présent avec une fureur indicible. Je pense qu'elles se sont peut-être parlé après le départ de l'homme, mais c'est une simple supposition et je peux me tromper. Je pense que la fille qui venait de sortir de la voiture a perçu la rage mortelle sur le visage de l'autre fille et je pense qu'elle a essayé de s'enfuir. C'est alors qu'un coup violent lui a fracassé le crâne et elle s'est écroulée, morte, sur les pavés de la cour. Je pense que la jeune fille morte a été tirée par les bras dans le coin le plus sombre de la cour, et je pense que la fille qui l'a assassinée est repartie dans la nuit et qu'elle a pris un bus pour rentrer chez elle.

Morse se tut et le silence régna jusqu'à ce qu'il reprenne :

— Pensez-vous que les choses se soient passées de cette façon, Miss Coleby ?

Elle fit oui de la tête.

— Nous savons tous les deux qui a assassiné Sylvia, n'est-ce pas ?

Morse parlait si bas qu'elle dut tendre l'oreille. De nouveau, elle acquiesça en silence.

Morse appela Lewis et lui dit d'entrer.

— Prenez note, sergent. Et maintenant, Miss Coleby, encore quelques questions.

— Qui a réparé votre pneu ?

— Mon voisin d'en face, Mr Thorogood.

— Combien de temps a-t-il fallu ?

— Cinq ou dix minutes. Peu de temps. Je l'ai aidé.

— Depuis combien de temps êtes-vous la maîtresse de votre employeur, Mr Palmer ?

Les yeux de Lewis s'arrondirent de surprise.

— Environ un an.

— Ne pensiez-vous pas que c'était un peu dangereux de le dire à quelqu'un d'autre ?

— Je pense que si. Mais, grâce à cela, nous disposions d'une pièce une fois par semaine.

— Palmer vous a-t-il dit ce matin que je savais ?

— Oui.

Jusqu'alors, elle avait répondu calmement. Mais, subitement, l'éclair jaillit de nouveau de ses yeux.

— Comment avez-vous su ?

— J'ai dû deviner. Mais il devait bien y avoir une raison. Ce fut par hasard, réellement. J'ai contrôlé le registre des cours du soir pour savoir si Mrs Crowther y avait assisté le mercredi 29 septembre. Elle n'y était pas. Mais j'ai remarqué un autre nom sur la liste, celui d'une personne qui, elle, était présente : Mrs Josephine Palmer. Puis...

— Vous êtes très soupçonneux, inspecteur.

— Et quand a commencé cette affaire des lettres ?

— L'été dernier. Vraiment stupide. Mais cela marchait si bien. C'est du moins ce qu'ils disaient.

— Pouvez-vous me donner votre parole d'honneur, Miss Coleby, que vous ne parlerez à personne de tout ceci ?

— Oui, inspecteur. Je pense que je vous dois au moins cela.

Morse se leva :

— Lewis, occupez-vous de faire ramener Miss Coleby à son bureau. Nous avons abusé de son temps.

Sidéré, les yeux agrandis, Lewis les considérait bouche bée. Jennifer lui jeta un coup d'œil et lui dédia un pauvre et triste sourire.

— Vous n'êtes pas très équitable envers moi, monsieur, déclara Lewis démoralisé, mais tout près aussi de céder à la colère.

— Que voulez-vous dire ? demanda Morse.

— Vous disiez que l'affaire était pratiquement finie.

— Elle est finie, dit Morse.

— Vous savez qui l'a tuée.

— Une personne vient d'être arrêtée et inculpée du meurtre de Sylvia Kaye.

— Quand cela ?

— Ce matin. Ici !

Morse sortit la lettre que Jennifer Coleby avait remise à Lewis et la lui tendit. Lewis déplia la feuille de papier et lut avec une stupéfaction incrédule la réponse — elle tenait en une ligne — que Miss Coleby avait donnée à la question de Morse.

— Oui, dit Morse doucement. C'est vrai.

Les questions se pressaient dans la tête de Lewis mais il n'y reçut pas de réponses.

— J'ai besoin d'être seul, Lewis. Rentrez chez vous et occupez-vous de votre femme, pour changer. Nous parlerons lundi.

Les deux hommes quittèrent le bureau. Lewis prit sa voiture et fila aussitôt. Mais Morse se dirigea lentement vers les cellules à l'extrémité de l'aile nord.

— Vous voulez entrer, monsieur ? demanda l'agent de service.

Morse fit signe que oui.

— Laissez-nous seuls, voulez-vous ?

— Comme vous voulez, monsieur. Cellule numéro 1.

Morse prit les clés, tira le verrou de la porte qui commandait l'accès aux cellules et suivit le couloir jusqu'à la cellule numéro 1. Il posa les mains sur les barreaux et regarda tristement entre eux.

— Hello, Sue, dit-il.

31. Lundi, 25 octobre

Le jour s'était levé clair et brillant mais, vers le milieu de la matinée, une armée mélancolique de nuages gris et lourds s'était massée. De légères rafales de pluie grésillaient déjà contre les fenêtres du bureau de Morse lorsque les deux détectives se trouvèrent, pour la dernière fois, face à face de part et d'autre du bureau à propos de l'affaire Sylvia Kaye.

— Que savions-nous de Miss X ? demanda Morse, avant de s'employer à répondre lui-même. Nous savions grosso modo à quoi elle ressemblait, ce qu'elle portait et l'âge qu'elle avait. Un point de départ qui ne nous aurait pas menés très loin. Mais nous savions aussi que les deux filles qui attendaient à l'arrêt du bus se connaissaient et qu'elles se reverraient le lendemain matin. C'était de loin l'indice le plus important dont nous ayons jamais disposé et nous l'avons immédiatement exploité. Naturellement, nous avons estimé que nous pourrions restreindre le champ de nos enquêtes et, à juste titre, nous avons concentré notre attention sur les collègues de bureau de Sylvia Kaye. Bien sûr, il aurait pu s'agir d'une relation de Sylvia, une amie qu'elle aurait retrouvée à l'heure du déjeuner ou qu'elle aurait rencontrée dans le bus. Bref : n'importe qui. Mais nous ne le pensions pas parce que nos soupçons ont été très vite éveillés, de façon tout à fait justifiée, par le comportement singulier d'une des collègues de bureau de Sylvia, Miss Jennifer Coleby. Mais, bien que nous l'ignorions à ce moment-là, Sylvia pouvait rencontrer quelqu'un d'autre le lendemain matin, et, si nous avions été plus tôt un peu plus astucieux, Lewis, nous aurions pu nous en apercevoir plus vite. Sylvia suivait un traitement physiothérapique à l'hôpital Radcliffe pour son bras cassé, et elle s'y rendait régulièrement pour le traitement les mardis et jeudis matin. C'est-à-dire que le jeudi 30 septembre, elle devait se présenter d'abord à l'infirmière chargée du service des consultations externes. Autrement dit à l'infirmière titulaire Widdowson.

Lewis se leva pour fermer les fenêtres contre lesquelles la pluie à présent s'écrasait lourdement.

— Bien sûr, en soi, cela ne signifie pas grand-chose, reprit Morse. Mais, comme nous avons appris que Syvia avait peu d'amies intimes, cela ne manque pas d'intérêt, n'est-ce pas ?

L'attention de Morse s'évada passagèrement. Comme Lewis, il regarda par la fenêtre la cour de béton qui luisait sous le ciel bas.

— Mais revenons à Jennifer Coleby. Crowther lui a écrit, le fait est maintenant établi. Mais la lettre de Crowther n'était pas destinée à Jennifer qui n'était qu'une simple messagère. Elle l'a admis et, réellement, elle n'avait pas le choix. Quand je lui ai écrit, je ne lui ai pas demandé d'accuser qui que ce soit de meurtre ; je lui ai demandé si la lettre était destinée à Sue Widdowson, et elle a confirmé que c'était le cas. Vous ne saurez jamais, Lewis, combien j'ai redouté la vérité de tout cela...

La pluie tombait dans la cour avec un bruit sourd et la pièce était sombre. L'électricité s'alluma dans plusieurs pièces voisines mais pas dans le bureau de Morse.

— Réfléchissez une minute, Lewis. Jennifer avait une voiture. C'est un élément central de l'affaire. Et malgré l'ennui passager causé par une crevaison, elle a utilisé sa voiture la nuit du 29. Elle nous a dit qu'elle l'avait utilisée, souvenez-vous. Et c'était vrai. Sur le moment, je ne l'ai pas crue et j'ai eu tort. Ce soir-là, elle a rencontré quelqu'un qui a vu sa voiture et qui l'a vue dans sa voiture. Quelqu'un qui n'avait rigoureusement rien à voir avec le meurtre de Sylvia. Quelqu'un avec qui Jennifer avait une liaison : son employeur, Mr Palmer. Ainsi, bien que les indices aient désigné Jennifer Coleby à différents stades de l'enquête, Jennifer s'était subitement trouvé un alibi indiscutable. Jusque-là, j'avais été persuadé que l'autre fille dans cette affaire était Jennifer ; il me fallait désormais compter avec un fait indubitable et intangible : la personne qui s'était assise ce soir-là derrière Sylvia Kaye dans la voiture de Bernard Crowther n'était certainement pas Jennifer Coleby. Qui alors ? Forcé d'abandonner Jennifer comme suspect numéro un — en fait, comme suspect tout court —, je m'en suis obstinément tenu à mon idée initiale : qui que soit cette fille, elle était la maîtresse de Crowther, et c'était à elle que Crowther avait adressé son message. Bon, voyons maintenant les choses du point de vue de Crowther. Je suis absolument certain qu'il a dû être terrifié. Mettez-vous à sa place, Lewis. Il avait quitté Sylvia vivante — bien vivante, il en savait quelque chose — le mercredi soir. Le lendemain, il découvre dans la presse que l'on a trouvé cette fille assassinée. Pas n'importe où : assassinée à l'endroit même où il l'avait vue pour la dernière fois, dans la cour du *Black Prince*. Qui savait qu'il s'était trouvé là ? Lui et Sylvia ; Sylvia qui ne dirait plus jamais rien à personne. Mais Sue Widdowson pourrait deviner, parce que Sylvia avait dû lui dire où elle allait. Il a dû s'affoler complètement car, pour un homme intelligent, il s'est comporté apparemment sans un atome de bon sens. Il a dû se poser sans répit la question lancinante : Sue a-t-elle conscience du danger qu'il y aurait à lâcher un seul mot devant qui que ce soit ? Il a dû penser qu'elle en était consciente, sans que le doute cessât pour autant de le tarauder. Elle pouvait tout fiche en l'air : l'exposer aux soupçons concernant le meurtre de Sylvia et précipiter toute sa famille dans un chaos qu'il se sentait incapable d'affronter. Il fallait qu'il vérifie ; il fallait, au moins, qu'il fasse quelque chose. Il n'osait pas la voir. Alors il écrivit.

Usant de son code gestuel coutumier, Lewis manifesta son malaise.

— Je sais, Lewis. Pourquoi a-t-il écrit à Jennifer ?

— Pourquoi a-t-il écrit tout court, monsieur ? Pourquoi n'a-t-il pas simplement téléphoné ?

— J'y arrive. Mais finissons-en d'abord avec le fait que Crowther a écrit à Jennifer Coleby. Car si nous reconnaissons pleinement la signification de ce fait, nous tenons un début de réponse à la question pertinente que vous soulevez. Pourquoi ne pas lui avoir téléphoné ? Pourquoi pas ? La réponse est on ne peut plus simple, je crois. A qui allait-il téléphoner et où ? Supposons pour l'instant qu'il veut téléphoner à Jennifer, la fidèle messagère. Au bureau ? Trop dangereux. Toutes les filles du bureau connaissent la politique de Palmer concernant l'usage des téléphones de sa compagnie et jouent le jeu parce qu'il ferme les yeux sur la correspondance personnelle qui leur arrive. Beaucoup trop dangereux aussi parce que, exception faite de la ligne directe du bureau de Palmer que contrôle sa secrétaire personnelle, tous les appels téléphoniques reçus passent par le standard et chacun sait que n'importe qui peut écouter en toute impunité sur le standard tout ce qui se dit. Non. Hors de question. Alors ? Pourquoi ne pas téléphoner à Sue Widdowson ? Pourquoi ne pas appeler sa maîtresse et lui parler directement, soit chez elle, soit à l'hôpital ? Là encore, il est facile de comprendre pourquoi il s'est abstenu. Il ne peut appeler Sue chez elle faute d'être sûr que les deux autres seront sorties, n'est-ce pas ? Il peut prendre le risque avec Jennifer, pas avec Mary. Il était intimement persuadé — à juste titre, à mon avis — que l'écoute furtive est un passe-temps facile, tentant et intéressant, même s'il s'agit d'une conversation téléphonique unilatérale.

Après avoir poliment frappé à la porte de Morse, la jeune fille chargée de distribuer la correspondance fit une entrée souriante et posa le courrier matinal de l'inspecteur dans sa corbeille.

— Vilain temps, monsieur.

— Oh oui ! dit Morse.

— Le soleil va probablement paraître. Plus tard...

Elle lui fit un charmant et chaleureux sourire avant de sortir et Morse hocha la tête amicalement. Il était vaguement consolant de constater que la vie se poursuivait autour de lui. Distraitement, il regarda par la fenêtre. La pluie avait cessé. Peut-être avait-elle raison. Le soleil paraîtrait probablement. Plus tard...

— Mais pourquoi ne pas l'appeler à son travail, monsieur ?

— Ah oui ! Désolé, Lewis. Pourquoi ne pas l'appeler à son travail ? J'ai trouvé la réponse vendredi dernier seulement. Il est pratiquement impossible pour qui n'est pas de l'établissement, y compris pour la police, d'entrer en communication directe avec les infirmières du Radcliffe. J'ai moi-même essayé : autant demander un numéro aux renseignements téléphoniques si vous n'avez pas l'adresse. La surveillante en chef est une virago de la pire...

— Crowther ne pouvait-il lui écrire ? Sûrement...

— Il aurait pu, oui. Et je ne vois pas pourquoi il ne l'a pas fait, sauf... Voyez-vous, Lewis, il avait pris cette habitude avec Sue Widdowson. Laissez-moi tenter d'expliquer comment cela a démarré. Vous le savez, les services postaux empirent partout. A North Oxford, ils battent leurs pires records. Le courrier est rarement distribué avant 10 heures du matin, beaucoup trop tard pour que quiconque reçoive une lettre avant de partir pour son travail. Et même s'il arrivait de bonne heure, à 8 heures, mettons, ce serait encore trop tard. Pourquoi ne pas lui écrire à l'hôpital, alors ? La réponse est que notre chère surveillante en chef a fait, là aussi, acte d'autorité. Elle interdit que la correspondance personnelle soit adressée à l'hôpital.

— Mais si Crowther avait posté une lettre à son domicile, elle l'aurait reçue sitôt rentrée de l'hôpital, non ?

— Oui, vous avez raison. Mais vous mettez le doigt sur la difficulté majeure, et c'est la raison pour laquelle j'avais pensé que Jennifer Coleby occupait la première place dans le tableau. Comme la plupart des professeurs d'université, Bernard Crowther n'avait pas d'horaires de travail réguliers à Lonsdale College. Une obligation — conseils de discipline, visiteurs imprévus, réunions improvisées — pouvait toujours surgir à des heures bizarres et le programme de ses escapades extra-maritales tenait au fil précaire de l'espoir de moments libres les jours suivants. Plus important encore, il devait veiller au jour le jour aux allées et venues de sa famille. Initiatives soudaines de Margaret, accrocs de santé des enfants ou demi-jour de congé subitement tombé du ciel... Là encore, quantité d'incidents fâcheux pouvaient surgir à l'improviste et fiche en l'air les plans les mieux préparés. A mon avis, Crowther était rarement certain plus d'un jour à l'avance, voire de quelques heures, de pouvoir rencontrer sa maîtresse, ni de l'heure ou du lieu de cette rencontre. Mais, n'oubliez pas, Lewis, que Lonsdale College se trouve à une centaine de mètres de l'immeuble de la Town and Gown Assurance dans High Street.

— Vous voulez dire que Crowther y allait à pied et y déposait un mot ?

— Exactement.

— Mais Jennifer ne pouvait pas non plus prendre contact avec Sue pendant la journée, non ? Vous venez de dire...

— Je sais ce que vous allez dire. Il aurait aussi bien pu écrire à Sue à son domicile. Elle n'aurait pas eu le message plus tôt parce que la lettre eût attendu son retour sur le paillasson. En fait, elle l'aurait certainement reçue plus tard. Mais tout ceci suppose que Crowther ait écrit la veille pour mettre au point la rencontre et, comme je l'ai dit, je soupçonne que bien souvent il ne le pouvait pas. Mais il y a un autre point beaucoup plus important, Lewis. Vous dites que Jennifer ne pouvait joindre Sue pendant la journée. Inexact : elle le pouvait, et le faisait souvent. Elles se retrouvaient régulièrement pour prendre un petit quelque chose à l'heure du déjeuner. Dans un café, près de Marks and Spencer. Je le sais, Lewis, j'y suis allé.

Morse avait proféré ces derniers mots d'un ton impersonnel et mélancolique ; Lewis le regarda curieusement. Il y avait quelque chose que Morse avait dit quelques minutes plus tôt. C'était presque comme si...

— Jennifer Coleby devait tout savoir, monsieur.

— J'ignore si elle savait tout mais elle en savait beaucoup. Beaucoup trop, je pense...

Il garda le silence quelques instants mais lorsqu'il reprit, ce fut d'une voix plus alerte, plus animée.

— J'ignore comment leurs relations ont démarré mais, à un moment donné, elles ont dû se confier davantage l'une à l'autre. On dit qu'en ce domaine, les femmes, les hommes aussi d'ailleurs, aiment parler à quelqu'un de leurs conquêtes ; une remarque lancée au hasard les a peut-être rapprochées et un lien de complicité s'est bientôt forgé. La complicité entre elles me paraît indéniable. Je soupçonne qu'après quelques malentendus et déceptions fatals à ses rendez-vous avec Sue, Crowther suggéra l'idée de déposer des lettres apparemment anodines, adressées à Jennifer Coleby, dans la boîte aux lettres de Town and Gown. Il avait, j'en suis presque sûr, le genre d'esprit qui s'enchante de jouer aux messages cryptés et, peu à peu, cette habitude s'est ancrée jusqu'à devenir leur voie normale de communication. Il devait passer en flânant et glisser une lettre ou une carte postale par la porte principale du bureau. Tout simple ; même pas besoin de faire un détour. Un imprévu a vraisemblablement suscité pour la première fois ce mode de communication ; puis, avec le temps, il s'était transformé en une pratique si normale qu'il l'a utilisé pour lui transmettre son ultime message. Mis à part la simplicité et la commodité du système, ce devait être une aubaine pour Crowther de n'avoir pas à écrire autant de vraies lettres à Sue. Comme la plupart des gens engagés dans des liaisons adultères, il devait crever de peur à l'idée qu'une lettre puisse s'égarer, être ouverte par n'importe qui ou trouvée n'importe où. Avec leur système, personne ne pouvait en apprendre beaucoup, même si une lettre s'égarait.

— A quel moment avez-vous pensé pour la première fois qu'il s'agissait de Miss Widdowson, monsieur ? demanda Lewis avec une douceur inaccoutumée car il commençait enfin à comprendre.

D'un air triste et las, Morse fixa le bureau dont il tapotait nerveusement le plateau.

— Je pense que les premiers très vagues indices... Oh, je ne sais pas. Mais je n'en ai pas été certain avant vendredi dernier. Peut-être ai-je commencé à entrevoir la vérité lorsque j'ai contrôlé le registre du cours du soir pour m'assurer de la présence de Margaret Crowther. Par le plus grand des hasards, vraiment, par quelque divine malchance, j'ai remarqué que la femme de Palmer était inscrite au même cours. Ce qui m'a fait réfléchir. Beaucoup réfléchir. J'ai pensé qu'il était très peu probable que Jennifer Coleby fût le genre de personnes susceptibles d'accorder ses faveurs sans rien obtenir en retour ; et réfléchi au contrat qui devait exister entre elle et l'autre fille. Dans le même esprit, j'ai envisagé la possibilité de deux filles prises dans une situation identique, dans le même type de relations avec un autre partenaire. Avec un homme. A partir de là, j'ai multiplié les hypothèses. J'ai pensé à Crowther avec quelqu'un, Jennifer avec quelqu'un ; ensuite à Palmer et à son rôle éventuel ; ensuite... Ensuite, j'ai pensé à Sue Widdowson et, subitement, les pièces ont commencé à s'emboîter. Jennifer pouvait-elle avoir une liaison avec Palmer ? Il arrive si souvent dans ce genre de situation que l'autre soit une relation de travail ; et qu'y avait-il à Town and Gown si ce n'est Palmer ? C'était le seul homme sur le terrain. Je me demandais toujours ce que Jennifer retirait du marché. L'idée m'a subitement frappé : ce qu'elle voulait par-dessus tout... Savez-vous ce que c'est, Lewis ?

— Je crains que non, je n'ai pas l'expérience de ce genre de choses, monsieur.

— Moi non plus, dit Morse.

— Ah oui ! Je suppose que vous voulez parler d'un endroit où ils pourraient être seuls ensemble... Je vois... Vous voulez dire...

— Oui, Lewis. Quelqu'un pouvait offrir à Jennifer une chambre où elle pourrait être seule avec Palmer. Mary n'était pas tellement souvent absente mais, quand elle l'était, la voie était libre parce que l'autre membre du trio pouvait s'arranger pour être, comme par hasard, absent au même moment. C'est ce qu'elle faisait.

— Un instant, monsieur.

Une inquiétude tourmentait Lewis. Sa mémoire l'avait renvoyé à la nuit du mercredi 29 septembre... Il retrouva son idée :

— Mais la maison était libre, n'est-ce pas, ce mercredi soir ? Je pensais que vous aviez dit que Mary était allée au cinéma.

— On fera de vous un détective, Lewis.

Morse se leva de son fauteuil de cuir, posa la main sur l'épaule de son sergent et contempla les nuages menaçants qui roulaient vers l'ouest. La pluie avait cessé et des flaques tranquilles parsemaient la cour.

— C'était une autre supercherie de Jennifer, je le crains. Mary était chez elle ce soir-là, elle me l'a dit. Mais, même si Mary avait passé la soirée ailleurs, je ne pense pas que cela aurait changé quoi que ce soit. Je suis sûr que le job de Jennifer consistait à conduire Sue lorsqu'elle rencontrait Crowther. C'était sa part du contrat. Et le mercredi 29 septembre, elles avaient, comme vous le savez, toutes les deux leur rendez-vous...

— Mais pourquoi n'ont-elles pas... commença Lewis qui hésitait à terminer sa phrase.

Morse le fit pour lui :

— Pourquoi n'ont-ils pas tous les quatre profité de l'occasion d'utiliser la maison chaque fois que Mary s'absentait ? C'est cela que vous voulez dire ?

— Oui.

— Ç'aurait été une excellente solution pour Palmer, bien sûr. Il habite à bonne distance et très peu de gens sont susceptibles de le connaître à North Oxford. Quoi qu'il en soit, c'était un risque qu'il pouvait prendre. En fait, je sais qu'il y est allé. J'avais mis la maison sous surveillance toute la semaine dernière et le mercredi soir, la voiture de Palmer était garée dans la rue voisine. McPherson l'a repérée. Je l'y avais envoyé : mission spéciale.

Le visage de Lewis exprima fugitivement sa peine mais Morse l'ignora :

— Il n'a pas vu Palmer entrer mais il l'a vu sortir. J'ai moi-même convoqué Palmer vendredi soir ; il a dû tout déballer.

— Mais c'était trop risqué pour Crowther ?

— Et comment ! Il habite à un jet de pierre de

là. Non, ç'aurait été de sa part stupide et inimaginable. Il habite Southdown Road depuis des années. Pratiquement tout le monde le connaît et il déambule le long de la rue presque tous les soirs pour aller prendre un verre au *Fletcher's Arms*. Les gens auraient aussitôt commencé à jaser. Il ne l'a même pas envisagé.

— Alors, quand les deux filles avaient rendez-vous...

— C'était le travail de Jennifer de conduire Sue.

— Donc, si Jennifer n'avait pas découvert ce soir-là qu'elle avait un pneu crevé, Sylvia n'aurait peut-être pas été assassinée.

— En effet.

Morse traversa la pièce et revint s'asseoir dans son fauteuil. Il avait presque terminé.

— La nuit du crime, Sue Widdowson était sans doute agacée. Peut-être s'est-elle irritée contre Jennifer. Je ne sais... En tout cas, pendant que Jennifer téléphonait au garage, puis se rabattait sur le vieux voisin sympa qui mettrait un temps fou à réparer, Sue a perdu patience. Elle était sûre qu'elle serait en retard et a décidé de sauter dans un bus. Elle est allée à pied jusqu'à Woodstock Road, jusqu'à l'arrêt 5 et... vous savez la suite. Elle a trouvé quelqu'un d'autre qui attendait : Miss Sylvia Kaye.

— Si seulement elle avait patienté !

— Si seulement elle avait patienté, oui. En cinq ou dix minutes au plus, Jennifer disposait d'un pneu réparé. C'est ce qu'elle dit. Elle-même avait rendez-vous avec Palmer au *Golden Rose* ce soir-là. Vous voyez, elle emmenait toujours Sue à Woodstock et c'était commode pour elle et Palmer de se rencontrer dans un pub des environs : Begbroke, Bladon ou Woodstock. Ils s'y sont retrouvés ce soir-là, nous le savons. En fait, malgré tous ses ennuis, Jennifer y est arrivée avant Palmer. Elle a commandé une bière blonde au citron puis est allée s'installer dans le jardin pour le voir venir.

— Curieux, n'est-ce pas, monsieur ? Si Sue Widdowson...

— Que de « si », sergent !

— La vie en est faite, monsieur.

— C'est vrai.

— Mais vous n'avez fait que deviner, monsieur. Je veux dire, vous ne disposiez d'aucune preuve solide.

— Peut-être pas alors. Mais les faits s'additionnaient. Sue et Jennifer étaient à peu près de la même taille, elles avaient le même teint, excepté...

— Excepté quoi, monsieur ?

— C'est sans importance. Oubliez ça. Les vêtements ? J'ai vu le manteau que Mrs Jarman a décrit ; j'ai vu le même genre de pantalon ; et Sue Widdowson les portait. Vendredi soir, j'ai montré à Mrs Jarman une photo de Sue qu'elle a immédiatement reconnue. Pas étonnant que la pauvre femme n'ait pu désigner personne au cours de l'identification. La fille qu'elle avait vue à l'arrêt du bus n'était pas là.

— Les gens commettent des erreurs, monsieur.

— Si seulement ils en commettaient, Lewis ! Si seulement !

— Mais il n'y a toujours pas de preuve.

— Non, je pense que non. Mais j'ai trouvé quelque chose d'autre. Quand je suis allé au Radcliffe pour identifier le corps de Crowther, l'infirmière de garde m'a remis ses clés ; elles étaient dans la poche de son pantalon. J'ai demandé si une infirmière était venue le voir. Non, a-t-elle répondu, mais l'infirmière titulaire Widdowson lui avait demandé de ses nouvelles et, du fond de la salle, elle avait longtemps regardé dans la direction du lit de Crowther.

Morse parlait sur un rythme saccadé mais il se reprit rapidement. Une fois de plus, il se dirigea vers la fenêtre alors que le soleil commençait à filtrer à travers les nuages.

— Je suis allé à Lonsdale College et j'ai jeté un coup d'œil dans le bureau de Crowther. Je n'ai trouvé qu'un seul tiroir fermé à clé, en bas à gauche de son petit bureau, si cela vous intéresse.

Il se retourna et fixa sur Lewis un œil féroce :

— J'ai ouvert le tiroir et trouvé... J'ai trouvé une photo de Sue.

Mais il maîtrisait sa voix et son regard franchit de nouveau l'obstacle ténu de la fenêtre.

— Elle m'avait donné un tirage de cette même photo, fit-il d'un ton si doux que Lewis ne put saisir ces derniers mots.

ÉPILOGUE

Tout était dit.

Lewis rentra déjeuner chez lui, espérant que sa femme se sentait mieux. Il passa devant une affiche de quotidien : LE CRIME DE WOODSTOCK — UNE FEMME AU SECOURS DE LA POLICE. Mais ne s'arrêta pas pour acheter un exemplaire.

Une fois encore, Morse se rendit au quartier des cellules et passa quelques minutes avec Sue.

— Désirez-vous quelque chose ?

Les yeux pleins de larmes, elle secoua la tête et il resta près d'elle dans la cellule, gauche et perdu.

— Inspecteur ?

— Oui.

— Peut-être ne me croirez-vous pas, et cela n'a de toute façon pas d'importance. Mais... je vous aime.

Morse ne dit rien. D'un revers de main, il frotta ses yeux qui picotaient, espérant qu'elle ne s'en apercevrait pas. Pendant un temps, il n'osa parler, de peur de se trahir ; quand il sut pouvoir le faire, il regarda l'objet de son amour et dit seulement :

— Au revoir, Sue.

Il sortit et ferma derrière lui la porte de la cellule. Il n'aurait pu prononcer un mot de plus. S'éloigner fut un arrachement. Dans le couloir, il entendit sa voix pour la dernière fois.

— Inspecteur ?

Il se retourna. Elle était debout près des barreaux, le visage lavé de larmes d'angoisse et de désespoir.

— Inspecteur, vous ne m'avez jamais dit votre prénom.

Il faisait sombre lorsque Morse quitta son bureau. Il monta dans sa Lancia, sortit de la cour dont les flaques étaient presque séchées et s'infiltra dans le flot de la circulation. Alors qu'il traversait le rond-point du périphérique, il vit deux silhouettes debout sur la bande gazonnée, le pouce dressé. L'une était une fille, une jolie fille, à première vue. Peut-être l'autre était-elle aussi une fille. Difficile à dire. Il rentra chez lui. A Oxford.

Achevé d'imprimer par Elsnerdruck
à Berlin

N° d'édition : 2663
Dépôt légal : juin 1996
Nouveau tirage : octobre 1997
Imprimé en Allemagne